岩 波 文 庫

38-608-2

人類歴史哲学考

(二)

ヘ ル ダ ー 著
嶋田洋一郎訳

岩 波 書 店

Herder

IDEEN ZUR PHILOSOPHIE DER GESCHICHTE DER MENSCHHEIT

凡例

一、本文中の＊と番号で示される注はヘルダーによる原注である。原文の隔字体は太字で示す。

一、本文には今日の人権感覚や歴史意識の点から見て問題となるような語句や表現が含まれているが、本書の歴史的性格を考え、変更を加えていない。

一、訳注について。『人類歴史哲学考』読解に際しての最大の問題は、ヘルダーが執筆にあたって参照した種々の資料について本文中にも原注にも、その典拠がほとんど示されていないことである。現在のところ、こうした典拠について最も多くの情報を提供しているのは、ハンザー版の編者ヴォルフガング・プロスによる注釈であり、以下、本訳書における訳注もこのプロスの注釈に負うところが多いことをお断りしておきたい。訳注では人物や地名等に関する説明を中心とし、著書のある人物についてはヘルダーが念頭に置いていると思われる作品にも言及する。なお人名については、原綴および生没年の記載を原則として本文で言及される近世以降の人物に限り、第五分冊に索引を付す。またヘルダーが作品執筆の最終段階で削除したと思われる他の著作からの引用は、作品の思想史的背景をより明らかにするためにも、見当のつくかぎりできるだけ掲載することとした。そのさい邦訳のあるものはこれを利用し、その書誌的情報を明記する。邦訳の見つからないものについては、主としてハンザー版の注釈に引用されているものを和訳してある。

一、今回の翻訳と訳注の作成に際して使用ならびに参照したテクスト類は左記のとおりである。なお翻訳の底本としたのは『人類歴史哲学考』の本文に加えて構想や草稿および異文が最も豊富に収録されている『ズプハン版全集』第十三巻（一八八七年）および第十四巻（一九〇九年）である。

Johann Gottfried Herder. *Sämtliche Werke.* (Hrsg. von Bernhard Suphan), Bd. XIII. Berlin 1887, Bd. XIV. Berlin 1909.

Johann Gottfried Herder. *Ideen zur Philosophie der Geschichte der Menschheit.* 2 Bde. (Hrsg. von Heinz Stolpe), Berlin 1965.

Johann Gottfried Herder. *Ideen zur Philosophie der Geschichte der Menschheit.* (Hrsg. von Martin Bollacher), Frankfurt a. M. 1989.

Johann Gottfried Herder. *Werke.* (Hrsg. von Wolfgang Pross), Bd. III. *Ideen zur Philosophie der Geschichte der Menschheit.* (2 Bände), München 2002.

これらの版に加えて左記の英語訳とフランス語訳（いずれも全訳）も参照した。

Johann Gottfried v. Herder. *Outlines of a Philosophy of the History of Man.* Translated from the German *Ideen zur Philosophie der Geschichte der Menschheit* by T. Churchill, London 1800.

Idées sur la Philosophie de l'Histoire de l'Humanité, par Herder. Ouvrage traduit de l'Allemand et Précédé d'une Introduction par Edgar Quinet, Tome I, II, Paris 1827. Tome III, Paris 1828.

なお『人類歴史哲学考』にはすでに左記の二種類の和訳（いずれも全訳）があり、今回の和訳に際して大変参考になった。

ヨハン・ゴットフリイト・フォン・ヘルデル『歴史哲学』（上）田中萃一郎訳（泰西名

著歴史叢書13)、国民図書株式会社、一九二三年。同『歴史哲学』(下)川合貞一訳(泰西名著歴史叢書14)、国民図書株式会社、一九二五年(後にヘルデル『歴史哲学』として一九三三年に第一書房より一巻本として刊行されたほか、戦後にも再び上下の二巻本として刊行)。

ヨハン・ゴットフリート・ヘルダー『人間史論』Ⅰ・Ⅱ、鼓常良訳、白水社、一九四八年。同『人間史論』Ⅲ・Ⅳ、鼓常良訳、白水社、一九四九年。

一、本文中の人名と地名の表記でギリシア語やラテン語に由来するものは、原則として長音を含まずに慣例に従った形で表記する。

*本・第二分冊における個々の民族の記述には、ヘルダーが当時の科学知識や文献資料に基づいているとはいえ、今日では不適切な語句や偏見に基づく表現が多く見られる。それらは十八世紀のヨーロッパにおける価値観や民族観の反映として読まれるべきものであり、そのまま訳出した。読者諸賢にあっては、このような事情を理解したうえで読み進めていただきたく思う。

目次

第七巻

第八巻

第九巻

人類歴史哲学考（二）

第二部

私は人間だ。人間のすることは何ひとつ
私にとって他人事とは思わない。[1]

テレンティウス

第六巻

われわれは第一部で地球を人類一般の居住地と見なし、それから人間が生きものの系列において地球上で占める位置に目を向けるように努めてきた。人間本性一般の理念が確認された今は、この球形の舞台に姿を現す人間の多種多様な現象を考察することにしよう。

しかし誰がこの迷路の中で導きの糸を与えてくれるのか？　われわれが従ってもよい確実な足跡はどれか？　少なくとも全知を僭称(せんしょう)する偽りの派手な衣裳に欺かれて、人類史の記述者のみならず人類史の哲学者にも必然的につきまとう欠陥が隠蔽されることはあってはならない。人類史の全体を見渡せるのは人類のゲーニウスだけなのだから。ここでは諸民族の有機組織における差異から始めるが、それはほかでもなくすでに博物学の教科書[2]にもこれらの差異が記されているからである。

一　北極周辺の諸民族の有機組織

どの海洋探検家もこれまで成功していないのは、われわれの地球の軸、つまり北極の上に立つことと、おそらく北極から地球全体の構造を、これまで以上に詳細に解明することである。しかし本書は地球の居住可能な範囲のはるか彼方にまですでに到達し、自然の冷たくて露出した氷の座とでも呼びたいような地域についても記述した(3)。これらの地域では地球の創造から生れた不思議なもの、それも赤道地帯の住民には信じられないようなものが見られる。美しく彩られた大量の氷塊、大気によって生じる不思議な目の錯覚であるオーロラ、上空からの厳しい寒気にもかかわらず温かいことも稀でない地溝がそれである。崩壊した険しい岩塊にあっては、突出した花崗岩が南極におけるよりもさらに高く聳(そび)えているように見える。一般的に地球の居住可能な地域はその大部分が北半球にある。それに海が生きものにとって最初の居住の場であったことからすれば、多くの居住者で満ちあふれている北方の海は、今もなお生命の母胎と考えられるし、その海岸は地球被造物が苔、昆虫、蛆虫といった形で有機組織化を始める極限と見なされる。海鳥はまだ本来の鳥類がほとんど育たないこの土地をしばしば訪れる。海の動物や両棲類が這い出てきて、この土地の太陽から稀にしか射さない光線で体を温める。北方の海のきわめて活動的な混沌の只中には地球の生物創造のいわば極限が示されている。

しかし、この限界上で人間の有機組織はどのようにして維持されてきたのか？　寒気が人間に及ぼしえた影響は、それが人間の身体をいくらか収縮させたことと、血液の循環範囲をいわば狭めたことに集約される。グリーンランド人[4]は身長がたいてい五フィート以下であり、その仲間のエスキモーは北方に居住すればするほど背が低くなる。[*3]しかし内部から活動する生命力は、グリーンランド人に、そそり立つ長身を与えることこそできなかったが、温暖で強靭な密度によってこれを補った。その頭部は体軀に比して大きくなり、顔面は幅広く平らになった。というのも、両極端を抑制し、中間においてのみ素晴らしく活動する自然は、ここでまだ顔面を穏やかな楕円形に仕上げることができず、なかでも顔面の飾りである鼻を、あるいはこう言ってよければ、秤の棹を隆起させることができなかったからだ。頰が顔面で大きな幅をとったので、口は小さく丸くなった。頭髪は粗剛だったが、それは押し上げられてくる精緻な体液が不足していたため、柔らかくて絹糸のような頭髪が形成されなかったからである。目にはまだ生気がなかった。同じようにして、頑丈な肩と太い両腕および両足が形成され、胴体は血液も多く、肉づきのよいものとなった。ただ手足だけは小さく華奢なままで、いわば形成物の末端にある新芽のようだった。こうした外部の形態についてと同様のことが内部では刺激反応性と体液の按分についてもあてはまる。血液の流れが遅くなると、心臓の鼓動もいっそう弱々しくなる。そのためここ北方では性欲がそれほど強くない。性の刺激は他の地域のように気温が上がるにつれて著しく大きくなる。この地域では性の刺激に目覚めるのが遅い。未婚者は貞潔を守り、女性は厄介な結婚にほとんど強制されねばならない。当地の女性は子どもをそれほど産まないので、多産で好色なヨーロッパ人をイヌになぞらえる。結婚生活においては生活全体においてと同じように静かな慎み深さと情念に対する強い抑制が支配している。温暖な風土はいっそう放埒な生命力をも形成するが、その手段として用いられる性の刺激に対して当地の女性は無感覚であり、静かに平穏に恬淡と自足して日々を送り、必要に迫られて初めて活動する。父親は母親と一緒になって息子を育て上げるが、それは自分たちが人生の美徳や幸福と考えている平静さと落ち着きを目ざしてのことなのだ。母親は子どもに長いあいだ母性動物のありったけの深くて強い愛情をもって哺乳する。自然は当地の人間に繊維の刺激と弾性を与えなかった代わりに、不断に持続する強靭さを与え、身体を温める脂肪と豊かな血液で彼らを包み込んだ。その血液は、彼らの密閉された建物にあっては、自分の吐く息をも、その息がつまるほど温めてくれる。

思うに、この自然という創造者の公平な手、すなわち、あらゆる活動において等しく作用を及ぼすことで有機組織化を行う手に気づかない者はいないだろう。(5) 人間の身長が伸びない地域では、植物の生長はなお困難である。そこでは小さな樹木がわずかに生えるだけで、苔や灌木は地面を這っている。鉄を打ちつけた物差しでさえ、酷寒のなかでは縮んで短くなった。とすれば、人間の繊維も、たとえそのなかに有機的生命が内在していたとしても、縮んで短くならないはずがあろうか？　しかもこの生命はただ抑圧され、いわば形成のより小さな領域に閉じ込められるしかなかった。さらにすべての有機組織においてもこれに類似した活動が見られる。寒冷な地域の水棲動物や、その他の被造物における外面の身体部分は小さくて精緻である。自然はすべてをできるだけ体内温度の範囲内に寄せ集めたのだ。この地域の鳥が密生した羽毛で、また動物が脂肪で覆われたのと同じように、人間も血液の多い温かな外皮で覆われた。外部からも自然はこれら被造物に対して、それも地球上のあらゆる有機組織を支配する同一の原理に基づいて、この地域での体質に役立たないものを賦与することを拒まざるをえなかった。グリーンランド人に狂気をもたらした火酒が彼らの多数を滅ぼしたのと同じように、香辛料は内部で腐敗しやすい彼らの身体を滅ぼすだろう。風土はそれゆえ彼らに香辛料を与えなかった。しかし他方で風土は彼らの貧弱な居住地において、彼らがその内部構造に促されて休息を大いに好むにもかかわらず、外部から彼らを活動ならびに身体の運動へと強いる。そしてこれらの活動や運動に彼らのあらゆる掟と行事は根ざしている。この地域で育つわずかな薬草には浄血作用があり、そのためまさに彼らの要求に適って(かな)いる。外気はかなりの程度に不燃性であり、[*4] その結果として死体ですら腐敗に抗して長く生きることを要求する。乾燥した寒気は有毒動物を許容しないし、彼らの皮膚の硬さは厄介な昆虫から自らを護る。煙や長い冬も同様の役割を果たす。このようにして自然は埋め合わせを行い、自分が作用を及ぼすあらゆるものにおいて調和を保ちながら活動する。

この最初の民族について詳しく記述したからには、これに類した民族のもとにとどまって同じように詳述する必要はないだろう。アメリカのエスキモー(6)は習俗や言語のみならず形態の点でもグリーンランド人の兄弟である。ただ、この不幸な者たちは髭を生やしているばかりに、髭を生やしていないアメリカの先住民によって他所者(よそもの)としてはるか北方に追いやられている。そのため彼らの大部分は、またずっとすさんだ苦労の多い生活を送らざるをえない。それどころか彼らは、何と苛酷な運命だろうか、冬の時期には洞窟の中で自分の血をすすりながら命をつなぐように余儀なくされることも稀でない。[*5]

この地域や地球の他の場所では厳しい必然が絶対的な支配権を持つため、人間はほとんどクマの生活様式をとらざるをえなかった。しかしそれでもなお人間はいたるところで自身を人間として維持していた。事実また、これらの民族の一見どんなに人間らしくない特性の中にも、よくよく観察すればフマニテートが見てとれる。自然は人類がどのような苛酷な状態に耐えうるかを試したかったのであり、そして人類はその試練を乗りこえた。

エスキモーに比べるとラップ人は温和な民族であり、住んでいるところも同じようにすでに温和な地域である。*6 体格は大きくなり、顔面の平らな丸さは減少し、頰は痩せて、目は暗い灰色になり、黒くてまっすぐな頭髪は黄褐色に変わる。温和な太陽の光線のもとで蕾（つぼみ）が開くのと同じように、人間の内部の有機組織化も外部の形成とともに相互に進展する。*7 山地ラップ人(7)はすでにトナカイを飼っているが、これはグリーンランド人にもエスキモーにもできなかったことだ。山地ラップ人はトナカイから食料と衣類、家と毛布、便利さと楽しみを手にする。これに対して地球の辺地に住むグリーンランド人は、これらすべてをほとんど海中に求めざるをえなかった。こうして人間はすでに陸棲動物を自分の仲間や召使とし、この動物のもとで種々の技術や家事に関する生活方法を習得している。この動物によって人間の足は走ることに、また手は技術を使って運ぶことに慣れ、人間の感情は所有と、いっそう確実な財産を好むようになる。同様にまた人間は自由への愛を保持し、その耳は臆病なまでに用心深くなる。これらについては同じような状態に置かれたいくつかの民族において見ていくことになろう。ラップ人は自分が飼っている動物と同じように、おずおずと聞き耳をたて、どんな小さな音にも跳び上がる。彼らは自分の生活様式を愛し、太陽が昇るごとに自分のトナカイがするように山の方を見上げる。彼らはトナカイと話し、トナカイは彼らの言うことを理解する。また彼らは自分の財産や従僕たちのことを気遣うのと同じようにトナカイのことを気遣う。こうして自然は、この地域に賦与しえた最初の飼育可能な陸棲動物によって、より人間らしい生活方法への導き手をも人間に与えた。

広大なロシア帝国のうち、北極海沿岸に居住する諸民族については、最近のよく知られた数多くの旅行記における記述のほかに、これらの民族を生き生きと描いた報告集がある。[*8] これを一読すれば、私の記述が語りうるよりも多くのことを知ることができる。そこからは、これらの民族の多くが、たとえどれほど混淆(こんこう)し、また各地に追いやられて居住しているにせよ、その一方では、きわめて多様な起源を持つにもかかわらず、北方の形姿という一つの軛(くびき)のもとに押し込められ、いわば北極という一本の鎖につながれた様子が見てとれる。**サモエード人**(8)の顔面は丸くて幅広く平らであり、頭髪は黒くて逆立っている。体格は小太りで、多血質な北方の形姿である。ただ、唇は反り返り、鼻は開いて幅広になり、髭も少なくなるが、この広大な地域を東方に向かって進むにしたがって髭がますます少なくなるのが分かるだろう。サモエード人は、それゆえいわば北方人の中の黒人であり、その神経が非常に敏感であることや、サモエード人女性が一一歳か一二歳で結婚適齢期に達することや、*9 それにもし報告が正しければ、乳房の周りに黒い輪ができることは、他の諸事情も含めて、サモエード人がこれほどの寒冷地に住んでいても黒人に似ている様子をいっそうよく物語っている。しかしそれでもサモエード人は、おそらく民族性として持ち合わせ、風土によってさえ打ち負かされえなかった精緻で情熱的な本性にもかかわらず、その形姿全体において北方人なのだ。これより南方に住む**ツングース人**(9)*10はすでにモンゴル人(10)の諸部族に似ている。もっとも、ツングース人は言語や部族という点でモンゴル人と区別されるが、それはちょうどサモエード人とオスチャーク人(11)が、ラップ人やグリーンランド人と区別されるのと同じである。サモエード人に比べるとツングース人の身体はよく発育し、すらりとした長身になり、目はモンゴル人風に小さく、唇は薄く、頭髪は柔らかくなる。それでも顔面はまだ北方の平らな作りを保持している。同じことはヤクート人(12)やユカギール人(13)についても言える。というのも、これらの民族は、ツングース人がモンゴル人の形姿に移行するように見えるのと同じように、タタール人[14]の形姿に移行するようにも見えるからである。それどころか、このことはタタール人の諸部族についてさえも言える。黒海やカスピ海の沿岸、コーカサス地方[15]やウラル山脈といった部分的には世界の最も温和な地域においてタタール人の形姿はより美しいものへと移行する。彼らの体形は細長く痩せたものとなり、頭部は格好のよくない丸形から美しい楕円形に変わる。皮膚の色は鮮やかになり、鼻は格好よくなり、乾燥して隆起する。目は生気を帯び、頭髪は濃い茶色になり、歩行も快活になる。顔つきは愛想よく謙遜で遠慮深くなる。このように、自然の充溢が生きものにおいて増大する地域に近づけば近づくほど、人間の有機組織もいっそう調和のとれた精緻なものになる。北に上がれば上がるほど、あるいはカルムイクの乾燥大草原[16]に入れば入るほど、顔立ちもいっそう北方風に、あるいはカルムイク風に平らになるか粗雑になる。その際もちろんまた多くのことはその民族の生活様式、その土地の性質、その起源と他の民族との混淆に左右される。山岳タタール人は、乾燥大草原や平地に住むタタール人よりも純粋に特徴を保持している。村落や都市の近くに住む民族は、その習俗や特徴をいっそう和らげ混淆する。民族が追いやられることが少なければ少ないほど、逆に言えば、自己の質素で粗野な生活様式に忠実でなければならない度合いが多ければ多いほど、その民族はまたその形姿を保持する。なるほどタタールというこの大きくて海に向かって傾斜した台地の上では、非常に多くの摩擦や変動が起こり、それらは山岳や砂漠や河川が分断できた以上に諸民族を相互に混淆させた。したがって、ここでもまた規則からの逸脱が見てとれるだろう。しかし、こうした逸脱こそが規則の正しいことを実証する。なぜなら、すべては北方の形姿、タタールの形姿、モンゴルの形姿に分かたれているからである。(17)

＊1　われわれの同国人**サミュエル・エンゲル**(18)がこれを希望したことは有名であるが、北方に向かった最近の探検家の一人である**パジェス**(19)は、こうした希望がますます実現可能であると思わせてくれている。

＊2　**フィップス**(20)の『旅行記』(22)、**クランツ**(21)による『グリーンランド誌』等を参照。

＊3　**クランツ**、**エリス**、**エゲーデ**(23)、**ロジャー・カーティス**(24)による「ラブラドル沿岸に関する報告」(25)等を参照。

＊4　**ウィルソン**による『植物と動物に対する風土の影響に関する考察』(ライプツィヒ、一七八一年)、およびクランツによる『グリーンランド誌』第二部、二七五頁を参照。

＊5　フォルスター(26)およびシュプレンゲル編『民族誌および地域誌論集』(27)第一部、一〇五頁以下に所収の**ロジャー・カーティス**による「ラブラドル沿岸に関する報告」(28)を参照。

＊6　周知のように**シャイノヴィチ**(29)は、ラップランド語がハンガリー語に類似していることを

発見した。シャイノヴィチによる『ハンガリー語とラップランド語が同じものであることの証明』(コペンハーゲン、一七七〇年)を参照。

＊7　ラップ人については、ヘッヒシュトローム(30)、レーム(31)、クリングシュテット(32)、ゲオルギ(33)による『ロシア帝国の諸民族についての記述』等を参照。

＊8　ゲオルギによる『ロシア帝国の諸民族についての記述』ペテルスブルク、一七七六年。

＊9　クリングシュテットによる『サモエード人とラップ人についての報告』を参照。

＊10　以下すべての民族についてはゲオルギによる『ロシア帝国の諸民族についての記述』をはじめ、パラス(34)や年長の方のグメリン(35)による『旅行記』等を参照。パラスの『旅行記』とゲオルギの『所見』(36)からは種々の民族の特徴が抜粋され、特別にフランクフルトとライプツィヒで一七七三年から七七年にかけて刊行されている。

二　地球の背であるアジア周辺の諸民族の有機組織

人類がこの地球の背の周辺に最初の居住地[37]を見出したことは、まず間違いのないところだ。そうであれば、そこにまた最も美しい人間種族を探したくなるのも無理はないだろう。しかしこの期待は何と無残に打ち砕かれることか！　カルムイク人やモンゴル人の形姿は周知のとおりである。それは中位の大きさで、少なくとも他の部分には平らな顔面、薄い髭、北方の風土に特有な褐色の皮膚が見られる。ただし特徴的なのは、鼻に対してゆるやかな傾斜角をもつ目元、細くて黒いほとんど真直ぐな眉、小さく平らで、額に比べてあまりに幅広な鼻、突き出た大きな耳、曲がった股間と脚、それに白くて丈夫な歯列だ。*11 特にこの歯列は顔の作り全体とともに人間の中で肉食動物の特徴を示すように思われる。ところでこのような形姿はどこから来たのか？　曲がった膝と脚は、まずその原因がこれら民族の生活様式の中に見出される。幼少時から彼らは胡坐（あぐら）をかくか、ウマに跨（また）っている。彼らの生活は座っているか、ウマに乗っているかのどちらかであり、人間の脚にその真直ぐな美しい形態を与える唯一の姿勢である歩行は、ほんの数歩を除いて彼らにはまったく縁がない。とすれば、また彼らの生活様式から形姿へと移行したものも少ないことがあろうか？　いわば常に欹（そばだ）てられ、どのような物音をも聞きもらさない動物のような突き出た耳。どんなに遠くからでも、いかなる小さな煙や塵（ちり）をも見逃さない小さく鋭い目。剝き出して骨をも嚙み砕く白い歯。太い首と、その上に反り返って置かれている頭部。これらの特徴は、いわば自己の存続に向けられた彼らの生活様式の身振りであり、特性ではないだろうか？　これになお、われわれはパラスの言うように、彼らの子どもが成長して整った形になるまでは一〇歳になっても顔がいびつに腫れて消化不良のような外観をしていることを思い合わせ、さらには彼らの居住地の大部分では雨が降らず、水らしい水もほとんどまったくないことと、彼らが幼少時から入浴というものを全然知らないことに目を向けておこう。そして彼らの居住地にある塩湖、岩塩、塩沼沢のことを思い浮かべてみよう。たとえ彼らがそこのカリ塩の味覚を、料理や茶においても好み、それによって自らの消化力を日々に弱めているとしても。また、彼らが住んでいる高地の良い空気、乾燥した風、カリ塩を含む靄（もや）、雪を眺め、小屋の煙に包まれる長い冬、さらには一連の細かい状況も加えてみよう。そうすると、すでにおそらくこれらの原因のいくつかが現在よりもずっと大きな作用を及ぼしていた数千年も前に、まさにこれらの状況から彼らの形姿が生れ、本性へと受け継がれ、移行したことが大いにありうるのではないだろうか？　体を洗うことと入浴は、特にそれが歩行、走行、格闘および他の運動と組み合わされると、身体をことのほか元気づけ、いわば成長させ、丈夫なものにしてくれるが、彼らが際限なく飲み、そのうえさらに収斂性のカリ塩で味付けした温かい飲料ほど身体を弱くするものはない。それだからパラスもすでに述べていたように、モンゴル人とブリヤート人(38)は女性のように弱々しい体つきをしており、ロシア人なら一人でできることを五、六人が全力でかかってもできない。それだからまた彼らの体は特別に軽くなり、小さなウマに乗って、いわば飛んだり浮かんだりしているし、ついには消化不良までもが子孫に受け継がれた。彼らと隣接しているタタール人のいくつかの部族でさえ、モンゴル人の形姿の特徴をもって生れてくるが、それらの特徴はタタール人の中でいつしか一体化してしまう。それゆえ、おそらく原因のいくらかは風土によるものに違いなく、それが多少とも生活様式や出自によってこの民族の体格に移植され、受け継がれるようになった。ロシア人やタタール人が、モンゴル人と混淆すると美しい子どもが生れるそうだ。実際またこれらの子どもの中には、もっぱらモンゴル風ではあるが、きわめて繊細で調和のとれた形姿が存在するとされる。[*12] ここでもまた自然は、自らの有機組織化の原則に忠実であった。つまり、これら遊牧民族はこの天空のもと、この地域でこうした生活様式にあって、このような身軽な略奪を行う猛禽(もうきん)にならざるをえなかった。

しかも彼らの形姿の特徴は、遠くにまで及んでいる。いったいこれら猛禽の飛んでいかなかったところがあろうか？　これらの猛禽が大陸の上を勝ち誇りながら飛びまわったのは一度や二度ではなかった。すなわち、アジアの多くの国々ではモンゴル人が居を定め、自分たちの形姿を他の諸民族の特徴を通じて洗練した。そればかりか、こうした侵略的氾濫よりも早かったのは、地球のこの初期に人の住んでいた最も高い背から、彼らが多くの周辺地域に向かって太古の時代以来行ってきた何度もの移動である。モンゴル人の形姿の特徴が、チベット[39]を越えてガンジス河の向こう側のインド半島に沿ってと同じように、カムチャッカに至るまでの東方地域にも見られるのは、おそらくまたすでにこの点に原因があるのだろう。それでは多くの独特なものを示してくれるこの地域を概観することにしよう。

中国人がその身体に施す不自然な技巧の大部分は、モンゴル人の特徴に関係がある。中国人を見てまず気がつくのは、変わった形の足と耳だろう。おそらく誤った洗練が加わったこともあって、モンゴル人と類似の奇形が、纏足(てんそく)というこの地域の多くの民族に見られる不自然な拘束と、おぞましいほど歪められた耳の形の動機となったのだろう。

彼らは自分の形姿を恥じてこれを変えようとしたが、たまたま手を加えた部位は、よりによって変化を受け入れたがために、最も醜悪な美として最終的に受け継がれることになった。中国人はその居住地域や生活様式に大きな相違こそあれ、モンゴルの高地に最も顕著に見られる東方の形姿の特徴をなおも明確に有している。幅広の顔面、小さくて黒い目、丸い鼻、薄い髭は、他の土地ではそこの風土に従って、より穏やかで丸みを帯びた形態へと変わったにすぎない。それに中国人の趣味は、彼らの統治形態と処世の知恵が専制政治と粗暴さを引きずっているのとまったく同じように、まさに彼らの歪められた身体器官の結果であると思われる。日本人は中国文化の民族であるが、多分モンゴル人の系統だろう。[*13] 彼らはみな一様に形がよくなく、頭部が大きく、目は小さく、鼻は丸く、頬は扁平で、髭はほとんど生やさず、脚はたいてい曲がっている。彼らの統治形態と処世の知恵は、有無を言わさぬ強制に満ちており、それはもっぱら彼らの土地に完全に順応したものだ。第三の種類の専制政治が支配しているのはチベットにおいてであり、その宗教儀式[*14]は遠く未開の乾燥大草原にまで及んでいる。

東方的な形姿は山岳地帯とともにガンジス河の向こう側のインド半島にまで南下し、そこで山脈とともにおそらく諸民族もまた南方に伸び広がったのだろう。タタールと境を接しているアッサム王国[(40)]は、旅行者の報告を信用してよければ、特に北方で甲状腺腫[*15]

が稀でないことと、鼻が平らなことがその特徴であり、長く伸びた耳を装う飾りの不自然なことと、かくも温和な地域なのに粗悪な食料や衣服の無いことが同地の未開民族の野蛮さの特徴だ。アラカン人(41)の大きく広がった鼻、平らな額、小さな目、肩まで無理やり引き伸ばされた耳も同じく東方地域のこうした奇形にほかならない。[*16] アヴァとペグーにおけるビルマ人(42)は、髭をどんなに細い毛に至るまでも嫌悪しているが、それはチベット人や他の高地諸民族も同様である。彼らはより豊かな自然に恵まれても、タタール人に倣って髭を生やさないでおきたいと思っている。風土や民族によって相違はあるものの、こうした形姿上の特徴は南の島々(43)にまで及んでいる。[*17]

東方地域沿岸を北上してコリャーク人やカムチャッカ人(44)に至ってもこの状況は変わらない。カムチャッカ人の言語は中国人やモンゴル人の言語とまだいくらか類似しているとされる。とはいえ、カムチャッカ人は、鉄を利用することを知らなかった古代においては、中国人やモンゴル人と分け隔てられていたにちがいない。ただ、カムチャッカ人の形姿はまだこれら両民族の地域の特性を否定してはいない。[*18] カムチャッカ人の頭髪は黒く、顔面は幅広で平らで、鼻と目は深く窪んでいる。しかし彼らの精神上の特性はこの寒冷で不毛な風土にあっては通常のものではないように見えるが、やはりこの風土に相応したものであることが分かる。最後にコリャーク人、チュクチ人(45)、クリル人(46)、そして進んでさらに東方の島々の民族[*19]は、私にはモンゴル人の形姿が次第にアメリカの先住民の形に移行する過程を示しているように思われる。まだその大部分が未知である北アメリカ大陸の西北端やアフリカ内部と同じように、得体のしれないエゾ(47)の内部やニューメキシコ(48)の向こうの広大な地域のことが知られるようになれば、思うに、クック(49)の最後の旅行に従って[*20]、かなり明瞭な細かい差異も相互の中に姿を消していくのをわれわれは目にするだろう。

一部に例外はあるが、どこにあっても多かれ少なかれ髭を持たない東方の形姿は、かくも広大な地域に及んでいる。しかしこの形姿が一つの民族だけに由来するものでないことは諸民族の多種多様な言語や習俗からも明らかだ。とすれば、この形姿の原因は何なのか？　たとえば、これほど種々の民族が何で髭を絶やし、自ら耳を引き伸ばし、鼻や唇に自分で孔をあけることで武装したのか？　思うに、根源的な奇形というものが根底にあったにちがいなく、それが後に粗野な技術の助けを必要としたために最終的には先祖からの古い慣習とされてしまったのだ。動物の変異は形態全体が変わるまえに頭髪や耳に現れ、下って足に及ぶ。そして同じように顔面においてもまずその骨格である輪郭に現れる。諸民族の系譜、これら遠隔の地域や国々の特性、しかし何よりも諸民族の内部における生理学上の相違がいっそう研究されるようになれば、この点についてもいっそう詳細な説明が得られよう。そうだとすれば諸学問と諸民族に精通したパラスこそがこれについての人間学拾遺[50]を与えてくれる第一人者ではないだろうか？

＊11 パラスによる『モンゴル諸民族についての報告集』第一部[51]、九八頁および一七一頁以下。ゲオルギによる『ロシア帝国の諸民族についての記述』第四部[52]、ペテルスブルク、一七八〇年。ミュラー[53]の『ロシア史論集』第四巻第四部所収のシュニッチャー[54]による「アユーク・カンのカルムイク人[55]についての報告」。ミュラーの『ロシア史論集』第七巻第一部以下に所収のシュレーツアー[56]によるショーバー[57]の「ロシアおよびアジアの特徴」からの抜粋を参照。

＊12 パラスによる『モンゴル諸民族についての歴史報告集』および『旅行記』の第一部、三〇四頁ならびに第二部以下。

＊13 『一般旅行記叢書[58]』第二部、五九五頁。シャルルヴォア[59]。中国人についてはオロフ・トレーン[60]による『スーラト[61]と中国への旅』六八頁、および『一般旅行記叢書』第六部、一三〇頁を参照。

＊14 古い報告はチベット人を格好のよくないものとして記述している。『一般旅行記叢書』第七部、三八二頁を参照。最近の報告(パラスの『北方論集[62]』第四巻、二八〇頁)以降、この表現は和らげられている。彼らの住む地域の地位も、こうした成果をもたらすのに非常に役立っているように見える。おそらく彼らはヒンドスタン人の形姿への粗野な移行を示してい

るのだろう。

＊15　『一般旅行記叢書』第十部、五五七頁、タヴェルニエ(63)から、を参照。

＊16　『一般旅行記叢書』第十部、六七頁、オヴィングトン(64)から、を参照。

＊17　マースデン(65)による『スマトラの記述』六二頁を参照。『一般旅行記叢書』第二部、四八七頁以下を参照。

＊18　『一般旅行記叢書』第二十部、二八九頁、シュテラー(66)から。

＊19　ゲオルギによる『ロシア帝国の諸民族についての記述』第三部を参照。

＊20　エリス(67)によるクックの三度目の『旅行報告』一一四頁、フォルスター訳の『探検旅行日記(68)』二三一頁を参照。ちなみにアジアとアメリカのあいだに位置する島々についての従来の報告は、この著作と比較照合させる必要がある。『新たに発見された島々についての報告』ハンブルクおよびライプツィヒ、一七七六年。パラスによる『北方論集』、ミュラーによる『ロシア史論集』、『民族誌および地域誌論集』などに掲載された諸報告を参照。

三　美しく形作られた[69]諸民族が住む地域の有機組織

最も高い山岳地帯の懐（ふところ）にカシミール王国[70]がこの世の楽園のように隠れて存在している。豊饒で美しい丘陵は争うように高くなる山々に囲まれ、その最後の山々は万年雪に覆われ、雲に聳えている。ここでは美しい渓流と河川が流れ、大地は健やかな草や果実で美しく装われている。島々や庭園は爽やかな緑に包まれ、家畜用の牧草地が全土を覆い、有害で野生の動物はこの楽園から追放されている。ベルニエ[71]が言うように、ここは乳と蜜の流れる無垢の山地と呼ばれよう。またこの地の人間も同地の自然にとって値しない類のものではない。実際カシミール人[72]は最も賢明で才知のあるインド人と見なされ、文芸と学問、仕事と技術に等しく優れ、また最も良く形作られた人間であり、カシミール人女性はしばしば美の典型とされる。[*21]

＊

もし人間が押しかけて、この自然の庭園を破壊しなければ、そしてまた同地の人間の最も無垢な形態を迷信や抑圧で苦しめなければ、ヒンドスタンはどれほど幸福でありえたことか。ヒンドゥー教徒(73)は人類の中で最も温和な種族である。彼らは生きものを害することを厭い、生命をもたらすものを敬い、彼らの大地が与えてくれる最も無垢な食物である牛乳と米と木の実と健全な野草を食べて生きている。最近の旅行者はこう述べている。[*22]「彼らの体格は真直ぐで、すらりとして美しく、四肢は精緻な調和を保っている。指は長くて優しく触れ、顔は快活で感じが良く、容貌は女性においては美の最も柔らかな輪郭をなし、男性においては男としての温和な魂を具現している。歩き方と身のこなし全体はきわめて優雅で魅力的である。」大腿部と両脚は北東のどの地域でも歪んでサルのように縮んでいたが、ここではよく伸び、潑剌たる人間美を示している。この種族と結婚したモンゴル人の形姿さえも品位ある心地よいものに変わった。そして彼らの身体の形と同じように精神の根源的な形も変わり、さらには彼らの迷信や奴隷制といった重荷を考えないならば、生活様式までもが変わった。節度と平静、穏やかな感情と魂の静かな深みは、彼らの仕事や享受、道徳や神話や技術のみならず、ひどく抑圧された人間性のもとでの辛抱強さをも特徴づけている。幸福な子ヒツジたちよ、汝らはなぜ自分たちの自然の草原で邪魔されず心配もなく草を食(は)んでいることができなかったのか？

＊

古代のペルシア人(74)は、その残党であるガウル人(75)から今もなお見てとれるように、[*23]山岳地帯の格好のよくない民族だった。しかしアジアでペルシアほど多くの侵略にさらされた国はほとんどなく、それにこの国は形姿の良い諸民族の住む斜面の真下に位置していたため、ここで形姿が融合し、それが気高いペルシア人に品位と美とを兼備させた。ここには美の母であるチェルケシア(76)があり、カスピ海の向こう側にはタタール人の諸部族が住んでいる。彼らはその美しい風土の中で、またすでに自らを美しい姿へと形成し、しばしば低地へと広がった。右手にはインドが位置し、ここやチェルケシアから買われてきた娘たちはペルシア人の血を美しいものにした。ペルシア人の気質は人類を高貴なものにするこの場所にふさわしいものとなった。事実ペルシア人の軽やかで透徹力ある知性、豊饒で活発な想像力は、彼らの柔軟で礼儀正しい性格や自尊心、華麗さ、享楽、さらには夢想的な恋愛などへの嗜好とともに、おそらく種々の性向や特徴を均衡へともたらすための最も精選された特性だろう。外見のよくない諸民族がその身体の奇形さを覆い隠そうとして、かえって誇張したあの粗野な装身具に代わって、ここではより美しい習慣がいくつも生れ、身体の形のよさを高めた。水の乏しいモンゴル人は不潔な生活をせざるをえなかった。物柔らかなインド人は水浴をする。好色なペルシア人は香油を塗る。モンゴル人は胡座をかくか、ウマに跨っていた。温和なインド人は休息している。夢想的なペルシア人は自分の時間を歓楽や娯楽にあてる。ペルシア人は眉を染め、身長を大きく見せる衣服に身を包む。何と美しい形姿だろうか！　種々の性向と魂の諸力が穏やかな均衡を保つペルシア人よ、汝はなぜこのような自己を地球全体に伝えることができなかったのか？

*

すでに見てきたように、元来タタール人のいくつかの部族は地球の美しく形作られた民族に属し、北方地域あるいは乾燥大草原においてのみ粗暴になった。カスピ海の両岸には、この美しいほうの形姿が現れている。ウズベク(77)の女性は記述によれば背が高く、良く形作られ、快い感じを与えるとされる。彼女たちは夫と一緒に戦いに赴く。彼女たちの目は記述によれば大きく黒く活気があり、髪は黒くて細い。男性の形姿も威厳があり、一種の好ましい品格がある。同様の讃辞はブハラ人(78)にも呈される。チェルケシアの女性たちの美しさ、その黒絹糸のような眉毛、情熱的な黒い目、滑らかな額、小さな口、丸みを帯びた顎は広く知れわたっており、称賛されてもいる。[*25] これらの地域においては、人間の形姿という秤の針が真ん中を指し、その秤量皿（ひょうりょうざら）がギリシアとインドの方へ西と東に広がったと思われるのも無理はない。われわれにとって幸運なのは、ヨーロッパがこれら美しい形の中心点からそれほど隔たっていなかったことと、現在ヨーロッパ大陸に居住する少なからぬ民族が、黒海とカスピ海のあいだの地域を占有していたか、あるいはゆっくりと渡り歩いてきたことだ。それゆえ少なくともわれわれは美の国とまったく無縁なわけではない。

この美しい作りの人間の地域に押し寄せ、そこに留まったすべての民族は自分たちの特徴を温和なものにした。元来は格好のよくない民族の**トルコ人**が立派な姿へと自らを高めたのは、隣接する美しい民族が広大な地域の征服者としての彼らにこぞって奉仕したからだ。また彼らに洗身、清潔、節制を命じながら、逆にまた快楽的な休息や恋愛を許容したコーランの戒律も多分これに寄与したのだろう。**ヘブライ人**(79)の父祖も同じくアジアの高地から出て、それから長い間、あるときは不毛のエジプトに、またあるときはアラビアの砂漠へと押し流され、遊牧民族として放浪してきた。それに彼らは自分たちの狭い土地においても、掟という抑圧の軛のもとでは自由な活動や生の少なからぬ快楽を促す理想へと自らを高めることがまったくできなかった。彼らは遠く離散し、長らくひどく見捨てられてきたにもかかわらず、アジア地域の形姿の特徴を今なお有している。剛健なアラブ人もまたこの特徴を失ってはいない。なるほど彼らの半島は自然によって美よりも、むしろ自由の土地に向けて形成されており、砂漠も遊牧生活も美しい姿を培う最良のものではありえない。しかしそれでもこの剛健で勇敢な民族は同時にまた最も良く形作られた民族であり、三大陸に広く及んだ彼らの活動はこれから見るとおりである。[*26]

＊

最終的に人間の快い形姿は地中海沿岸[*27]という場所において精神と結びつき、地上および天上の美のあらゆる魅力となって、目のみならず魂にとっても見ることができるようになった。それは三つの部分からなるギリシアである。すなわちアジアとその島嶼(とうしょ)におけるギリシア、ギリシア本土、それに広く西欧諸国の海岸におけるギリシアである。アジアの高地から徐々に移植されてきた植物に温暖な西風が吹きよせ、その全体に生の息吹を与えた。時代と運命がこれに加わり、この植物の樹液をより高く押し上げ、これに冠を授けた。その冠こそが、ギリシアの芸術と叡智という形で表現された理想として、今日なお誰もが喜びをもって驚き見つめるものなのだ。チェルケシアの美のどのような美を身にまとった。

愛好者も、またインドないしはカシミールのどのような芸術家も思いつかないような形態がここギリシアで考えられ、創られた。人間の形態はオリンポス山[80]に入り、神々しい美を身にまとった。

これ以上ヨーロッパに迷い込むのはやめよう。ヨーロッパは形が非常に豊富で、渾然としている。それにヨーロッパはその相互に錯綜して洗練された諸国民について一般的なことが何一つ言えないほど、自らの技術と文化によって自然を著しく変えた。むしろ私としては、これまで通ってきた地域の最後の海岸である地中海沿岸からもう一度引き返して、二、三の所見を述べた後に、黒いアフリカ[81]に目を移すことにしたい。

第一に、誰の目にも明らかなのは、最も良く形作られた諸民族の住む地域は地球の中位地域[82]であり、これが美それ自体のように両極端のあいだに位置していることだ。この地域にはサモエード人を凝固させる寒気も、モンゴル人を干からびさせる塩風もない。それにまたこの地域はアフリカの砂漠を焼きつくす炎熱とも、アメリカの風土に湿潤をもたらす急激な転変ともまったく無縁である。この地域が位置するのは地球の高地の頂上でもなければ北極に至る斜面の上でもない。むしろこの地域は一方ではタタールとモンゴルの山地の高い壁によって庇護され、他方では海からの風によって冷やされる。この地域の季節は周期的に変わるが、赤道下を支配する荒々しさはまだ伴っていない。すでにヒポクラテスも述べているように[83]、季節の穏やかな周期性は諸性向の均衡にも大きな影響を及ぼすため、われわれの魂の鏡と刻印にも少なからぬ影響を与える。山地や砂漠を流浪する盗賊のようなトルクメン人[84]は最も美しい風土においても格好のよくない民族のままである。しかし彼らを定住させて落ち着かせたうえで、その生活を穏やかな享受と、自分たちを他の洗練された民族と結び合わせるような活動とに区分するならば、彼らはこれらの民族の習俗のみならず、時とともに、その形姿の特徴をも分有するだろう。この世の美は穏やかに享受されるためにだけ創られている。美はこうした享受を通じてのみ人間に分かち与えられ、人間において具現される[85]。

第二に、人類にとって有益だったのは、形姿の良い民族の住むこれらの地域において人類の歴史が始まったことだけでなく、ここから文化が最も有益な形で他の民族に作用を及ぼしたことである。神性は地球全体を美の玉座とすることこそできなかったが、少なくとも美の門を通って人類を登場させ、ずっと消えない美の輪郭を持つ諸民族に、とにかくゆっくりと他の地域を探し求めさせた。まさに良く形作られた諸民族が同時に他の民族に対して最も有益な作用を及ぼす主体とされたのも自然の同一の原理[86]によるものだった。自然はこれらの民族に快活さ、すなわち精神の柔軟性を与えたが、これは彼らの形姿だけでなく、他の民族に対してこうした有益な作用を及ぼすためにも必要なものであった。ツングース人やエスキモーは永久に自分たちの洞窟に住み、恋愛においても苦悩においても遠くの民族のことで心を煩わせることはなかった。黒人はヨーロッパ人のために何一つ案出したことがない。黒人はヨーロッパを幸福にすることにも征服することにもまったく思いが至らなかった。美しく形作られた諸民族が住む地域からヨーロッパは関与の程度の差こそあれ、それぞれ宗教、芸術、学問を、言うなれば文化とフマニテートの全形態を得ている。人類を美しいものへと形成することのできたすべてのものがこの地域で案出され熟考されるか、少なくとも初歩段階の試みという形で実現された。文化の歴史はこのことを論駁(ろんばく)の余地なく明示するだろうし、思うに、人類自身の経験がそれを実証している。もし運命の恵み深い息吹がわれわれ北方のヨーロッパ人[87]に少なくともこれらの民族が有する精神の精華を吹き与えてくれなかったならば、そしてまたこの息吹が美しい枝を北方のヨーロッパという野生の幹に接ぎ木して、時とともに、この幹の資質を改良してくれなかったならば、われわれはいまだに野蛮人のままだろう。

＊21　『一般旅行記叢書』第二部、一一六頁、一一七頁、ベルニエから。
＊22　マッキントッシュ[88]『旅行記』第一部、三三二頁。
＊23　シャルダン『ペルシア旅行記』第三巻第十一章以下、ル・ブリュン[89]の『ペルシア旅行

記』第一部第四十二章、八六―八八番にはペルシア人についての記述がある。これを、続いて言及される八九、九〇番の黒人、第二章七、八番の未開のサモエード人、一九七番の南部のニグロ[90]、一〇九番の温和なベンヤーネ人[91]と比較するとよいであろう。

＊24　『一般旅行記叢書』第七部、三二六頁、三二八頁。

＊25　ル・ブリュンによる『レヴァントへの旅行記』第一部第十章、三四―三七番のいくつかの絵図を参照。

＊26　彼らの絵図は**ニーブール**[92]『旅行記』第二部、ル・ブリュンによる『レヴァントへの旅行記』九〇、九一番に見られる。

＊27　絵図はル・ブリュンによる『レヴァントへの旅行記』第七章、一七―二〇番や、ショワズール・グフィール[93]による『絵画的旅行記』などに見られる。古代ギリシアの美術作品は、これらすべての絵図に勝るものである。

四　アフリカ諸民族の有機組織

黒人の国に移るについて当然ながらわれわれは高慢な偏見を捨て去り、この地域の有機組織を、それがあたかも世界で唯一のものであるかのように公平に考察しなければならない。われわれが黒人をハムの呪われた息子(94)とか、悪魔の似姿と見なすのとまさに同じ権利をもって、黒人もその残忍な略奪者たるわれわれを、多くの動物が北極に近づくと白色に退化するのと同じように、本性が弱いだけのゆえに退化しているアルビノ(95)とか白い悪魔と断言することができる。黒人はこう言うだろう。「黒人の私こそが原初の人間なのだ。生の源泉である太陽が私に最も激しく水を飲ませ、私とその周囲のいたるところで、最も活発に最も深く作用を及ぼしたのだ。見るがよい、黄金と果実に富んだ私の土地を、天に聳える私の樹木を、力強い私の動物たちを。四大のすべてが私のところでは生命に満ちあふれ、そして私はこの生命活動の中心点となった。」このように黒人は言うだろう。そこでわれわれとしても謙虚な気持で、彼ら特有の土地に足を踏み入れることにしよう。

コリントス地峡(96)ですぐに目にとまる独特な民族がある。エジプト人である。体は大きく、丈夫で、太っており（ナイル河はいったい彼らにどれほどの脂肪を恵み与えることか）、それに骨太で皮膚は黄褐色だ。とにかく彼らは健康で多産であるばかりか長寿で節度もある。今は活発でこそないが、かつては仕事好きで勤勉であった。言うまでもなくこのような骨格や形姿を有する民族は、古代エジプト人の素晴らしい芸術や施設がすべて実現されるためにも不可欠の存在だった。もっと柔弱な民族だったら、こうは順応しなかっただろう。

ヌビア砂漠(97)とさらに高地にあるアフリカ内部の住民についてわれわれはまだほとんど知らない。しかし**ブルース**[*28][*29](98)による当面の報告が信用できるならば、黒人の種族はこの高地全体にまったく住んでいない。というのもブルースによれば、黒人の種族はアフリカ大陸の東と西の海岸、すなわち最も低地にあり最も熱い地域にしか適さないからだ。ブルースは「赤道下でさえ、この温暖多雨の高地には、白色か黄褐色の人間しか住んでいない」と述べている。黒人の黒色の起源を説明するのにこの事実がどれほど注目に値するものであれ、それ以上に重要なのは、これらの地域に住む諸民族の形もまた黒人の形姿へと次第に進展する様子が見られることである。アビシニア人(99)は元来アラビアの出自であり、両方の国がしばしば長期にわたって結びついていたことが知られている。それでもルドルフ[*30]や他の著者の書物における彼らの肖像から判断することが許されるならば、ここではアラビアやさらに遠くのアジアに見られる形態に比べて何と粗削りな容貌が現れることか！　まだ遠くからではあるが、この容貌は黒人の形に近づく。高山ときわめて快適な平地に見られる土地の大きな変化、嵐や暑熱や寒冷の時と最も快適な時に見られる風土の変化、それに加えて他の一連の原因は、これらの一体となった粗削りな特徴を明らかにしてくれるように思われる。異なる大陸ではまた異なった人間の形態が生れざるをえなかった。その特性はきわめて感覚に即した生命力と強い持久力であり、しかしまた形成過程での最も極端なもの、つまり常に動物的なものへの移行でもあるように見える。アビシニア人の文化と統治形式は、彼らの形態のみならず土地の特性にも従っている。すなわちそれはキリスト教と異教との、そして自由な楽天性と野蛮な専制政治との粗暴な混淆なのだ。

アフリカのもう一方の側に住むベルベル人(100)、別名ブレベル人についてもほとんど何も知られていないので判断を下すことはできない。アトラス山脈における彼らの居住地と、激しく活発な生活様式は、彼らのよく発達した身軽で敏捷な形態を保持し、それがまた彼らをアラブ人から区別している[*31]。それゆえ彼らはムーア人(101)の場合と同じように、完全な黒人の形姿をした民族であるわけではない。実際ムーア人も他の民族と混淆したアラブ人の種族なのだ。最近の報告によれば、[*32]ムーア人は上品な容貌を持つ美しい民族であり、顔は長めで丸く、眼は美しく大きく情熱的で、鼻は細長いが幅広でも平らでもなく、髪は黒くいくらか捲毛になっている。このようにアフリカの真ん中にもアジア人の形姿が見られる。

黒人の種族はそもそもガンビアとセネガル河から姿を現しはじめる。しかしここでもなお黒人への漸次的な移行を示す特徴がいくつも見られる。[*33]ヤローファ人、別名ヴルフス人(102)はまだ普通の黒人の平らな鼻も厚い唇も持っていない。彼らばかりか、いくつかの記述によれば歓楽と舞踊と幸福な秩序の中で生きる小柄で機敏なフルベ人(103)も体格は立派で、髪の毛はまっすぐだが少しだけむくむくしており、顔面は広く長めである。これらの民族は、かのマンディング人(104)や、さらに南方に住む黒人諸民族に比べてまだ美しい形姿をしている。こうしてセネガルの向こう側からようやく黒人の形態特有の厚い唇と平らな鼻が現れはじめる。これらはいくつもの小さな民族のなお無数の変異とともにギニア(105)、ロアンゴ(106)、コンゴ(107)、アンゴラ(108)を越えてずっと南に広がっている。たとえばコンゴやアンゴラでは黒色がオリーブ色に変わり、縮れ毛は赤みを帯び、瞳は緑色になり、唇の反り返りは少なくなり、体格は小さくなる。反対側の海岸にあるザンジバル(109)ではこのオリーブ色が再び見出されるが、それは大きめの形態と均整のとれた作りを持つ民族においてのみ現れる。最後にホッテントット(110)とカフィル人は黒人の形姿が他の形姿へ逆戻りしたものだ。前者の鼻は押しつぶされたような平らさを、また唇は腫れぼったい厚さをいくらか失いかけている。彼らの髪の毛は黒人のむくむくした毛と他の民族のそれとの中間であり、皮膚の色は黄褐色で、体つきは大部分のヨーロッパ人のようであるが、手足だけは小さい。*34 ところで、無数の小民族がアフリカ内部の乾燥地帯を越えてアビシニアに至るまで居住しているが、多くの報告によれば、彼らが互いに境を接するところでは、土地の豊かさをはじめ、美しさ、強さ、文化と技術が増大するということだ。そこでもしこれらの民族がさらに知られるようになれば、この大きな陸地における諸民族の姿の細かい差異も十分に説きつくされ、おそらくどこにも空白は見られなくなるだろう。

それにしても、概して地球のこの地域からの信頼できる情報がいかに乏しいことか！辛うじてこの大陸の海岸が知られている程度であり、それもヨーロッパの大砲が届く範囲を超えないことがしばしばだ。*35 アラビアの隊商がきわめて頻繁に訪れているのに比べ、最近のヨーロッパ人は誰一人としてアフリカ内部をくまなく旅していない。アフリカ内部について知られているものといえば、黒人の語る伝承、もしくは何人かの幸不幸を分けた冒険家によるかなり古い報告である。[*36]――そのうえ、すでに知られているような民族についても、黒人の悲惨な奴隷たちによって民族形姿の差異を探究しようとするにはヨーロッパ人の目はあまりにも暴君的かつ無頓着であるように思われる。黒人は家畜と見なされ、買われるときも歯の特徴によってのみ区分される。ヘルンフート派[111]の或る宣教師は別の大陸から黒人諸民族の相違を報告してくれたが、[*37]それはアフリカの海岸を通り過ぎただけの無数のアフリカ旅行者によるものに比べるとずっと綿密なものである。もしフォルスター[112]の精神、シュパルマンの忍耐、それに両者の知識を兼ね備えた人たちの一団がこの未発見の土地をくまなく踏査してくれるならば、自然学および人間学にとってどれほど幸福なことか！　人喰い人間のヤッガ人[113]とアフリカの先住民アンツィケ人について出されている報告は、もしそれをアフリカ内部のすべての民族にまで広げるならば、たしかに誇張である。ヤッガ人は徒党を組んだ盗賊民族で、いわば人為的に作られた民族であるように思われる。彼らは幾多の民族から見捨てられた者たちの寄せ集めとしてこの大陸で盗賊行為をはたらき、けっきょくは粗暴で残忍な慣習のうちに暮らしている。[*38]アンツィケ人は山岳民族であり、おそらくこの地域のモンゴル人やカルムイク人であろう。しかし何と多くの幸福な民族が月の山脈の麓(ふもと)に居住できることか！　彼らの幸福を目にする資格はヨーロッパにはない。というのも、ヨーロッパはこの大陸で許しがたい罪悪を犯し、いまだに悪行を重ねているからだ。平和に商売を営むアラブ人は、この土地に浸透し、広く植民地を根づかせた。

さて、あやうく私は黒人の形姿を人類の有機組織の一つとして語る義務を忘れるところだった。それにしても自然学が人類のすべての変異について、黒人の形姿についてと同じくらい多くの関心を向けていたならば、どれほど素晴らしいことか！　黒人の形姿についての観察結果をいくつか紹介しよう。

1　黒人の黒色は、その性質において他の民族の白色、褐色、黄色、赤銅色に比べて驚くべきものではない。黒人の血液も脳髄も精液も黒くはない。表皮の下の網状組織が黒いのだ。しかもこの組織はわれわれがみな持っているものであり、われわれにあっても少なくともいくつかの部分においてほとんどの場合、多少とも色づいている。カンパーがこのことを実証した。[*39]　彼によれば、われわれはみな黒人になる素質を持っている。寒冷地のサモエード人においてさえ、女性の乳房の周囲には縞が認められた。黒人の黒色の萌芽が彼女たちの風土ではさらに発展しえなかっただけのことだ。

2　それゆえ重要なのは、この萌芽をアフリカで発展させた原因だけである。とすると、大気と太陽がこれに大きく関与しているに違いないことが類推によってただちにまた明らかになる。いったい人間を褐色にするものは何なのか？　ほとんどあらゆる土地で男性と女性を区別するものは何か？　何百年もアフリカに居住したポルトガル人の諸部族を皮膚の色の点で黒人にこれほど似せたものは何か？　そしてアフリカで黒人の諸部族自体をこれほど著しく区別しているものは何か？　それは最も広い意味での風土であり、したがってそこには生活様式も食物も含まれる。東風が大陸全体を越えて最高度の暑熱をもたらす地域にこそ最も黒い黒人の諸部族が住んでおり、暑熱が和らぐか、海風がこれを冷ますところでは黒色も褪せて黄色になる。涼しい高地には白色の、もしくは白色っぽい民族が住んでいるが、周囲を囲まれた低地では太陽がまた上皮の下で黒い輝きを与える油を十分に調理する。(114) そこで次のこと、すなわちこれらの黒人が何千年ものあいだ自分の大陸に住み、それどころか自らの生活様式を通じてその大陸に完全に融合したということを思い合わせるならば、そしてまた今はそれほど活動的でない状況の多くが古い時代、つまり四大のすべてがまだその原初の荒々しい力強さを保っていた時代にあっては今より活発に作用を及ぼしていたに違いないことと、さらに何千年ものあいだに偶然の車輪全体が回転し、その車輪は現在もしくは未来に向かって地球上で展開されうるすべてを展開させることを顧慮するならば、若干の民族の皮膚が黒くなっているといった些細なことに誰も奇異の念をいだいたりはしないだろう。自然はその進展する隠された活動でもって、これよりずっと大きな他の変種を産み出してきたのだから。

3　しかし自然はどのようにしてこの些細な変化を産み出したのか？　それは事柄自体が明らかにしてくれると思われる。自然は油によって皮膚の網状の膜に色をつけたのだ。黒人の汗だけでなく、アフリカに暮らすヨーロッパ人の汗ですらしばしば黄色になる。黒人の皮膚は柔らかなビロードであり、白人の皮膚のように張りつめても乾燥してもいない。すなわち太陽の熱が黒人の内部から油を調理し、その油が可能なかぎり浮き出して黒人の皮膚を柔らかくし、その下の網状組織に色をつけたのだ。この地域の病気はその大部分が胆汁質のものだが、これに関する記述[*40]を読めば、黄色とか黒色といったものが生理学的にも病理学的にも奇異なものとは思われないだろう。

4　黒人のむくむくした羊毛のような髪もまさにこれによって説明される。髪は皮膚の精緻な液によってのみ養われ、そのうえ自然に逆らって脂肪の中で生れるため、その養分となる液の量に従って縮れ、この液が無くなれば生命を失う。動物の有機組織が粗雑な地域、すなわち組織の本性が病んでいて、そのため流れ来る液を消化できない地域にあっては羊毛のような髪が剛毛のような髪になる。あらゆる風土に適するべく作られている人間の精緻な有機組織は、皮膚を湿らすこの豊富な油によって逆に剛毛のような髪を羊毛のような髪に変えることができた。

5　しかし人体各部位の独自の形成は、これらすべて以上のことを物語ろうとしている。思うに、この形成もまたアフリカ諸民族の有機組織において説明できる。きわめて多くの生理学上の証明によれば、唇と乳房と生殖器は緊密な関係にある。自然はこれらの民族から高貴な資質を取り上げねばならなかったものの、形成という自らの技術の単純な原理に従って、その分いっそう豊かな量の感覚的享楽を与えざるをえなかった。それゆえこのことは生理学の面から明らかにならざるをえないものだった。反り返った唇は白色の人間においても観相学からすれば非常に官能的な趣味を示すものと見なされ、同じように唇の紫色の細い筋は繊細で冷静な趣味を示すものと見なされる。このような具体例は他にいくつもある。とにかく官能的本能が生の主要な幸福の一つであるこれらの民族にあって、この本能の外的な特徴が現れることに何の不思議があろうか？　黒人の子どもは白色で生れ、爪のまわりの皮膚、乳首、陰部が最初に色づく。素質上まさにこれらの部分が一致して色づくことは他の民族においても同じように見られる。黒人にとって一〇〇人の子など物の数でもない。或る老人にいたっては、自分には子が七〇人しかいない、と涙を流して悲しんだ。

6　感覚的享楽に向けたこの油の豊富な有機組織とともに、身体の輪郭と構造全体も変化せざるをえなかった。口が前方に突き出ると、鼻は低く小さくなった。額が後退すると、顔面は遠くから見るとサルの頭蓋の構造に類似したものになった。これに従って首の位置も後頭部の方に移行し、全身の柔軟な構造も鼻や皮膚に至るまで動物のような感覚的享楽に向けて作られている。[*41] 太陽熱の母国たるこの大陸において液体の最も豊富で最も背の高い樹木が生えるのと同じように、この大陸において最も大きく最も活発で最も力強い動物の群れが、なかでも莫大な数のサルが戯れる。その結果として、大気も河川も海も砂漠もすべてが生命と多産性に満ちあふれているのと同じように、自己を有機組織化する人間本性もその動物としての部分では、形成する諸力というこの常に単純な原理に従うことしかできなかった。この灼熱の太陽のもとで、また情欲に燃えたぎるこの被造物の胸中ではいっそう拒絶されざるをえなかった精緻な精神性は、こうした精神的感情など思いもつかせないような繊維構造によって埋め合わされた。黒人にはその風土の有機組織の点からそれ以上に高貴な贈り物が与えられることは叶わなかった。したがってわれわれとしても黒人のことを憐れむことはあっても、軽蔑してはならない。それよりは一方では奪いながらも他方でその償いをする術(すべ)を心得ている母なる自然を敬おうではないか。あふれ出る豊かさで食物を供給してくれるこの土地で黒人は何の心配もなく生を営む。黒人のしなやかな身体は水中であたかも自分が水のために作られているかのようにパチャパチャと音を立てる。そうかと思うと木によじ登ったり走りまわったりする。黒人にはあたかもすべてが楽しい訓練のようだ。しかも黒人は快活で軽快であるのと同じくらいに健康で丈夫なので、自らの風土がもたらし、非常に多くのヨーロッパ人が苦しんでいるあらゆる災害や病気にもヨーロッパ人とは異なる体質によって耐えられる。高尚な喜びという頭を悩ます感情も、これに向けて作られなかった黒人にとって、いったい何ほどのものだというのか？　なるほど、そのための素材は自らの中にもあった。しかし自然は手を翻して、その素材から黒人が自分の土地と幸福な生のために必要とするものを創り出した。自然はアフリカを創り出さないわけにはいかなかったのだろう。だからこそ黒人もまたアフリカに住まざるをえなかったのだ。

＊28　彼らの古代美術の彫像や、ミイラおよびその棺に描かれた絵を参照。

＊29　ビュフォンによる『博物誌』の補遺、第四部、四九五頁、四。ロボ(115)は少なくとも、同地の黒人は醜くも愚かでもなく知的で繊細で趣味もよいと述べている(『アビシニアの歴史記』八五頁)。これらの地域からの報告はどれも古くて不確実なのでブルースがアビシニアにまで至る旅行記を刊行してくれることが望まれる。

＊30　ルドルフ(116)による『エチオピア史』のあちらこちらに見られる。

＊31　ヘースト(117)による『モロッコ人(118)についての報告』一四一頁。なお一三二頁以下とも比較のこと。

＊32 『民族誌および地域誌論集』第一部、四七頁におけるショッテ[119]の『セネガルの状況についての報告』。

＊33 ショッテの『セネガルの状況についての報告』五〇頁および『一般旅行記叢書』第三部―第五部を参照。

＊34 シュパルマン[120]による『旅行記』一七二頁。

＊35 ショッテの『セネガルの状況についての報告』四九頁、五〇頁を参照。

＊36 『人間の地理学的歴史』第三巻、一〇四頁以下におけるツィンマーマンによる既知および未知の地域の比較は、学識と知見に満ちた論考である。

＊37 オルデンドルプ[121]による『セント・トマス島での宣教記録』二七〇頁以下。

＊38 プロヤール[122]による『ロアンゴ、カコンゴ[123]などの歴史』ライプツィヒ、一七七七年を参照。このドイツ語訳にはヤッガ人についての学問上の報告集が添えられている。

＊39 カンパーの『小論文集[124]』第一部、二四頁以下を参照。

＊40 ショッテによる「伝染性胆汁熱に関する所見[125]」(『ゲッティンゲン学芸時報』第三巻第六号、七二九頁以下に抜粋)を参照。

＊41 黒人がヨーロッパ人に比べて運動の重心を集約させ、したがって身体にも弾性があることをカンパーはオランダのハーレムで刊行された論集において証明したとされる。

五　熱帯諸島における人間の有機組織

大洋の懐に点在する島々を一定の主要特徴のもとに詳述することほど困難なことはない。実際それらの島々は互いに遠く離れており、たいていは遠近各地域から、しかも異なる時期にやって来た来訪者の居住するところとなり、それぞれの島がいわば独自の世界を作り上げている。したがって諸民族の文書に描かれるそれらの島々は、地図が目に対して与えるのと同じように、多彩な表象を精神にも与えてくれる。しかしここでもまた自然の有機組織に関するかぎり、主要特徴は決して否認されえない。

1　アジアの島々の大部分には特定の黒人の種族が存在し、しかも彼らはその島で最も古い住民であるように思われる。[*42] 居住地域の相違にもかかわらず、彼らは多かれ少なかれ色が黒く、髪の毛は縮れて、むくむくしている。また反り返った唇、平らな鼻、白い歯もあちこちで見られ、注目すべきことに、こうした形姿とともに黒人の気質もここで再び見出される。われわれが大陸の黒人において認めた、粗野だが健康な力強さ、無思慮な性格、陽気なおしゃべりは、これらの島々のネグリロ[126]においても同じように見られる。ただそれらはどこでも自らの風土と生活様式に即している。これらの民族の多くは今なお形成の最も下の段階にある。というのも、これらの民族は、後からやって来て現在は海岸や平地に住んでいる者たちによって山岳地帯へと追いやられたからである。そのため、これらの民族についての忠実で確実な報告はあまり多くない。*43

ところで、これほど遠く隔たった島々で、黒人の形姿とのこうした類似性が見られるのはなぜか？　それはアフリカ人が特に早い時期にこの地へ植民集団を送ったからでは決してなく、自然がどこでも一様に活動するからである。ここもまた最も熱い風土の地域であるが、海風によって冷まされる点だけが違う。とすれば、いったい大陸の黒人が存在したのに、島々のネグリロが存在しえないということがあろうか？　なかでもネグリロは島々の最初の住民として、この地域の形成する自然の最も深い刻印を身につけざるをえないのだから。したがってここにはフィリピン諸島のイゴロット人[127]や、他の大多数の島々に住む同様の黒人たちが含まれる。ダンピア[128]がオーストラリアの北西岸で最も悲惨な人間種族の一つとして記述している未開人もここに属するが、それは地球の最も荒涼とした地域の一つにおける黒人の形姿の最も低次のものであると思われる。

2　時代が進むと、これらの島々には他の民族が定住したものの、前述の理由から推測されるように、それほど目立つ黒人の形姿は見られない。フォルスターによれば、*44ボルネオ島のバジュー人、(129)モルッカ諸島のいくつかの島に住むアルフール人、(130)ミンダナオ島のスバノン人、(131)マリアナ諸島、(132)カロリン諸島、(133)それに太平洋上はるか南方の諸島の住民たちがこれに属する。彼らは言語、皮膚の色、形姿、習俗において著しく一致しているとされる。彼らの髪は長くて、まっすぐである。最近の旅行記からは、タヒチ島やその他の近隣の島々で、こうした人間形態がいかに魅力ある美しさへと完成されていったかが知られる。しかしそれでもこの美しさはまだまったく官能的なものであり、タヒチ島の女性のいくらか丸い鼻には、形作る風土の最後の一押し、あるいは刻印がはっきり見てとれる。

3　これらの島々の多くに、もっと後からやって来たのはマレー人、(136)アラブ人、中国人、日本人などであり、移住者である彼らは先住民に比べて自らの部族の痕跡をいっそう明瞭に身につけている。要するに、これらの島々が位置する海峡は、さまざまな民族の型の集積地と考えられる。それらの型は彼らの身につけた特性、彼らの住んだ土地、彼らの生きた時代や生活様式に従って、きわめて多種多様に形成されたため、場所がすぐ近くでも、まったく異なる型に出会うことも稀ではない。ダンピアが目にしたオーストラリア人や、(137)マレクラ島の住民は最も粗雑な形姿をしているように見えるし、これを次第に超えつつあるのがニューヘブリディーズ諸島[139]の住民やニューカレドニア人[140]、ニュージーランド人[141]などである。これらの地域のオデュッセウス[142]ともいうべきラインホルト・フォルスター*45は、同地の人類の種類や変種についてきわめて学識豊かに、かつ分かりやすく叙述してくれた。それゆえわれわれは地球上の他の地域についても哲学的‐自然学的地理学に対する同様の寄与を、人類史の礎石として是非とも手にしたいものだ。さて、私は最後にして最も困難な大陸に向かうことにしよう。

＊42　『民族誌および地域誌論集』第二部、五七頁および二三七頁以下。『一般旅行記叢書』第二部、三九三頁におけるシュプレンゲルによる『フィリピン人の歴史[143]』。フォルスターによる『ボルネオ島などの島々についての報告[144]』。エーベリング[145]による『旅行記集』第四部、七〇頁におけるルジャンティーユ[146]による『旅行記』。

＊43　『世界周航記[147]』第一部、五五四頁、ライプツィヒ、一七七五年を参照。

＊44　『民族誌論集』第二部、二三八頁。

＊45　フォルスターの『世界周航記についての所見[148]』第六章、ベルリン、一七八三年。

六　アメリカ先住民(149)の有機組織

周知のように、あらゆる気候地帯を貫いて走るアメリカには、最高度の寒暑のみならず、天候のとても急速な変化、とても高く険しい高地、とても広大な平原が併存している(150)。それにもまして知られているのは、この長大な大陸が東側に大きな湾を持ちながら、南北に伸びる一連の山脈を有し、そのためこの大陸の風土も、その生きものを含めて旧世界とほとんど類似点を持たないことである。これらすべてのことは、われわれの注意をこの大陸の人類だけでなく、反対側の東半球の誕生にも向けさせてくれる。

しかし他方ではまさにこうしたアメリカの地理的状況ゆえに、旧世界から遠く隔てられたこの巨大な地域は多方面からの人々の移住を不可能にもしている。アフリカ、ヨーロッパ、南アジアからアメリカを分け隔てているのは広大な海と風だ。旧世界からの移住はこの大陸の北西側においてしか容易にならなかった。したがって、非常に多様なものに出会えるという以前の期待は、これによっていくらか減少させられる。実際また最初の住民の大多数がまったく同じ地域からやって来て、おそらく他の新参者ともほとんど交わらないまま次第に南下し、最後に大陸全体を満たしたため、あらゆる気候地帯があるにもかかわらず、わずかな例外を除いて居住民の形姿と特性は画一的な性格しか示さないのだろう。そしてこれこそ北および南アメリカに関する多数の報告が語るところなのだ。すなわち、強引かつ人為的にしばしば互いをも分け隔てようとした諸民族や気候地帯の大きな差異にもかかわらず、人間としての形姿においては全体として黒人の国でさえ生じない画一性の刻印が見られる。それゆえアメリカの先住民の有機組織という問題は、どこか他の混合した地域の形姿に比べると明解な課題ではある。しかしその解決には、移行と考えられる側面からしか着手できない。

＊

クックがアメリカで接触した民族は六フィートを超えない中位の身長だった。[*46] その皮膚の色は赤銅色に近く、顔の形は角張り、頬骨がかなり突き出し、髭は少ない。髪は長くて黒く、体の造りは頑丈だが、足だけは格好がよくない。ただ東アジアとその付近の島々に住む諸民族のことを憶えている者ならば、その特徴も次第に移行していることに気づくだろう。私はこの移行を一つの民族に限定するつもりはない。なぜなら、おそらくいくつもの民族が、それも異なる部族から移行したからだ。ただ、それが東方の諸民族だけであったということは、彼らの形姿はもちろん、その格好のよくない点が、しかし何にもまして彼らの装身具と放縦な習俗が実証しているとおりである。今は若干の上陸地しか知られていないアメリカ北西部の海岸全体をいつか見渡せるようになり、居住民についても、たとえば**クック**がウナラスカ[151]などの首長について提供してくれたような忠実な絵図を手にすることができれば、多くのことが明らかにされるだろう。さらには、われわれがまだ知らない遠い南方の広大な海岸に日本人や中国人も移住したのかということと、この西側にいた髭を有する文明化された民族についての伝説[152]にはどのような事情があるのかということも判明するだろう。もしスペイン人がヨーロッパ最大の海洋民族であるイギリス人およびフランス人と学問に対する名誉ある征服精神を分かち合うならば、メキシコを基盤とするスペイン人は、明らかにこれらの価値ある発見の最も近くに位置するといえよう。しかし今は少なくとも**ラクスマン**[153]による北海岸への旅行と、カナダから伝えられるイギリス人の種々の努力が、われわれに多くの新しくて有益なことを教えてくれるよう願いたいものだ。

奇妙なことに非常に多くの報告は、北アメリカの最も西側に居住する諸民族が同時にまた最も文明化された民族であるという点で一致しているようだ。**アシニボイン人**[154]はその大きく強く機敏そうな体格ゆえに、また**クリスティノー**人[155]はそのおしゃべりで快活な性格のゆえに称賛されている。[*47] しかしこれらの民族はもちろん、そもそもショーニー人[156]でさえ伝説として知られているだけだ。より確かな報告は本来ナドウェ・スー人[157]から始まる。彼らとチプーヤン人[158]およびウィネバゴ人[159]については**カーヴァー**[*48][160]が、チェロキー人[161]、チカソー人[162]、マスコギアン人[163]については**アデア**[*49][164]が、いわゆる五つの部族[165]については**コルデン**[166]、**ロジャース**[167]、**ティンバーレイク**[168]が、はるか北方の諸民族についてはフランスの宣教師たちが明らかにしてくれた。[169] しかしこれらの民族のあらゆる差異にもかかわらず、支配的な形姿から受ける印象が一つの主要な性格として心に残らなかった者がいようか？ すなわちこの主要な性格は、健やかで丈夫な体力と、野蛮にして誇り高い自由と戦争への勇気の中に存在し、これらの民族の生活様式、家政、教育、統治、そして戦時と平和時の仕事と慣習を形成している。そしてこれこそが悪徳と美徳の入り混じる丸い地球上での唯一の性格なのだ！

しかし彼らはどのようにしてこの性格に至ったのか？ 思うに、ここでもまた北アジアからの彼らの漸次的な移動と、[170] 新世界のこの地域の特性がきわめて多くのことを明らかにしてくれる。彼らは粗野で荒々しい民族として当地にやって来た。暴風と山地のあいだで彼らは形成された。それから彼らが沿岸地域を征服し、広々とした美しい土地を眼前にしたとき、その性格もまた時とともにこの土地に向けて形成されざるをえなかったのではないか？　大きな湖水と河川のあいだ、こちらの森林の中、こちらの草原の上では、海へと至るあちらの荒れた冷たい傾斜地とは異なる別の諸民族が形成された。湖水、山地、河川がそれぞれ分かれたのと同じように民族もさまざまに分かれた。部族と部族が激しく戦い、そのため普段はきわめて落ち着いた民族にあっても民族相互間の敵対心が一般的な気風となった。こうして彼らは好戦的な部族へと姿を変え、自らの**偉大な精神**が自分たちに賦与してくれたその土地のすべてのものに自らを融合させた。彼らは北アジア人のシャーマン宗教(171)を奉じているが、それもアメリカ風に変えられている。彼らの健やかな大気、草原と森の緑、湖水と河川の清涼な水は、この土地における自由と所有の息吹とともに彼らに活気を与えた。これに比べてシベリアの諸民族はカムチャッカに至るまで、異国のロシア人の何という大群によって隷属させられてきたことか！だがシベリアの諸民族よりも強固なアメリカの未開人は譲歩こそすれ、従属したことは一度もない。

彼らの性格と同じように、自分の身体に人為的な手を加える奇妙な趣味も前述の起源から説明できる。アメリカではどの民族も髭を根絶やしにする。それゆえ、彼らは元来あまり髭を生やさなかった地域の出身にちがいない。だから彼らは父祖たちの慣習から逸脱したくないのだろう。その地域とはアジアの東部だ。そのため髭を生えさせる豊かな液を出す傾向のある風土にあっても彼らは髭を嫌ったし、今でも嫌っている。このようなわけで、彼らは子どものときから髭を引き抜く。アジア北方の諸民族は頭部が丸く、東方に移るにつれて角張ったものに変わった。父祖の形姿も捨てようとせず、それに合わせて自分の顔を形作ったことほど自然なことがあろうか？　おそらく彼らは穏やかな楕円形が弱々しい形姿と見なされることを恐れたのだろう。そこで彼らは無理やり人の手を加えてまでも、父祖の押しつぶされた武人顔のままでいたのだ。北方の球形の頭部がこれに丸みを与え、いっそう北方の形姿のようにした。それ以外の場合、かの武人顔は角張ったものにされるか、もしくは頭部が両肩のあいだに押し込められて、新しい風土がその長さも形態も変えようとする気を失いかねないほどだった。東方アジア以外のどの地域も、これほど無理な装身法の実例を示してはいない。そして前述したように、多分これも自分の部族の外観を遠く離れた地域においても保持しようという同じ意図から生じたものだろう。装身というこの精神でさえ、こうしておそらく一緒に移ってきた。

ようやくこれでわれわれもアメリカの先住民の皮膚が赤銅色だからといって、戸惑うこともまったくなくなる。なぜなら彼らの皮膚の色はすでに東方アジアにおいて赤茶色に変わっていたからだ。そしてアメリカで彼らの皮膚の色をさらに昂進させたものは、おそらくアメリカというアジアとは別の大陸の大気、それと香油や他のものだった。私は黒人が黒くて、アメリカの先住民が赤くても不思議とは思わない。というのも、彼らはかくも異なる種族として、かくも異なる気候風土において何千年も住んできたからだ。それゆえ私としては、この丸い地球上ですべてが雪のように白かったり、褐色であったりすれば、むしろそのことを奇異に思うだろう。動物の粗雑な有機組織にあっても、世界で棲息する地域が異なれば、身体の固定部分でさえ変化するのが見られるではないか？　とすれば、身体の部位がその全体の均整や姿勢によって変化するとか、皮膚下の網状組織にいくらか濃いめの色がついているとか、異なった色がついているということについてこれ以上何を言う必要があろうか？

これを前置きとして、以下においてはアメリカの諸民族を北から南へと考察し、その本来の単一的な性格がどのようにして多様なものと混淆し、しかも決して失われることがないのかということを見ていこう。

＊

最も北方のアメリカ先住民は小柄で屈強であると記述される。アメリカの中央部には非常に大柄で、とても美しい諸部族が住み、最も南方にある平坦なフロリダに住む部族は、これら中央部の諸部族に体力と勇気の点で劣らざるをえない。ゲオルク・フォルスターはこう述べている。「クックの著作に絵図が載っている種々の北アメリカ先住民には多くの異なる特徴があるにもかかわらず、全体として顔に共通の特徴が見られることに気がつく。この特徴は私も知っているものだったが、私の記憶に間違いがなければ、それを私はフエゴ島のペシュレと呼ばれる人々の中に本当に見ていた。」[*50]

ニューメキシコについては、ほとんど知られていない。スペイン人が発見したこの地域の住民は身なりもきちんとし、勤勉で清潔で、土地はよく耕され、都市は石造りだった。哀れな民族よ、汝らは勇猛な者たち(los bravos gentes)として山中に逃れなかったならば、今はどうなっているだろうか？　アパラチア人[172]はスペイン人が何一つ手出しのできなかった豪胆で敏捷な民族であることを自ら証明した。またチョクトー人[173]、アダイ人[174]、テワ人[175]についてはパジェスがどれほど称賛していることか！[*51]

メキシコは今やその王政時代を悲しく写し出すものとなった。住民も当時の一〇分の一しか残っていない。[*52]しかも彼らの性格はさまざまの不当このうえない抑圧によってどれほど変わったことか！　虐げられたアメリカの先住民たちがその抑圧者であるスペイン人に対していだく憎悪ほど深刻で根強いものはこの地球上にあるまいと私は思う。事実パジェスが、たとえば今日スペイン人がその被抑圧者に対して示した少なからぬ温情をいくら称賛したところで、[*53] 征服される者たちの悲しみや、これら自由な民族を迫害したその蛮行を別の頁で隠すことなどできはしないのだ。メキシコ人の形姿は濃いオリーブ色の皮膚で、美しく、愛嬌があると記述される。彼らの目は大きく、生気があり、輝いている。感覚もみずみずしく、脚は軽快であるが、魂だけは隷属させられたがゆえに生気を奪われている。

アメリカの中央部では万物が蒸し暑さに苦しみ、なかでもヨーロッパ人は最も悲惨な生活を送っているが、ここでもアメリカ先住民の柔軟な本性は屈しなかった。海賊から逃れて暫時テラ・フィルマ(176)の未開人たちのもとに逗留したウエーファー(177)は、彼らのもとでの歓待のほかに、彼らの形態や生活様式について次のように記述している。[*54]「男は身長が五から六フィートあり、骨格は頑丈で、胸幅が広く、身体の均整がとれていた。身体上の奇形も彼らの中には見られなかった。彼らは体が柔軟で、動きも活発で走るのが速い。彼らの目は鮮やかな灰色で、顔は丸く、唇は薄く、口は小さく、顎の形がよい。髪は長くて黒い。これを梳る(くしけず)のが彼らのたびたびの楽しみだ。彼らの歯は白く、歯並びもよい。彼らは大多数のインディオ(178)と同じように身体を美しく装飾し、彩る。」――いったいこれが無気力で未成熟な人間として、われわれ自身が思い込もうとした人々なのだろうか？　しかもこれらの者たちは、人を最も疲労困憊させるあの地峡(179)に住んでいたのだ。

忠実な自然研究者のフェルミン(180)は、スリナム(181)のインディオを、良く形作られた、それもおよそ地球に存在する最も清潔な人間として次のように記述している。*55「彼らは朝起きるとすぐに水浴する。女性たちは油で体をこするが、それは一つには皮膚の保全のためであり、一つには蚊に刺されないようにするためだ。彼らの皮膚はもともと淡い褐色だが、赤みを帯びたものに変わっている。しかし生れるときはわれわれと同じように白色なのだ。足を引きずる者も四肢の曲がった者も彼らには見られない。その長い漆黒の髪は老年も最後になってようやく白くなる。彼らの目は黒く、視力も強く、髭は少し生えているか、まったく生えていないかだ。彼らは髭のわずかな痕跡をも残さないようにと未然に引き抜いてしまう。その白くて美しい歯は老年になっても健康で、女性たちも大変華奢に見えるが、体はとても丈夫だ。」勇敢なカリブ人(182)、怠惰なウォロウ人(183)、真面目なアッカウォウ人(184)、社交的なアラワク人(185)などについてはバンクロフト(186)による記述*56を読むがよい。そうすれば、最も暑い地域に住むこれらの先住民が、形姿は弱々しく、性質も劣等なものであるという先入見も無くなると思われる。

南方に向かってブラジルに居住する無数の民族の中に足を踏み入れると、そこには何と多くの民族や言語や性格が見られることか！　しかしこれらについては古い旅行者も新しい旅行者も、ほとんど一様にしか記述してこなかった。[*57] レリは言う。「彼らの頭髪はまったく白くならない。彼らは自分たちの野原がいつも緑をなしているのと同じように快活で陽気である。」勇敢なトゥピナンバ人[(187)]は、ポルトガル人の抑圧から逃れるため多くの好戦的民族と同じように、探索の手が絶対に及ばない森林に退却した。パラグアイの宣教師たち[(188)]が懐柔しえた他の民族は、その従順な性格によってほとんど子どものような段階にまで退化せざるをえなかった。[(189)] しかしこれもまた事柄の本性であった。それゆえ彼らにせよ、その勇気ある隣人たち[(190)]にせよ、これを理由に彼らを役に立たない人間と見なすことなどできないのだ。[*58]

さてこれからは、自然の玉座にして極悪暴政の玉座であり、はたまた銀と暴虐に満ちたペルーに近づくことにしよう。ここでは哀れなインディオが最もひどく抑圧されており、しかも彼らを抑圧しているのは聖職者と、よりによって女性たちよりも軟弱になったヨーロッパ人なのだ。自然の優しい子どもたちであった彼らの諸力、それも彼らがインカ人[(191)]のもとできわめて幸福に生きていたときの諸力は、どれもが今は抑制された憎悪とともに苦しみかつ耐えるという一つの能力の中に押し込められてしまった。ブラジルの総督**ピント**はこう述べている。[*59]「一見したところ南米人は温和で悪意のないように見える。しかし、よくよく見ると、その顔には何か粗暴なもの、陰険なもの、不機嫌なものが発見される。」これらすべてはこの民族の運命から説明できるのではないだろうか？　汝らヨーロッパ人が彼らのところにやって来て、この善良な被造物の洗練されていない野性を、その素質として備わっていた高貴なものへ向上させるつもりだったときには、彼らも温和で悪意もなかったのだ。だが今や汝らは、彼らがそのきわめて根深い不満を、疑い深く陰険に、かつ心の中で消しがたいまでに養うこと以外に何を期待できようか？　われわれに格好のよくない姿で近づいてくるのは、われわれが踏みつぶすゆえに、それ自身も歪められた虫なのだ。ペルーでは抑圧されてこの土地の一部となっているこれら哀れな者たちに比べると、黒人奴隷は立派な被造物である。

しかし南米人はいたるところで収奪されたわけではない。また幸いなことに、チリにはコルディレラ山系と砂漠があり、非常に多くの勇敢な民族に今なお自由を与えている。そこにはたとえば征服されたことのないモルチェ人(192)、プエルク人(193)、アラウカーノ人(194)、パタゴニアのテウェルチェ人(195)、あるいは身長が六フィートの強大な南方の大民族(196)がいる。コマーソン(197)は言う。*60「彼らの容姿は不快なものではない。顔は丸くて、いくらか平らであり、目には活気があり、歯は白く、髪は長くて黒い。私が目にした数人は髭を生やしており、それは濃くなく、毛の長い上向きの八字髭だった。」彼らについての最良の報告をわれわれに与えてくれたのはフォークナー(198)とヴィドーレ(199)である。*61 彼らの住む向こう側には、地球の貧弱で寒冷な末端であるフエゴ島しか残っておらず、しかもそこにいるのはおそらく人間の最も低級な類に属するペシュレと呼ばれる人々である。[*62] 彼らは矮小で格好もよくなく、耐えがたい臭いがする。彼らは貝類を常食とし、アザラシの毛皮を身にまとっている。また一年中ひどく寒い冬の中で凍えており、森は十分あるのに、風を通さない家や暖をとるための火には事欠くありさまだ。だから寛大な自然が南極に向かってここで大地をすでに終わらせたのはよいことなのだ。大地がもっと南下していれば、感覚を奪う酷寒の中で生きる彼らは、何と悲惨な人類の姿を夢の中に見ていたことか！

*

おおよそ以上がアメリカ生れの諸民族の主要特徴といえよう。それではここから全体としてどのような結論が導き出されるのか？

第一。アメリカのようにあらゆる地帯を通って広がる大陸の民族について、普遍的なものを求めて語ることは極力差し控えるべきだろう。アメリカは暖かく健全で湿潤で低地で豊饒だと言う人がいれば、その人は正しい。しかし他方でこれとまったく反対のことを言う人がいれば、その人も正しい。すなわち季節や場所が違えば、言うことも違ってくるわけだ。同様のことはアメリカの諸民族についてもあてはまる。なぜなら、一つの半球全体の人間はすべての地帯に及んでいるからだ。北にも南にも体の矮小な者たちがおり、これらの者の傍らには巨人がいる。中央部には中位の身長で、均整のとれた体の、あるいはあまり均整のとれていない体の民族がおり、温和であったり好戦的であったり、怠惰であったり快活であったりというふうに多様な生活様式と性格を持っている。

第二。それにもかかわらず、これは次のことを妨げるものではまったくない。すなわち、この多くの大枝を有する人間という幹が、そのすべての小枝とともに一つの根から生えてきた可能性があることと、したがってその種々の果実においても一様性を示していることを。そしてまさにこれこそ、いろいろな人がアメリカの先住民に共通する顔の作りと容姿について語ろうとしてきたことなのだ。*63 ウリョーア(200)が中央部の民族について特記しているのは、髪の毛に覆われた小さな額、小さな目、上唇の方に屈した肉薄の鼻、幅広の顔、大きな耳、格好のよい上腿部、小さな足、がっしりとした体格である。これらの特徴はメキシコの彼方にまで及んでいる。総督ピントがさらに言うには、鼻はいくらか平らで、顔は丸く、目は黒いか栗色で、小さいが鋭く、耳の先は顔から遠く離れている。*64 このことは、非常に遠く隔たった諸民族の絵図にも同じように現れている。地帯と民族によって細かに変わってゆくこの主要な骨相は、家族の特徴と同じように、どれほど異なったものにおいてもなお認められるように思われる。そして言うまでもなく、こうした骨相はかなり一様な起源を指し示している。さまざまな民族がすべての大陸から、それぞれ非常に異なった時期にアメリカにやって来たとすれば、彼らが混淆していようと、混淆していまいと、人間という類の差異は明らかにもっと大きなものであるに違いないだろう。青い目と金髪はこの大陸全体に見られるわけではない。チリにおける青い目のカウェスカルたち(201)や、フロリダにおけるアーカンザス人(202)は近年になって姿を消した。

第三。この形態に従ってアメリカ先住民の或る種の主要にして平均的な性格を述べよというのであれば、それは善良さと子どもらしい無垢さだと思われる。これらはまた彼らの古い制度、巧みな業(わざ)、若干の技芸によって、しかし最も多くはヨーロッパ人に対する彼らの最初の振舞いによって証明される。苛酷な土地に生れ、文明化された世界の何らの助けにも支えられなかった彼らは、自ら到達できるかぎりのところまで進んだ。そしてこの点においても彼らは文化の弱々しい始まりという彼らなりの形で、われわれも非常に教わるところの多い人間絵図を提供してくれる。

＊46　W・エリスによるクックの三度目の『旅行報告』(203)一一四頁。

＊47 『一般旅行記叢書』第十六部、六四六頁。

＊48 エーベリングによる『旅行記集』第一部、ハンブルク、一七八〇年。

＊49 アデアによる『アメリカ・インディアンの歴史』ブレスラウ、一七八二年。

＊50 『ゲッティンゲン雑誌』[204]一七八三年、九二九頁。

＊51 パジェスによる『世界一周旅行』パリ、一七八三年、一七頁、一八頁、二六頁、四〇頁、五二頁、五四頁等。

＊52 『メキシコ古代史』[205]、『ゲッティンゲン学芸時報』一七八一年、付録、三五、三六における抜粋。および『キール時報』第二巻第一号、三八頁以下における豊富な抜粋。

＊53 パジェスによる前掲書、八八頁。

＊54 『一般旅行記叢書』第十五部、二六三頁以下[206]。

＊55 フェルミンによる『スリナムについての報告』第一部、三九頁、四一頁。

＊56 バンクロフト[207]による『ギニアの博物誌』第三書簡。

＊57 アクーニヤ[208]、グミッラ[209]、レリ[210]、マルクグラーフ、ラ・コンダミーヌ[211]など。

＊58 ドブリッツホッファー[212]による『アビポン人[213]の歴史』ウィーン、一七八三年。さらに多くの民族についての記述はグミッラによる『オリノコの図解[214]』等を参照。

＊59 ロバートソン[215]による『アメリカの歴史』第一巻、五三七頁。

＊60 『百科ジャーナル』一七七二年。より多くの証言を比較するには、ツィンマーマンによ

ング『アメリカの歴史』第一巻、五三九頁。キャヴェンディッシュ、ブーガンヴィル[218]などを参照。

る『人間の地理学的歴史』第一部、五九頁、およびロバートソンによる『アメリカの歴史』第一巻、五四〇頁を参照。

＊61　フォークナーによる『パタゴニアについての報告』ゴータ、一七七五年。エーベリングの『旅行記集』第四部、一〇八頁におけるヴィドーレによる『チリ王国の歴史』。

＊62　フォルスターの『周航記[216]』第二部、三九二頁。キャヴェンディッシュ[217]、ブーガンヴィル[218]などを参照。

＊63　ロバートソンによる『アメリカの歴史』第一巻、五三九頁。

＊64　ロバートソンによる前掲書、第一巻、五三七頁。

七　結　語

これまで言葉によって提供されてきた不確かな記述[*65]のすべてを、今もし私が魔法の杖で絵図に変えて、地球上の人間同胞の形姿や容姿が描かれた絵の回廊を人間に提供できれば、どんなに素晴らしいことだろうか。しかし、この人間学的な願望の成就からいかにまだ遠いことか！　何千年ものあいだ、人々は剣と十字架、珊瑚と火酒の樽をもって地球をくまなく歩き回ってきたが、平和と結びついた絵筆のことなど誰も考えなかった。またおびただしい数の旅行家は、言葉によってどのような形態も描けないし、ましてやあらゆる形態のなかでも、きわめて精緻で多様で常に姿を変える人間なるものを描くのが最もむずかしいとは思いもつかなかった。長いあいだ人々は不思議なものを求めては出かけ、それを作り話にしてきた。その後、ともすると人々は絵がある場合でも美化しようとしたが、真の動物学者でさえも人間という未知の動物の形態を描くときには美化するということを人々は考えもしなかった。それは人間の本性が動物や植物を描くときの細心の注意に値しないということなのだろうか？　それでも最近になって優れた観察精神が人類のためにも実際すでに目覚めており、われわれもごく僅かではあるが、若干の民族について写生画を手にしている。これらの写生画に比べると、それ以前のド・ブリュヤル・ブリュン(219)、ましてや宣教師たちは遠く及ばない。*66 そこでもし誰かが人類のあちこちに散在している多様性の忠実な絵図を集めて、説得力ある**人類の自然学と観相学**(220)の基礎を置くことができれば、それは素晴らしい贈り物となるだろうし、この技術以上に哲学理論として適用可能なものも考えられないだろう。ただ、ツィンマーマンが試みた動物世界地図のような地球の人類学地図は可能であろうが、それは次の場合、すなわち、もっぱら人類の多様性のみを提示し、しかしまたすべての現象や事情を考慮するという場合に限られる。このような地図は、こうした博愛の精神に満ちた仕事を見事に完成させるだろう。

＊65　個々の民族の特徴についてさらに多くの情報が欲しい人は、ビュフォンの『博物誌』第六巻（マルティーニ訳）およびブルーメンバッハによる人類の自然的変異に関する学識豊富な著書の中にそれらを見出すだろう。

＊66　私がまるでこれらの人物の努力を評価していないかのように誤解しないでほしい。しか

しそれでもやはり私にはブリュン(ル・ブリュン)の写生画は、あまりにフランス風であり、後から、より劣悪な複製銅版画の形ですべての書物に転用されているド・ブリュのものも精確とはいえない。フォルスターの証言によれば、ホッジス[221]もまたタヒチの絵図をまだ理想化していた。とにかく望むらくは、われわれが手にしているこれらの手始めを出発点として、精確な、いわば自然-歴史的な技術を、世界のあらゆる地域に関してさまざまな人間種族の写生画の中に引き続き取り入れてほしいものだ。ニーブール、パーキンソン[222]、クック、ヘースト、ゲオルギ、マリオン[223]などを私はこうした手始めに含めたい。クックの最近の旅行は、その絵図に捧げられた讃辞に従えば、新たな高次の時代を開始しているように見える。私としては、他の大陸においてもこれが継続され、より全体の利益に奉仕する形で公表されることを望みたい。

第七巻

これまで輪郭が描かれてきた諸民族の絵図は、あくまでも基礎たるべきものであり、われわれはこれに加えて若干の所見をさらに際立たせたい。同様にまた、この絵図に描かれたいくつもの集団は、鳥占い師が占いのために区切った区域[1]にほかならず、われわれの今後の観察区域を指し示してくれるとともに、思索の手助けをもしてくれるだろう。以下ではこれらの絵図の中に人類の哲学に向けて何が提供されているかを見ることにしよう。

一　人類はかくも多種多様な形で地球上にその姿を現しているが、どこにおいても一つの同じ人類である

自然においては一本の樹木の二枚の葉は互いに同じではない。とすれば、二人の人間の顔と二人の人間の有機組織はなおさら同じではない。われわれ人間の精巧な構造は何と無限の多様性に向かう能力を秘めていることか！　固定された部位は解きほぐされ、目で追えないほど精緻で多様に絡み合った繊維となる。これらの繊維は膠で結び合わされるが、その微妙な混ざり具合にはどのような算術も及ばない。しかもこれらの部分は、われわれの身体に備わる最少のものだ。それらはずっと多量に存在する多様できわめて活力のある液体の容器か外皮か運搬具にほかならない。そしてこの液体によってわれわれは生を享受し、営むのである。ハラーは言う。[*67]「いかなる人間も、内部構造においては他の人間とまったく同じではない。この内部構造は神経や血管の走行において一〇〇万人が一〇〇万人それぞれ異なっているため、これら精緻な部分の差異から一致点を見

出すことはほとんど不可能である。」さて、すでに解剖学者の目がこうした無数の多様性を見つけているにせよ、かくも精巧な有機組織の、目に見えない諸力の中にはどれほど大きな多様性が潜んでいることか！　しかしだからこそ、どの人間も最終的には一つの世界となる。なるほど、それは外面的にはよく似た姿で現れるが、内面では他のいかなる存在をもってしても測り知れない固有の存在なのだ。

しかも人間は独立した実体ではなく、自然のあらゆる構成要素と結びついている。人間は地球のきわめて多様な産物である食物や飲料によってと同じように、大気の息吹によって生きている。人間は光を吸収し大気を汚染するのと同じように、火を利用する。人間は目覚めていても眠っていても、休んでいても動いていても万有の変化に貢献するのだから、この人間が万有によって変革されないはずがあろうか？　水分を吸収する海綿や、薄光りする火口（ほくち）に人間をなぞらえるのはあまりにも不十分だ。人間は無数のものが一つに調和したもの、すなわち生きた自我であって、これを取り巻くすべての力の調和がこの自我に作用を及ぼす。

人間の全生涯は変転である。人間のどの年齢も変転の寓話であり、それゆえ人類全体は絶えざる変容の中にある。花は散り、萎れると、他の花が芽を出し、蕾（つぼみ）をつける。人間というこの巨大な樹木は、その頂きに一挙に四季を宿す。ちなみに発散を計算しただけでも、八〇歳の男性は少なくとも二四回にわたって身体が若返ったことになる。[*68] とすれば、誰が地球上の人間界全体にわたって物質とその形の移り変わりについて、あらゆる変化の原因を追究できるだろうか？　実際この多様な球体上にあっては、どの地点も一つとして他の地点と同じでないし、時代の潮流にあってはどの波も一つとして他の波と同じではない。ドイツの居住民はわずか数世紀前まではパタゴニア人であった[2]が、現在はもはやそうでない。また将来のさまざまな気候風土のもとでの居住民は、われわれとは似ていないだろう。その一方で地球上のすべてがまったく今と異なっていたように見える時代、たとえばゾウがシベリアや北アメリカに棲息していた時代や、オハイオ河[3]で骨が発見されるなどする巨大な動物たちが存在した時代にまで遡るならば、そしてもし当時これらの地域に人間が生きていたならば、彼らは現在そこで生きている人間と何と異なる人間であったことか！　こうして人間史は最終的にさまざまな変転の舞台となるが、その全体を見渡せるのは、自らこれらすべての形成物にくまなく息を吹き込み、それらすべての中で喜びのうちに自らを感じとる創造主だけなのだ。創造主は種々の人物を登場させては破壊しながら精緻なものとし、それらの周囲の世界を変化させた後に登場人物を取り替える。地上をさまよい歩く者にして足早にこの世を駆け抜けてゆくカゲロウである人間は、細い一条の線上でこの偉大な精神の奇蹟を目にして驚嘆し、他の形態との調和の中で自分のものとなった形態を喜び、感謝の祈りを捧げながら、この形態とともに姿を消すことしかできない。だから「私もアルカディアにいた!」[4]という言葉も、絶えず変化し、再生する創造の営みにおけるすべての生きものの墓碑銘なのだ。

＊

しかし人間の知性は、どのような多様なものにも単一性を求め、その人間知性の模範である神の知性は、地球上の数限りない多様なものをいたるところで単一性と結び合わせた。そうであるならば、われわれもまたここで、膨大な量の変化が存在する領域から次の最も単純な命題に立ち帰ることが許されよう。すなわち、**地球上の人類**[5]**は一つの同じ類にほかならない**という命題に。

人間の形をした怪物や奇形に関する古代人の寓話のいかに多くが、歴史の光を当てられてすでに姿を消したことか! 伝説がなおその残骸を繰り返し語るところでも、こうした伝説は研究のいっそう明るい光のもとで、より素晴らしい真理に向けてきっと蒙が啓(ひら)かれるだろう。現在知られているオランウータンについては、それが人間としての性質に向けても、言語に向けても、適性を有していないことが分かっている。ボルネオ島、スマトラ島、ニコバル諸島[6]のオランクブブとオラングーフについての詳細な報告によれば、[*69]尻尾を持つこれらの森人もいずれ姿を消すことだろう。マラッカの逆さ足の人間、[*70]マダガスカルの多分くる病による小人民族、フロリダの女装した男性たちなどについては、これまですでにアルビノ、ドンド、[(7)]パタゴニア人、ホッテントットの女性の腰布[*71]について行われたのと同様の訂正が必要だ。被造物から欠陥を、われわれの記憶から誤謬を、われわれの自然の性から屈辱を追い払うことに成功した者たちは、伝説の英雄たちが最初の世界にとって有していたのと同じ存在意義を真理の国において持っている。すなわち彼らは地球上の怪物を退治するのだ。

私としては、人間とサルとの距離を極端に縮めることは決してしてほしくない。われわれは事物の階梯を求めていながらも、階梯を階梯たらしめている現実の一本一本の梯子段や、それらの間隔を見誤ることがあってはならない。たとえば、カムチャダール人[(8)]の形態をとった、くる病の半神半獣の森の精サテュロス、そしてグリーンランド人ほどの大きな身長がある小さな森人シルヴァーヌス、[(9)]あるいはパタゴニア人のもとでのポンゴ[(10)]は、いったい何を明らかにするのだろうか？　というのも、たとえ地球上にサルがいなくとも、これらすべての形成物は人間の自然本性に基づいて生じるからだ。しかしさらに進んで、人類の或る種の奇形を発生学的にサルから導き出すまでになれば、思うに、こうした推測は真実らしくないどころか、人間の名誉を奪うものでさえある。事実、これら一見したところサルに似た者たちの大部分は、サルが一度も存在したことのない地域にいる。このことはカルムイク人やマレクラ人(11)の後退した頭蓋や、ぺーヴァ人(12)やアミクアーヌ人(13)の立ち耳、ブラジルのカロリナに居住するいくつかの未開民族の細長い手などが示しているとおりだ。またこれらの特徴も、最初の目の錯覚を超えれば、現実にはほとんどサルのものでないことがただちに分かる。それゆえカルムイク人や黒人でさえ頭部の作りからしても完全な人間のままであり、マレクラ人は他の多くの民族が持ち合わせていない能力を披瀝する。本当にサルと人間は決して一つの同じ類ではなかった(14)し、私としても地球上のどこかでサルと人間が普通に実り豊かな共同生活を送っているという伝説(15)の残滓が少しでも訂正されればと願っている。自然はどの類に対しても十分に手を尽くしてきたし、その類固有の遺産を与えたのだ。[*72] 自然はサルを非常に多くの属と変種とに分け、これらをできるだけ広く分布させた。しかし汝、人間よ、汝自身を敬うがよい。ゴリラのポンゴもテナガザルのロンギマヌスも汝の同胞ではない。しかし、たしかにアメリカの先住民と黒人は汝の同胞なのだ。だから彼らを虐げたり、殺したり、略奪してはならない。彼らも汝と同じように人間なのだから。それゆえまた汝はサルと兄弟の契りを結んではならないのだ。

最後に、全体の学問的総括に熱中することはたしかに称賛されるべきだろうが、その熱意のあまり、人類にこれまでなされてきた種々の区分が、その限界を超えて広がりすぎないように望みたい。実際たとえば或る人々は人類の四つか五つの区分を、それも元来は地域、もしくはまったく皮膚の色に従ってなされた区分を大胆にも人種[16]と呼ぼうとした。しかし私にはこうした呼び方をする理由が分からない。人種というものは出自の相違へと導かれるが、こうした相違はこの地球上ではまったく生じないか、あるいはそれぞれの地帯において、それぞれの皮膚の色のもとできわめて多種多様な人種を包括するかのどちらかである。なぜなら、どの民族も民族であり、自己の言語を有するのと同じようにその民族としての形姿を有しているからだ。なるほど、気候風土はすべての民族を一方ではその気候風土の刻印で、また一方では柔らかいヴェールで覆ったが、その民族の元来の幹となっている形成物を破壊することはなかった。この形成物は家族にまでも及び、しかもその移行は変わりやすく、また目につかない。要するに、地球上には四つか五つの人種というものも、特別な変種というものも存在しない[17]。皮膚の色は互いの中に消え失せ、それぞれの形姿は、その発生時の特徴のために尽力する。このように全体として最終的にすべてのものは、地球のあらゆる場所と時代を通じて広がる同じ一つの大絵画の色合いの差にすぎない[18]。それゆえまたこの絵画は体系的な自然史よりも、むしろ人類の自然的‐地理学的歴史に入れられてしかるべきものなのだ。

＊67　ビュフォンの『博物誌』第三部への序言[19]。
＊68　ベルヌーイ[20]による。ハラーの『生理学』第八部第三十巻を参照。そこには人間の生命の変化についてのおびただしい所見が見られる[21]。
＊69　マースデンは『スマトラの記述』の中でまだこれらのものに思いを馳せているが、もっぱら伝説に依拠している。尻尾を持つ人間についてモンボド卿は言語の起源と発展を論じた著作の中で（第一部、二一九頁以下）、自分の知りえたすべての伝説を集めた。ブルーメンバッハ教授（『人類の自然的変異について』）は尻尾を持つ森人の絵図がどの出典から伝わってきたかを明らかにした。
＊70　ソヌラ[22]（『インド旅行記』第二部、一〇三頁）はまだこれらのことを思い起こしているが、もっぱら伝承に依拠している。マダガスカルの小人たちはフラクール[23]によればコマーソンによって再度その存在が信じられているが、最近の旅行者たちによって否定された。フロリダの半陰陽者については『ゲッティンゲン王立科学協会論集』一七七九年号、九九三頁におけるハイネ[24]の批判的論文を参照。
＊71　シュパルマンによる『旅行記』[25]一七七頁を参照。
＊72　『アジアへの新たな旅行者の日記』（ライプツィヒ、一七八四年）からの抜粋の二五六頁では、なおもこうしたことが主張されているが、それも伝承に依拠しているにすぎない。

二　一つの人類は地球上のいたるところで風土化されてきた

地球のバッタともいうべきカルムイク人やモンゴル人を見るがよい。彼らの属する地帯は乾燥大草原や山地でしかない[*73]。小さなウマに乗って身軽な男が気の遠くなるような距離の砂漠を駆け抜ける。ウマが倒れると男はそれに力を与える術(すべ)を心得ており、また男が憔悴しきると、ウマの頸部に切り開かれた血管が彼に力を与えねばならない。これらの地域の多くは雨に恵まれず、露(つゆ)だけが活力をもたらし、今なお尽きることのない豊饒な大地がこれらの地域を新緑で包み込む。だがその大部分は樹木や甘美な泉というものを知らない。このような状況のもと、前述の未開だが集団としてはきわめて秩序のとれた諸部族が、丈の長い草の中を走り回り、一群の家畜を放牧している。彼らと生活様式を共にするウマたちは彼らの声を聞き分け、彼らと同じように平和に暮らしている。何を思うでもなく、何に心を奪われるでもなく、のんびり暮らすカルムイク人は草に腰をおろし、永遠に明るい空を眺め、果てしない荒涼さにじっと耳を欹(そばだ)てる。モンゴル人は他の地域では必ず退化するか洗練されるかのどちらかだが、自分の土地では何千年来の姿のままであり、彼らの地域が自然もしくは人為によって変えられないかぎり、ずっとそのままだろう。

砂漠の中をゆくアラブ人。*74 彼らもその優秀なウマと我慢強く耐えるラクダとともに砂漠の一部をなす。モンゴル人が高原や乾燥大草原の中を動き回ったのと同じように、アジア・アフリカの広大な砂漠を動き回る格好のよいベドゥイン人(26)は、その地域だけの遊牧民族でもある。その質素な服装、生活様式、慣習、気質は土地と調和し、その天幕は先祖の方法を何千年ものあいだずっと保持している。自由を愛する彼らは富や快楽には目も向けず、軽快に走り回り、自分の家族のように世話するウマを巧みに乗りこなし、槍の扱いにも非常に熟練している。彼らの容姿は痩せて引き締まり、皮膚の色は褐色で骨格は頑丈である。彼らは疲れ飽きることなく困難に耐え、砂漠を通じて団結を固め、何ごとにも一致協力し、大胆で野心的で、約束を忠実に守り、客を歓待し、しかも気高い。危険に満ちた生活は彼らを用心深くし、おどおどした猜疑心をいだかせ、荒涼とした砂漠は復讐心、友情、熱狂、自尊心といった感情を彼らの中に培った。ユーフラテス、ナイル、レバノン、セネガルの河畔や海岸に見られるアラブ人は、植民地という異質な風土によって徐々に変化させられていなければ、ザンジバル(27)やインド洋上で姿を現すときにも、本来のアラブ人としての性格をなおも有している。

世界の果てに住むカリフォルニア人は、その不毛な土地、貧相な生活、変わりやすい風土のもとでも暑さ寒さについて決して不平を言わず、どれほど困難な方法によるにせよ、飢餓を逃れ、自分の地域で幸福に暮らしている[28]。或る宣教師は次のように述べる[*75]。「八〇歳になったカリフォルニア人が、墓に入るまでの全生涯において、いったい何千マイル放浪したかは神だけが知っている。カリフォルニア人の多くは自分の寝場所を一年のあいだにおそらく一〇〇回は変えるので、三回続けて同じ地域の同じ場所ではまず眠らない。日が暮れたら彼らは害虫や地面の汚れなどまったく気にせず身を横たえる。黒褐色の皮膚は彼らにとっては上着や外套の代わりだ。彼らの生活道具は弓と矢であり、石は骨や尖った木片とともに木の根を掘り出す小刀の代わりとなり、カメの甲は揺り籠に、また腸や膀胱は水汲みに使われ、さらに運がよければアロエの繊維で漁網のように編んだ袋が食料やぼろ服を携帯するのに使われる。彼らは植物の根や乾ききった草のどんな小さな種までも苦労して集めて食べるが、飢饉のときには自ら再びこれらのものを自分の糞の中から拾い集めさえする。肉という肉のすべてと、とにかく肉と同じようなものはコウモリ、青虫、蛆虫に至るまで彼らには御馳走であり、或る種の草の葉、いくつかの若木や若芽、皮革類、軟骨も危急の場合には食料に含まれる。しかしそれでもこれらの貧窮者たちは健康なのだ。老いてもかくしゃくとし、彼らの一人でも晩年に白髪になると、それはもう奇蹟だ。彼らはいつも快活で笑いや冗談がまったく絶えない。体の形もよく、敏捷で柔軟である。彼らは二本の足指で地面にある小石や他のものを拾い上げることができ、どんなに齢を重ねても背筋がぴんとしている。子どもたちは一歳にならないうちから立ったり歩いたりする。おしゃべりに飽きると横になり、空腹もしくは食欲が彼らを起こすまで眠っている。目を覚ますとすぐに笑いと、おしゃべりと冗談が再び始まる。彼らはこうしたことを自分たちのやり方でずっと続け、最後に十二分に生きたカリフォルニア人として死を平気で落ち着いて待ち受ける」と。この宣教師はさらにこう述べる。「ヨーロッパに住む人々は、なるほどカリフォルニア人をその幸福ゆえに羨むかもしれないが、カリフォルニアでこうした幸福を享受できるには、この世で所有するものの多少にまったく無関心となり、人生のあらゆる偶然にあっても、自らを神の意志に委ねなければならない。」

このように続けてゆけば、カムチャダール人からフエゴ島の住民に至るまで、きわめて多種多様な地域の多くの民族についての、風土に即した絵図を提供することができるだろう。しかし精確に観察し、人間として共感しながら彼らに接したすべての旅行家のどんなに小さな筆致も風土に即して描いているというのに、私のこの程度の簡略な試みは何の役に立つのか。交易民族にとっての大きな市場であるインドでは、アラブ人と中国人、トルコ人とペルシア人、キリスト教徒とユダヤ人、マレー人と黒人、日本人とヒンドゥー教徒の姿が見分けられる。[*76] またどれほど遠方の海岸にいても、それぞれの民族は自らの地域と生活様式の特徴を必然的に伴っている。古い比喩的な伝承(29)の語るところによれば、四大陸すべての塵(ちり)からアダムは形作られ、広大な大地の諸力と霊たちが彼の全身に息を吹き込んだ。それから何千年、彼の息子たちはどこに行き、どこに住もうとも、そこに木のように根をおろし、その風土に応じて葉と実をつけた。――ここからいくつかの結論を導き出そう。それらは人間史のさらに注目される多くの特性を説明してくれるように思われる。

＊

第一。自らの地域に向けて形成され、感覚に即して生きるすべての民族が、自らの土地にかくも忠実で、そこから離れがたく感じるのはなぜかということが明らかにされる。彼らの身体や生活様式の特性、幼少時から慣れ親しんできたすべての楽しみや仕事、それに魂の視野全体は風土に根ざしている。彼らからその土地を奪うがよい。それは彼らからすべてを奪ったことになるのだ。

クランツは次のように語っている。[*77]「最初の旅行でデンマークに連れてこられた六人のグリーンランド人の悲しい運命から見てとれたのは、彼らはたとえどれほど親切に扱われ、干し魚や魚油も十分に与えられても、しばしば悲しげな眼差しで悲痛なため息をつきながら北の祖国の方を見やり、そしてとうとうカヤークと呼ばれる自分たちの小舟で逃げ出したことだ。しかし強風によって彼らはスコーネ[(30)]の海岸に打ち上げられ、コペンハーゲンに連れ戻された。そのうち二人はそれから悲嘆のあまり息絶えた。残った者のうち二人は再び逃げ出したが、一人はまたしても捕えられた。彼は母親の首にまとわりつく子どもを見るたびに激しく泣いた。（このことから人々は彼には妻子があるに違いないと推測した。なぜなら、誰も彼らと話すことができなかったし、彼らに洗礼を受けさせる準備もできなかったからだ。）最後の二人は一〇年ないし一二年デンマークで暮らし、コルディンゲン[(31)]で真珠採りの仕事をさせられたが、冬場に非常に苛酷な労働に従事させられたため一人は亡くなり、もう一人は再び逃げ出し、そこから何と三、四〇マイル離れたところで拘束され、その後また同じように悲嘆のあまり生涯を終えた。」

人間らしい感情を持つ者であれば、次のような気持は、すなわち、買われたか略奪された黒人の奴隷が祖国の海岸を、それも生涯に二度と見ることなく離れる[(32)]ときの絶望的な悲哀を目撃した際にいだく気持は決して表現できない。レーマーはこう述べている。[*78]

「奴隷たちが要塞の中でも船中でもナイフを手に入れないように、くれぐれも注意しなければならない。西インドへの移送に際しては彼らの機嫌を損ねないよう手を尽くさねばならない。そのためにはヨーロッパ風の竪琴(たてごと)を持参する必要がある。太鼓や笛も携え、彼らを踊らせ、彼らがたくさんの女やおいしい料理にありつける素晴らしい土地に連れていかれるということを請け合うのだ。しかし人々は、それでも彼らが船員を襲って殺害し、それから船を陸に着けさせた、という悲しい実例を体験した。」――それにしてもわれわれは、これらの略奪された不幸な者たちが絶望のあまり自殺した悲しい実例を何と多く見聞きしたことか！　シュパルマンはこのような奴隷の所有者の言葉として、彼らが夜になると一種の狂乱状態に陥り、それによって他人ばかりか自分までをも殺そうとすることを伝えながら、こう語っている[*79]。「なぜなら、祖国と自由を失った苦痛が、重苦しく、かつ明瞭に思い出されるのは、日中の喧騒によって気を紛らわせることができなくなる夜の場合がほとんどだからだ。」――汝ら人の道から外れた者たちよ、いったい汝らはどのような権利をもってこれら不幸な者たちの土地に近づき、彼ら自身は言うにおよばず、その土地までも窃盗、策略、残忍な行為によって略奪しようというのか？　何千年来この大陸は彼らの所有物であり、同じく彼らもまたこの大陸の所有物なのだ。彼らの祖先はこの大陸を、自分たち黒人の容姿と黒人の色という最高にして最も困難な代償を支払って手に入れた。アフリカの大陸は彼らを形成しながら自分の子として受け入れ、その刻印を彼らに押した。汝らが彼らをどこに連れていこうと、この刻印が、人さらい、強盗としての汝らの罪を問うことになるのだ。

第二。それゆえ、未開人が自分の土地と、奪われ侮辱され虐待されたその土地の子である自分の同胞を取り返すために行う戦争は残忍なものだ。たとえば、ヨーロッパ人に対するアメリカの先住民の抑圧された憎悪は、たとえヨーロッパ人が彼らと普通に交際する場合でも、後者はこの憎悪の感情を根絶しがたいものと感じる。「おまえたちはこの者じゃない！　この土地はおれたちのものだ。」いわゆる未開人の裏切りというのは、たとえ彼らがヨーロッパ人の礼儀によって完全に宥(なだ)められているように見えても、すべてここから生れる。彼らが自分たちに受け継がれた民族感情に目覚めたその最初の瞬間に炎が爆発した。それは彼らが苦労を重ねて、ずっと長いあいだ灰の下で消えないようにしていたものだった。しかもこの炎は残酷に狂い回り、土地の者の歯が外国人の肉を喰うまでは治まらないことも稀でなかった。われわれにとってこのことは嫌悪すべきものに見えるし、それについてもおそらくまた何ら疑いの余地もないだろう。しかし彼らをこうした残虐行為に最初に駆り立てたのはヨーロッパ人だった。とすれば、何のためにヨーロッパ人は彼らの土地へやってきたのか？　しかもなぜそこでヨーロッパ人は強要と暴力に訴える横暴な専制君主として振舞ったのか。[*80] 何千年来この土地の住民にとっては自分たちがすべての世界だった。彼らは祖先からその世界全部とともに次のような残忍な慣習をも受け継いだ。それは彼らからその土地を、また彼らをその土地から奪い取り、あるいはその土地で彼らに害を与えようとする者を、最も残忍な方法で亡きものにするという慣習である。それゆえ彼らにとって他所者（よそもの）は敵と同じなのだ。彼らは自分の土地に根ざし、自分に近づくあらゆる昆虫を捕まえる**食虫植物**（Muscipula）[(33)]のようなものだ。招かれざる客とか無礼な客を喰いつくす権利は彼らの土地の関税であり、ヨーロッパにおいても何らかの形で見られる原始的な絶対的権力なのだ。

ただ最後に言っておくと、今なお思い出されるのは、自分の土地からこのように遠ざけられた自然の子が、たとえば再び祖国の海岸を目にして自分の母なる大地の懐（ふところ）に贈られたときの喜ばしい光景である。フルベ人の高貴な司祭ジョブ・ベン・ザロモンがアフリカに戻ったとき、[*81] フルベ人の誰もが彼を兄弟のような情熱をもって「その土地の第二の人間として、それも奴隷状態から戻ってきたような人間として」迎えた。そして彼もどれほど自分の土地を見ることに憧れを持っていたことか！　彼は啓蒙された思慮深い人間として、イギリスのあらゆる友情と敬意の表示を感謝しつつ認めたものの、しかしこれらが彼の心を満たすことは何と少なかったか！　彼は自分をイギリスに連れて戻ることになっていた船が確定するまで落ち着かなかった。しかも祖国へのこうした憧れは、彼の生れた土地における身分によるものでも、快適な生活によるものでもなかった。ホッテントットのコレーという男は、自分の金属製の甲冑とヨーロッパで得たすべての特権をかなぐり捨てて自分の同胞たちの苛酷な生活様式に立ち帰った。*82 ほとんど世界のどの地域にもこうした実例が存在し、きわめて不便な土地であっても、そこに生れた者たちを非常に強い絆で引き寄せる。彼らの身体と魂は若い頃からさまざまな困難を克服することに向けて形成されたが、まさにこのような困難こそが彼らに風土に根ざした祖国愛をいだかせるのだ。ただ、諸民族の殺到する肥沃な平地の住民は、こうした祖国愛をすでにあまり感じなくなっているし、ヨーロッパの首都のようなところに住む者に至っては、もはやほとんど何も感じない。——しかし今は風土という言葉を、より詳しく調べなければならない。人間史の哲学においては、風土を重要な基盤としてきた人々がいる一方で、風土の影響をほとんどまったく否定してきた人々もいる。そこでわれわれとしても、とにかく問題を提示することにしよう。

*73　個々の地域については、パラスやこれまで言及された者たちを参照。ヤイク河畔(34)のカルムイク人集団の生活様式については、G・オーピッツ(35)による彼らのもとでの生活と捕虜状態

が、編者の多すぎる注釈によって飾られ理想化されていなければ、非常に優れた絵図だろう。

*74 従来の数多くのアラビア旅行記に加えて、パジェスによる『世界一周旅行』第二部、六二—八七頁を参照。

*75 『カリフォルニアについての報告』[36] マンハイム、一七七三年、あちらこちらの箇所。

*76 マッキントッシュによる『旅行記』第二部、二七頁を参照。

*77 『グリーンランド誌』三五五頁。

*78 レーマーによる『ギニア沿岸についての報告』二七九頁。

*79 シュパルマンによる『旅行記』七三頁。この博愛的な旅行者は奴隷の取り扱いや捕獲に関する多くの悲しむべき報告を織りまぜている。[37]

*80 不幸なマリオン[38]についての『新南洋航海』の編者による注釈。クック『最後の旅行報告』へのラインホルト・フォルスターによる序言、ベルリン、一七八一年。およびヨーロッパ人自身の振舞いに関する報告を参照。

*81 『一般旅行記叢書』第三部、一二七頁以下。

*82 『一般旅行記叢書』第五部、一四五頁。他の実例についてはルソーの『人間不平等起原論』の注釈[39]を参照。

三　風土とは何か。それは人間の身体と魂の形成にどのような作用を及ぼすのか？

地球の最も安定した二つの点は南極と北極であり、この両極なしにはどのような回転も、それどころか、おそらく地球それ自体の存在が不可能だった。そこでもしわれわれが両極の生成について知り、地磁気が地球の多種多様な物体に及ぼす作用とその法則を理解するならば、それは後に自然が存在物の形成に際して他の高次の諸力とともに多様な形で織り込んだ基本の糸を発見したことにならないだろうか？　しかし、これまでの非常に多くの立派な考察にもかかわらず、それについてはまだほとんど何も知られていない。[*83] したがってわれわれは、すべての風土の基礎を考察するにしても、両極のある地域に関しては今もって無知なままだ。とはいえ、磁石はかつて海と陸においてわれわれのまったく予期しなかった羅針盤になったのだから、ひょっとしたら自然に即した諸力の領域においてもいつかそのようなことになるかもしれない。――(40)

地球の自転と公転はそれぞれの風土に細かな特徴を与えている。しかしここでも、一般に認められた法則でさえその適用は困難であり、確実性にも欠ける。古人たちの定めた地帯は、[41]未知の大陸が新たに知られることによって、その正しさが証明されなくなった。実際またそれらの古い地帯は自然学的に見て不正確な知識に基づいて定められていると考えられる。同様のことは暑さや寒さを太陽光線の量と入射角に従って測る場合についても起こると考えられる。人々は太陽光線の作用を数学上の課題として精確に定義しようと努めてきた。しかし、もし風土の歴史を哲学的に記述する人物が、数学の規則に基づいて例外のない結論を導き出すならば、数学者でさえこれを数学の規則の濫用と見なすだろう。[*84] こちらでは海への近さが、あちらでは風が、また別のところでは土地の高低が、第四の場所では付近の山々が、第五の場所では雨や靄(もや)が一般的な法則に新たな局地的限定を与えるので、すぐ近くの場所で正反対の風土が感じとられることも稀でない。これに加えて、新しい知見から明らかなのは、どの生きものも固有の方法で熱を受け入れ発散させることと、それどころか、被造物の構造の有機組織化が進めば進むほど、また被造物が自己の活発な生命力を外に向かって表現すればするほど、被造物は相対的な熱気や寒気を産み出す能力をもそれだけいっそう多く表現することである。[*85][42] 人間は血液の温度を超える風土の中では生きられないという古い命題は経験によって否定される。[43] 他方また生命に関わる熱(44)の起源と作用に関する最近の体系もまだなかなか完成しないので、何らかの方法による人間の構造だけの風土学(45)も考えられない状態であるし、ましてや人間の魂のあらゆる能力と、そのまったく恣意的な使用に関する風土学など思いもよらない。もちろん誰もが知っているように、熱気は繊維を拡張かつ弛緩させ、液体を薄め、発散を促すため、固い部分をも時とともに海綿のようにして、いっそう解きほぐすことなどができる。この法則は全体として揺るがない。*86 また、この法則とその反対物である寒気からも多様な生理学的現象が明らかにされてきた。*87 しかしこのようなたった一つの原理、あるいはこの原理の一部、たとえば弛緩や発散に基づく一般的な結論を世界中の民族や地域のみならず、人間精神の精緻このうえない仕事や、そしてまったくの偶然から生れた社会諸制度にも及ぼそうとするならば、これらの結論を考え出して整理する人間が明敏で体系的な頭脳の持ち主であればあるほど、それらはいっそう大胆なものになる。だがそれらも、歴史からの実例、もしくは生理学上の根拠によってほとんど一つ一つ着実に論駁(ろんばく)される。というのも、いつもあまりに多くの、また一部は相反する諸力が相並んで作用を及ぼすからである。かの偉大なモンテスキューでさえ、彼の言う法の風土的精神は、去勢したヒツジの舌を用いた誤った実験(46)の上に築かれていると非難された。――もちろん人間は風土の手中における可塑性のある粘土だが、風土の指はきわめて多様に形作る。しかし風土に対抗して作用を及ぼす法則も非常に多様なものなので、これらの力の関係を調和へともたらすことができるのは人類のゲーニウスだけだろう。

＊

大気からわれわれに作用を及ぼすものは熱気と寒気だけではない。むしろ大気は最近の所見によれば、害を与えたり、利益をもたらしたりする形でわれわれと結びつく他の諸力の大貯蔵庫なのだ。大気の中で電気火花(47)は活動するが、この強力な存在物は動物への影響という点ではほとんど未知のものである。なぜなら、電気火花の本性の内的法則はまったく知られておらず、人間の身体がどのようにしてこの存在物を受け入れて消化するのかもまったく分からないからだ。われわれは大気の息吹によって生きている。しかし大気中にあって、われわれの生の糧となっているバルサムという慰めの香油は一つの神秘である。さて、これに大気の構成要素の多様でほとんど名状しがたい地域的特性を、大気の及ぶ領域すべての物体の発散物に従って付け加えてみよう。そして次のような実例を、すなわち医者がただ瘴気(しょうき)(48)という名称しか賦与できなかった目に見えない悪性の種子によって、大変に奇妙でしばしば恐ろしく、また何千年も抹殺できない事物がいかに頻繁に生れたかという実例を思い起こしてもみよう。天然痘、ペスト、梅毒、それに多くの時代とともに消えるいくつもの疫病をもたらした得体の知れない毒のことも考えてみよう。さらにはヘルマッタン(49)、シムーム(50)、シロッコ(51)や、タタールの東北風といった地方特有の風はともかくとして、われわれ自身の地域の風について、いかに何も知らないかということを思い出してみよう。そうすればわれわれは人間のすべての思考力と知覚力の風土学に到達するどころか、生理学や病理学の点からしても、この風土学のための準備作業がどれほど不足しているかに気づくだろう。しかしこの点でも聡明な研究にはいずれも栄冠が与えられており、そして後世の人々も、われわれの時代に高貴な花冠を与えざるをえないだろう。*88

＊

最後に、多様に姿を変える風土という絵図の全体は、一地域の高低、その地域と産物の特性、そこの人間が享受する食物や飲料、従う生活様式、行う仕事、服装、居住場所、それに娯楽や技術のすべてと、それらの生きた連関の中で多くの作用を及ぼす他の一群の諸状況が一体となって構成されている。とすれば、どのような人間の手が、さまざまな原因と結果のこうした混沌を一つの世界へと秩序づけ、その中で個々の地域の、個々の事物が正当な扱いを受け、いずれも過不足なく維持されるようにできるのか？　唯一にして最善のことは、ヒポクラテスの方法に従って、[*89] 観察力に富む彼の簡明さをもって、それぞれの地域を風土に即して考察し、それからゆっくりと時間をかけて一般的結論を導き出すことだ。博物学者と医者がここでは実地経験者として自然の弟子であると同時に哲学者の教師でもある。[52] われわれはすでにこの両者が、風土とそれが人間に与える影響に関する一般的教説のために個々の地域から多くの貢献をなしたことを、後世の人々のためにも彼らに感謝しなければならない。——しかしここではそれぞれ特別に所見を述べることはできないので、若干の一般的注釈を加える方向で進めたいと思う。

1　地球は球体であり、陸地は海面上に出た山地であるため、地球上では多種多様な原因によって、生きものの生存に不可欠な風土上の共同関係が促進される。昼と夜、移り変わる季節の輪舞がそれぞれの地帯の風土を周期的に変えるだけでなく、四大の争い、大地と海の対抗作用、山と平地の位置、地球の運行と季節と昼夜の変化、ならびに非常に多くの小さな原因から生じる周期的な風が、健康をもたらす四大のこうした融合を維持しており、これなしではすべてが眠りと腐敗の中へと沈んでゆくことだろう。われわれを取り巻いているのは一つの大気圏であり、われわれが生きているのは一つの電気海の中なのだ。しかもこれらは両方とも(そしておそらくこれらとともに磁石流も)永遠の運動の中にある。海は水分を発散し、山はそれらを引き寄せ、その両側に雨を注ぎ、河川を流れ下らせる。同じように風も向きを交互に変え、数年あるいは十数年がその日々を風土に即してまとまったものへと満たしてゆく。こうしてさまざまな地域と時代は互いを引きたて支えあい、地球上ではすべてが結びついている。もし地球が平板で、あるいは中国人が想像したように方形であるとしたら、その角では明らかにこうした風土に即した奇形が育てられるだろう。しかしこのようなものは現在の地球の規則正しい構造とそれが伝達する運動においてはまったく考えられない。最高神ユピテルの玉座の周りでは季節の女神たちホーレンが輪舞する。その足元で形作られるものは、なるほどすべて異なる種類の事物の統合の上に築かれているため不完全な完全性にすぎないが、それでも相互の内面の愛と融和とによって、いたるところに自然の子、すなわち感覚に即した合法則性と美が生れる。

2　**地球の居住可能な陸地は、大部分の生きものがそれらにとって最も充足できる形で活動しうる地域に寄せ集められている。**諸大陸のこうした位置が、これらすべての風土に影響を与えている。なぜ南半球では寒気が赤道のすぐ近くで現れるのか？　自然哲学者(53)は答える。「それは南半球には陸地が少なく、そのため寒風と南極の氷塊がはるか北に向かって流れるからである。」したがって、地球上の陸地がすべて島嶼(とうしょ)として分散させられていたならば、われわれも明らかに違った運命を辿ったことだろう。現在においては関連し合う三つの大陸が互いに暖め合っている。これらから遠く離れている第四の大陸(54)が、より寒いのもこうした原因による。南洋においては赤道を越えたすぐのところで、陸地がないことと相俟って奇形や変種が現れる。それゆえ完全な形の陸棲動物は僅かの種類のものしかそこに住んでいないはずだ。南半球はわれわれの地球の巨大な水槽たるべく定められていたが、それは北半球がより良い風土を享受するためであった。人類は地理的にも風土的にも互いに隣接しながら集団で居住する一つの民族であるべきだろうし、それにまたペストや他の疫病や風土病と同じように風土のもたらす温暖さや他の恩恵も互いに贈り合うべきものだろう。

3　**山地を基盤とする地球の構造は、生きものの非常な多様性のために地球の風土を変化させただけでなく、人類の退化をもできるだけ防いできた。**山地は地球に必要であった。しかし地球上にはモンゴル人とチベット人の住む尾根しか存在せず、高いコルディレラ山系や他にも非常に多くある同種の山地には人間が住めない。他方また山地を基盤とする地球の構造によって、不毛の砂漠も稀になった。なぜなら山地は天空の避雷針として屹立し、その豊饒の角から河川を注ぎ出し、土地に実りをもたらしているからだ。そして最後に不毛の海岸と、寒冷な、あるいは湿潤な海岸斜面はいずれもようやく後からできた土地であり、だから人類も後になってやっと、それも十分に力を養ってからそこに移り住むことが許された。たしかにキトの谷にはフエゴ島よりも以前から人が住んでいたし、カシミールにもオーストラリアやノバヤ・ゼムリャ[55]よりも前に人は住んでいた。緯度的に地球の中ほどにある最も幅広の地域は、海と山のあいだに最も美しい風土を有する土地である。そしてこれが人類の教育所であったし、今なお地球で最も住みやすい場所なのだ。——

ここで明らかなのは、いかに風土が種々の力と影響の総体であるかということである。この総体には植物も動物も貢献し、他方この総体はあらゆる生きものに相互連関という形で仕えている。そして人間もその中で風土を技術によって変えるべく、地球の主人になるように定められている。人間は天から火を盗み、自らの手で鉄を鍛え、動物のみならず自分の同胞さえも強制的に寄せ集め、それらを植物と同じように自分に役立つべく育て上げて以来、多様な方法で風土の変化にも影響を与えてきた。ヨーロッパはかつて湿潤な森林であったし、今は文明化されている他の地域もほとんどそうだった。それが切り開かれ、風土とともに住民自身も変化した。統治組織や技術がなければエジプトはナイル河の泥になっていただろう。エジプトはナイル河から人々が苦労して手に入れたものであり、エジプトのみならず北方アジアの広い地域においても、生きた被造物界は人の手が加えられた風土に自らを順応させた。それゆえ人類は小さいながらも大胆な巨人の一群と考えられる。というのも、人類が次第に山から下りてきたのは、大地を制圧し、風土をそのか弱い手で作り変えるためだったからだ。人類がどの程度それを実行できたかは未来が教えてくれるだろう。

4　最後に、もっぱら場所と歴史の個々の場合に依拠している事柄について、何か一般的なことを言うことが許されるならば、私はベーコンが変革の歴史に関して与えている若干の留保を、ここに違った角度から提示したい。[*90] なるほど、風土の作用はあらゆる種類の物体に及ぶが、なかでも柔らかいもの、つまり湿気、大気、エーテルに作用を及ぼす。風土の作用は個体よりもむしろ事物の集合体に及ぶ。しかしまた事物の集合体を通じて個体にも及ぶ。それは特定の時点に向けられているのではなく、一定の期間を支配するものであり、しばしば後になって、それもおそらく些細な事情を通じて姿を現す。要するに、風土は強制するものではなく、傾けるものなのだ。(56) 風土は目に見えにくい素質を与える。それは土着の民族においては慣習と生活様式という絵図全体の中ではたしかに認められるが、とりわけ分離されると、表すことが非常に困難になる。多分いつの日か奇特な旅行家が現れて、偏見や誇張なしに**風土の精神**のために旅することだろう。それゆえ現時点でのわれわれの義務は、むしろ生きた諸力に、それもこれら自身のためにそれぞれの風土が創られ、すでに自身の存在によって風土を多様に変化させたり修正したりするような生きた諸力に目を向けることだ。

＊83　ブルクマンス[57]による『磁気論』命題二四―三一を参照。

＊84　ケストナーによる『熱を算出するハレー[58]の方法の説明[59]』、『ハンブルク時報』四二九頁以下を参照。

＊85　クレル[60]による『植物と動物の熱気産出能力および破壊能力に関する実験』ヘルムシュテット、一七七八年、およびクロフォードによる『動物の冷気産出能力に関する実験[61]』(『哲学紀要』第七十一巻第二部三一)を参照。

＊86　ガウビウス[62]による『病理学』第五章、第十章等、全病理学の論理学を参照。

＊87　モンテスキュー[63]、カスティヨン[64]、ファルコナー[65]を参照。これらより劣る『諸民族の精神[66]』、『歴史の自然学[67]』などは挙げるには及ばない。

＊88　グメリン[68]による『大気論における新発見』ベルリン、一七八四年を参照。

＊89　ヒポクラテス[69]による『空気、水、場所について』の特に第二部を参照。私にとって彼は風土に関する最も重要な著作家である。

＊90　ベーコン[70]による『学問の尊厳と進歩』第一巻第三編を参照。

四　発生をもたらす力[71]は地球上のあらゆる形成物の母であり、この力に対して風土は敵対的もしくは友好的にのみ作用を及ぼす

生きものの創造という奇蹟を初めて見る人は何と驚くことだろうか！[*91]　液体のほとばしる小さな球体から一つの生きた点が生成し、この点から地球の被造物が生れる。間もなく心臓が見えるようになり、とても弱々しく不完全だが鼓動しはじめる。心臓より先に存在していた血液が赤くなりはじめる。間もなく頭部が現れ、そして間もなく目、口、感覚器官、四肢が現れる。胸部はまだないが、その内部の諸部分は動いている。臓腑はまだ形成されていないが、この動物は嘴(くちばし)を開けている。小さな脳は頭部の外に、心臓もまだ胸部の外にある。肋骨と脚はクモの巣のようだ。間もなく翼、足、足指、腰が現れ、今やこの生きものはさらに栄養を与えられる。露出していたものは覆われる。胸部と頭部は閉じられる。胃と臓腑はまだ垂れ下がっている。これらも物質が消化されるにした

がって最後には形を整える。表皮は収縮し引き上げられ、下腹部も閉じ、動物が出来上がる。それはもはや浮かんでいるのではなく、横たわっており、目を覚ましたり眠ったりする。それは動き、眠り、叫び、出口を探し求め、あらゆる部分が完全なものとなってこの世の光を受ける。この奇蹟を初めて見る人は、これを何と呼ぶだろうか？「ここには**生きた有機的な力**がある」とその人は言うであろう。そして「この力がどこから来たのか？この力がその内部では何であるのか？それは私には分からない。しかしこの力が現に存在し、生きていて、同質の物質の混沌から有機的部分を取り出して自分のものにするということは、私には明らかであり否定もできない」とその人は言うだろう。

この人物がさらに観察を続け、以下のことを目にするとしよう。すなわち、これら有機的部分のどれもがいわば**現実に**その活動の中で形成されること。心臓は自分より先に存在していた溝が一つに合流することによってしか生れないこと。胃はそれが目に見えるようになった瞬間に自分の中に消化の物質を持っていること。すべての血管と脈管についても同様である。つまり、含まれる内容は、含む容器より先に存在し、(72)液体は固体より先に、精神は身体より先に存在し、前者は後者に包まれているにすぎないことにこの人物が気づいたならば[*92]、彼は、目に見えない力は恣意的に形成するのではなく、その内的本性に従っていわば自己を開示するにすぎないのだと言う以外にないのではないだろうか。この力は自分に属する質料において目に見えるものとなるのだが、同時にこの力はどのようにしてであれ、またどのような原因からであれ、その現れる姿の原型を自分自身の中に持っているにちがいない。こうして新たに生れた被造物は、創造する自然の、それも常に活動という形でのみ思惟する自然の、現実化された理念にほかならない。[73][74]

この人物が続けて以下のこと、すなわち、こうした創造を促しているものは、母の熱、もしくは太陽の熱であることと、しかし母の中にある卵は物質や熱がどれほど現存しようとも父による活力賦与なしには生きた胎児を産み出さないことを観察するとしよう。するとこの人物は次のように推測するしかないだろう。つまり熱の原理は、それが促す生の原理とたしかに類似してはいるものの、本来は二つの生きた存在の合一のうちにこの有機的な力を活動させる原因が、それも混沌状態にある死んだ物質に生きた形を与えるために活動させる原因があるにちがいない、と。人間はもちろん、すべての生きもの[75]はこのようにして形成される。それぞれは自らの有機組織に従っているが、しかしどれもみな地球すべての生きもの全体を支配する一つの類比という明白な法則に従っている。

最後に、この人物が次のこと、すなわちこうした生きた力は、完成された被造物から立ち去るのではなく、その被造物の中で活動しながら自己を啓示し続けるということを知ったとしよう。もちろんこの力は、被造物が創られた以上、もはや創造は行わず、被造物を維持し、これに活力と養分を与えるだけである。さて、被造物は生れるとすぐに生きるためのすべての仕事を遂行する。というのも、被造物はこれらの仕事に向けて、いや、それどころか一部はこれらの仕事の中で形成されたからだ。口が開く。開くことが口の最初の動作であったように。肺が息を吸い込む。声が叫び、胃が消化を行う。唇が乳を吸う。こうして被造物は成長し、生き、内外のすべての部分が助け合う。それらは一緒に活動したり受苦したりする中で引き寄せ、排出し、それぞれの中で姿を変え、苦痛や病気にあっては無数の不思議で究めがたい方法で助け合う。このことに最初に気づいた人は誰でも次のようにしか言わないだろうし、また言えないだろう。発生に関わる生来の生命力は、この力によって形成された被造物の中に、そのすべての部分の中に、また被造物自身の方法に従って、それぞれの部分の中に存在する、つまり有機組織に即して、なお**内在することによって**存在する、と。(76)こうした生命力はどこにおいても被造物にとってはきわめて多様な形で現前しているが、それは被造物がこの生命力によってのみ一つの生きた全体となって自己を維持し、成長し、活動しているからだ。

しかもこの生命力をわれわれはみな自分の中に持っている。健康なときも病気のときもこの力はわれわれを助け、同質の部分を同化し、異質な部分を分離し、敵対する部分を排除し、最後には老齢のうちに衰弱するが、いくつかの部分においては死後もなお生きている。ちなみにわれわれの魂の理性能力は、この生命力ではない[77]。なぜなら、理性能力は自分の知らない身体を、それも自分の観念の不完全で未知の道具としてしか使用しない身体を、自ら形成したわけがないからだ[78]。しかし、自然のすべての力が結びついているのと同じように、理性能力はこの生命力と結びついている。というのも、精神による思考も身体の有機組織と健康に依存しており、人間の心のあらゆる欲求や衝動は、生命に関わる熱と不可分のものだからだ。――これらはみな自然の事実であり、仮説によって覆すことも、スコラ的な言葉によって否定することもできない。これらの事実を承認することが地球の最古の哲学[79]であり、おそらくまた最新の哲学でもあろう[*93]。私には自分が思考しているということは確実に分かっているが、自分の思考する力のことを私は知らない。それでも私は確かに感受するし、たとえまた生命力が何であるかを決して知らなくとも、自分が生きていることは分かる。この能力は生来のものであり、有機的で、発生に関わるものである。それはまた私の自然‐諸力の根拠であり、私の存在を内部から護るゲーニウスである。人間が地球被造物で最も完全な存在であるのは、われわれに知られている最も精緻な有機的諸力が、人間にあっては有機組織の最も精緻な器官の中に内在しながら活動しているからにほかならない。人間は最も完全な動物性植物[80]であり、人間という形姿をとった生来のゲーニウスなのだ。

＊

われわれの立てた原則は、実際に紛れもない経験に基づいているが、それらがここに至るまで正しいものだったとすれば、人類の変質ということも、本来これらの有機的諸力なしには起こりえない。たとえ風土が外部からどのような作用を及ぼそうとも、どの人間も、どの動物も、どの植物も、それ固有の風土を持っている。なぜなら、どの被造物も外部からの影響をみな自分の方法で受け入れ、それを自らの有機組織に即して消化するからである。どんなに小さな繊維においても、人間は石や水泡のようには苦痛を受けない。そこで次にこうした変質のいくつかの段階、もしくは差異に目を向けてみよう。

人類の変質の第一段階は、外に面した部分に現れる。それはあたかもこれらの部分自体が変化を蒙(こうむ)ったり作用を及ぼしたりしているかのように見えるが、そうではなく、人間に内在する力が内から外へと活動しているのだ。この力は実に驚くべき機関(からくり)によって、自分に妨げとなる異質なものを身体から排出しようと努める。それゆえこの力の有機的構造における最初の変化は、この力の及ぶ領域の周縁部において目に見えるものとならざるをえず、こうして人類の最も際立った変質は皮膚と頭髪において端的に現れる。自然はその内部にあって自己の本質に関わる形成物を保護する一方で、自分の負担となる物質をできるかぎり遠くへと運び出した。

変化をもたらす外的な力がさらに加わる場合でも、その作用は前述の生きた力それ自体が活動するという方法、すなわち個体維持と生殖という方法でしか現れない。黒人は白色で生まれる。その黒人において最初に黒くなる部分は[*94]、瘴気が、それも外の大気によってもっぱら広められる瘴気が、黒人の生れる時点からその変化に向けて作用を及ぼすということの明白な証拠だ。いずれにせよ、性的成熟の年齢に達した人間のみならず病人にも見られる多数の所見がわれわれに教えているのは、個体維持と生殖のための諸力が人体のいかに広い範囲に及んでいるかということである。どれほど隔たった身体部位も、これらの力によって相互に結びつけられている。そしてこれらの部位こそが、諸民族が変質する際にも一緒に変化を蒙るのだ。したがって皮膚、それに乳房を含む性器を除いて、最も変化が見られる部位は耳、首、口、鼻、唇、頭部などである。

最後に明らかになるのは次のこと、すなわち生命力はすべての部分を協力させ、また有機組織はどこにも始まりと終わりの見出せない非常に錯綜した領域であるため、最も内部に関わる主要な変化も、けっきょくは最も固い諸部分においても現れざるをえないということである。これらの部分は内部で変化を蒙る力によって、頭蓋から足に至るまでそれまでとは別の比例関係に置かれる。自然は苦労を覚悟でこうした変形にとりかかる。しかし自然は自らの技術活動が著しく阻害される奇形においても、ちょうど戦いに敗れた将軍がまさに退却というときに最大の知恵を発揮するように、驚くべき方法で代償を行う。しかしそれでも諸民族のそれぞれに異なる形姿が示すように、こうした最も困難な変形でさえ、人間という形成物にあっては起こりえた。なぜなら、われわれの身体という機械のきわめて多様な構造と精緻な可動性が、この機械に作用を及ぼす名づけがたい多様な力とともに変形を可能にしたからである。しかしまたこの困難な変形も、内部からでなければ実現されえなかった。何世紀にもわたって諸民族は頭の形を変え、鼻に孔をあけ、足先を無理に縛り、耳を引き伸ばしてきた。それでも自然は自分の道に踏みとどまった。歪められた四肢に自分の意に反して体液を供給しなければならなかったときも、自然は一定期間この方向に従わざるをえなかったが、できると見るや、ただちに自由を取り戻して自分の完全な原型を完成させた。ただし奇形が生命発生の時点に関わるものであり、自然の示す道を経て生れた場合には事情が一変する。こうした場合に奇形は四肢の個々の部位にあってさえ受け継がれた。だから人間の技術や太陽が黒人の鼻を平たくした、などと言わないでほしい。この部分の形成は頭蓋全体、顎、首、背中の形態と関連があり、また成長する脊髄はいわば木の幹であって、これと結びついて胸部や四肢のすべてが形成される。そのため比較解剖学が十分に示しているように、[*95]変質は全身に及び、これらの固定された部分のいずれもが全身の変化なしには変質しえなかった。それゆえにこそ黒人の形態もまた何世代にもわたって受け継がれ、これを変えようとすれば、発生の時点まで遡るしかないのだ。ムーア人の男性をヨーロッパに連れてきても、彼はムーア人のままである。しかし白人の女性を彼と結婚させると、白色化させる風土が何世紀かかってもなしえなかったような変化が、一世代で生じるだろう。すべての民族の形姿についても事情は同じだ。世界のそれぞれの地域はきわめてゆっくりとしか形姿を変えないが、異なる民族との混淆(こんこう)は僅か数世代でモンゴル人、中国人、アメリカ先住民の特徴を消し去ってしまう。

*

このような方法で進むことに読者も満足してもらえるならば、もう少しこの方法で論述を進めることにしよう。

1　注意深い読者なら誰でも気づいたに違いないのは、**人間の無限に異なる形態の中に一定の形と比例関係がたんに反復して現れるのみならず、それらはまた相互に他を排除しながら全体に属している、**ということである。芸術家の場合、これは自明の事実である。古代人の造った彫像に見てとれるのは、均整とか釣合いと呼ばれるものが、たとえば身体部分の長さや幅にだけでなく全体の魂に向けたそれら部分の調和のとれた形成にも持ち込まれたということだ。古代人の神々や女神たち、青年や英雄たちの特性はその姿勢全体のうちに明確に定められていたので、それらの特性は一部がすでに個々の四肢から知られたし、また一つの彫像に他の彫像に属する腕や胸部や肩を用いることも不可能であった。個々の生きた存在のゲーニウスは、これらの形態の一つ一つの部分に生きており、それらをヴェールで覆うように息をくまなく吹きかけることによって、これらの形態はどんなに微妙な姿勢や動きにおいても全体と同じように特性を賦与される。(82)近代人にあってはドイツのポリュクレイトスであるアルブレヒト・デューラーが人体のさまざまな均整の尺度を入念に研究した[*96]。その結果として誰の目にも明らかなのは、どの部分の形姿も比例関係とともに変化するということである。しかしどのようにしてなのか？　そこでわれわれとしてはデューラーの精密さを古代人の魂の感情と結びつけて、人間の主要な形と特性の差異を、これらの形と特性が一体となった人体という形成物においで研究したらどうだろうか？　そうすれば観相学もその名称の指し示す古い自然な道に立ち戻るのではないかと私には思われる。そもそも観相学はその名称に従えば、習俗学でも技術学でもなく人間の生きた本性を解釈するものであり、人間のゲーニウス、それもいわば目に見えるようになったゲーニウスの通訳でなければならない。観相学はこうした制約を受けながら、顔面が最も雄弁に物語る全体の類比に常に忠実であり続けるので動態観情学[83]が観相学の妹に、生理学と徴候学[84]が観相学の協力者にして友人とならねばならない。なぜなら、人間の形態は人間内部の駆動装置を外から覆うものにすぎないが、それでもやはり一つの調和をなす全体だからである。そこではたしかにどの字母も一つの単語に属するが、意味を与えるのはあくまでも単語という全体だけなのだ。日常生活でもわれわれは観相学を使ったり練習したりしている。すなわち熟練した医者は患者の骨格や形姿からその患者がどのような病気に罹っているかを見てとるし、観相学に習熟した者の目は、それがたとえ子どもの目であっても、人間の形姿の中にその人間の自然的性質(φύσις)[85]、すなわちその人間のゲーニウスが啓示される形態を認める。

さらに一歩進めてみよう。**これらの形と、これらの形が一致する部分の調和に注目しながら、これらの形を字母として、これらを一つのアルファベットにまとめることはできないだろうか？**　ただ、これらの字母が完全に揃うことは決してありえない。なぜなら、それらは何か特定の言語のアルファベットではないからだ。しかし人間の本性をそれぞれ特徴づけるためには、この本性の主要な諸形態の中に人類のこれらの生きた彫像の整然とした構造を念入りに研究すれば、きっと広大な領域が開かれるだろう。その際には対象をヨーロッパに限定せず、ましてやわれわれにとってあたりまえの理想[86]をすべての健康と美の規範にせずに、生きた本性を地球上のいたるところに追い求め、一致する部分のどのような調和の中に、この生きた本性があちらこちらで多様に、そしていつも完全に姿を現すかを究めることにしよう。そうすれば疑いもなく人体の構造における生きた諸力の唱和と旋律についての数多くの発見がこれらの観察の報酬となるだろう。それどころか、おそらく人体における形の自然的な一致のこうした研究は、肌や目や髪の色、そして気質について、しばしばほとんど何の見返りもなく論じられる教説よりも、ずっと益するところが多いだろう。どれほど慧眼な観察者でも、これらの色や気質の研究では大きな業績を残せなかった。というのも、特徴が記述されるべき多様なものに対して、彼らはその特徴を記述するための特定のアルファベットを持っていなかったからだ。[*97]

2　さて、こうした**人類の形成と変質の具象的な歴史**においては生きものに即した生理学がいたるところでわれわれを先導しなければならないだろう。そしてそれと同じように、この歴史においてはまた一歩一歩と自然の叡智が、それもさまざまに代償する善意という法則にだけ従って形を作り、また変える自然の叡智が目に見えるようになるだろう。たとえば創造する母はなぜ類を分けたのか？　それは、この母が自ら造形に用いる原型をいっそう完全なものとし、維持できるようにという目的のためにほかならない。現在の動物類の多くが地球の以前の状態にあってはどれほど互いに接近していたかは分からないが、それでもこれら動物類の境界が現在も発生時に即して分けられている[87]ことは理解できる。野生状態ではどんな動物も、異なる類のものとは交尾しない。そして人間の強制する技術、あるいは、きわめて肥育させられた動物の送る飽満無為の生活が、通常は確実な本能を誤らせても、それでも自然は自らの不変の法則を遵守するので、このような飽満に向けた技術によって屈服させられることなどありえない。混血配合は受精しないし、無理に産ませた交配種も、ごく近い類のもとでしか繁殖しない。それどころか、こうした交配種自身にあってさえ、その相違は造形の領域の最も外部にある周縁にしか見られない。このことは人類の変質についての記述とまったく一致する。もし造形の内部にあって、その本質に関わる原型が奇形を獲得せざるをえなかったとすれば、どんな生きものも自力では存在できなかっただろう。それゆえケンタウロスもサテュロスも、またスキュラもメドゥーサも[88]、創造する自然に従えば、また、それぞれの類の発生と本質に根ざした原型の内的法則に従えば、生れるはずがないのだ。

3　最後に、**自然が形の多様性と存続とをその類の中で結びつけた最も巧妙な手段は、両性の創造と結合である。**両親の特徴は、子どもの顔つきや体格の中に何と驚くほど精緻に、かつ気質の点からも混ざり合っていることか！　あたかもそれは両親の魂がそれぞれ異なる割合で子どもに注ぎ込まれ、有機組織の多様な自然力が子どものうちに分配されたかのようだ。病気や形姿の特徴、それに性癖や気質までもが受け継がれることはよく知られている。さらには何と驚くべきことに、ずっと以前に亡くなった祖先の形態が何世代もの流れを経て再び現れることも稀ではない。説明するのは困難だが、同じように否定できないのは、母親の精神状態や身体状態が胎児に影響を及ぼすことであり、その結果は多くの悲しむべき実例となって母子に生涯ついてまわる。——こうして自然は生命の二つの流れを一つにまとめたが、それは生れ出る被造物に自然力を余すことなく授け、この力が両親の特徴に従って、今度はその力自身の中で生きるようにするためなのだ。没落した種族の多くが一人の健康で快活な母によって立て直されたこともあるし、また衰弱した青年の多くも、自ら自然児となるには自分の妻の腕に抱かれて初めて目覚めざるをえなかった。それゆえゲーニウスに導かれた人類の形成においても、愛が最も力強い女神なのだ。愛は種族を高貴なものにするとともに、没落した種族を立て直す。愛は神性の松明（たいまつ）であり、その火花によって人間の生命の光は暗くなったり明るくなったりしながらも輝く。これに対して種々の本性を形成するゲーニウスに逆らう最大のものは、冷淡な憎悪か、もしくはそれ以上に邪悪で不快な因習だ。この因習は互いに何の帰属関係もない人間同士を無理やり一緒にして、卑しくて自分自身とさえ調和のとれない数多(あまた)の被造物を永遠に存続させる。どのような動物も、人間がこうした退化という形で堕落するほどまで堕落したことはない。

＊91 ハーヴィ[89]による『生物の発生』を参照。ヴォルフによる『発生の理論』など[90]も参照。

＊92 ヴォルフによる『発生の理論』§169、b一八〇—二一六。

＊93 ヒポクラテス[91]、アリストテレス[92]、ガレノス[93]、ハーヴィ、ボイル[94]、シュタール[95]、グリッソン[96]、ガウビウス、アルビヌス[97]をはじめ、人類の最も偉大な観察者、もしくは哲学者たちは経験に迫られて、この活動的な生の原理を受け入れたものの、これをさまざまな名称で呼んだだけであるか、あるいは何人かはこの原理を隣接する諸力と十分に区別しなかった。

＊94 本書第六巻、四五頁を参照。

＊95 ゼンメリング[98]による『ムーア人とヨーロッパ人の身体上の差異について[99]』マインツ、一七八四年を参照。

＊96 アルブレヒト・デューラーによる『人体の均整についての四つの書』ニュルンベルク、一五二八年。

＊97 この教説はメッツガー[100]の『著作集』の第一巻において非常に単純化されている。プラートナー[101]および他の学者は、この点で評価されるべき貢献をしている。

五　発生と風土との反目についての結論的所見

私の間違いでなければ、これまで少なくとも暗示的に述べてきたことをもって、発生と風土の対立を概観するための最初の境界線が引かれたことになる。たとえば風土が変わったからといってバラがユリになり、イヌがオオカミになることは誰も望まないだろう。なぜなら自然はこれらの類を区切る明確な境界線を引き、また或る被造物が自然の形成物をその本質から逸脱させ堕落させるくらいならば、むしろその被造物を滅ぼしてしまうからだ。しかしバラが変質し、イヌがいくらかオオカミの性質を帯びるというのは歴史に即応したことであり、この場合もまた変質は、敵対して作用を及ぼす有機的諸力に対して強制的な力が迅速に、あるいはゆっくりと加えられることによってしか生じない。相争うこの二つの力はそれゆえ大きな作用を及ぼし、しかもそれぞれの力は独自の方法で作用を及ぼす。風土はさまざまな原因の、それも互いにまったく異なる原因の混沌である。したがってこれらの原因はまたゆっくりと、かつ多様な形で作用を及ぼし、ついには被造物の内部にまで浸透し、これを慣習と発生自身によって変えてしまう。生きた力は永く、強固に、一様に抵抗するが、ただこの力自身は変わらない。しかしこの力も外部からのさまざまな受苦から独立しているわけではなく、これらにも時間とともに順応せざるをえない。

反目についてさらに一般的に述べるよりも、私としてはむしろ個別に有益な研究を進めたい。これには地理学と歴史といった領域が多大な成果を提供してくれる。たとえば知られているのは、ポルトガル人がアフリカに移住して植民を行ったのはいつかとか、またスペイン人やオランダ人やイギリス人やドイツ人が東インドやアメリカに移住して植民を行ったのはいつかとか、それらの或る地域では先住民の生活様式が、また別の地域ではヨーロッパ人の維持した生活様式がどのような作用を及ぼしたのか、などということである。これらすべてを精密に調査したならば、われわれはさらに時代を遡って、たとえば島嶼へのマレー人の移住、アフリカや東インドへのアラブ人の移住、トルコ人の征服した地域への彼ら自身の移住、それからモンゴル人やタタール人の移住、そして最後にあの民族大移動によってヨーロッパ全土を覆った一群の諸民族にまで行き着くことだろう。そのさい決して忘れてならないのは、どのような風土からその民族はやって来たのか、どのような生活様式を持ってきたのか、どのような土地を見つけたのか、どのような民族と混淆したのか、どのような変革をその新しい居住地で体験したのかということだろう。こうした調査を伴う予測を何世紀にもわたって続けるならば、ずっと以前の、つまり古代の著作家による伝承から、もしくは神話と言語が一致しているものからしか知りえない時代の民族移動についても多分さまざまな結論が導き出されるだろう。事実また根本的には、地球上のすべてとは言わないまでも大多数の民族は時期の違いこそあれ移住したのだから。いずれにせよわれわれは目で見てすぐ理解できるための若干の地図さえあれば、風土と時代に従った**人類の出自と変質の自然的-地理学的歴史**を手にすることができるだろうし、このような歴史記述は、一歩一歩ではあるが、きわめて重要な成果をもたらすに違いない。

こうした仕事を企てるような探究精神に手を伸ばすに先だって、私は最近の歴史書から得た知見を若干ではあるが提示しておきたい。それらは私のこれまでの研究の小さな例証でもある。

1　**或る民族が、正反対の半球や風土へ、あまりにも性急かつ慌しく移住した場合、それが好結果をもたらした例はほとんどない、と言ってよい。**なぜなら自然は、遠く離れた地域のあいだに無意味に境界線を引いたわけではないからだ。征服の歴史、貿易会社の歴史、しかし何よりも宣教団体の歴史は、もしこの移住という問題がその帰結とともにもっぱら移住者自身の報告に基づいて公平に取り扱われるならば、悲痛な、そしてまた一部は笑止な描写を提供せざるをえないだろう。身震いするような嫌悪感をもって読まれるのは、多くのヨーロッパ人についての報告であり、そこには彼らがその厚顔きわまりない贅沢と、きわめて非情な傲慢さに溺れて、身も心も堕落し、享受することや同情することにさえ何の力も持ち合わせない様子が描かれている。彼らは慢心で膨れ上がった人間の仮面であり、高貴で活動的な喜びをすべて失い、その血管には報復する死が忍び込んでいる。これに東西両インドで大量に埋葬された不幸な人々を加え、イギリス、フランス、オランダの医師たちが記述する未知の大陸の病気録を繙き、それから自分の修道会服とヨーロッパの生活様式を断固として捨てようとしなかった敬虔な宣教師たちに目を向けるならば、何と教訓に満ちた結果が眼前に迫ってくることか！　しかしきわめて残念なことに、これらは人類史にとって欠くことのできない部分なのだ。

2　**ヨーロッパ人が他の大陸において植民地を文明化するのにどれほど努力しても、風土の及ぼす作用までをも変えることができるわけではない。**カルム(102)はこう記している。[*98]

「北アメリカではヨーロッパ人は本国におけるよりも早く成年に達するが、しかしまた老齢や死も早く訪れる。出された質問に驚くほど俊敏かつ完全に答える小さい子どもたちを目にすることはまったく稀ではないが、これらの子どもたちはヨーロッパ人の年齢まで生きることはない。八〇歳あるいは九〇歳というのはアメリカ生れのヨーロッパ人にとっては稀有な例である。これに対して原初の移住者たちはしばしば高齢になるまで生きていた。またヨーロッパ人の両親からアメリカで生れた者は、ヨーロッパ生れの者よりも普通は長生きせず、女性も早い時期から出産しなくなり、或る者は三〇歳でもう出産しなくなる。さらにすべてのヨーロッパ人移住者に見られるのは、彼らがどこにいても早くから、しかもまだそういう年齢でもないのに歯を失ってしまうことだ。これに比べるとアメリカの先住民は美しくて白い歯を死ぬまで保持している。」不当なことに、これらの箇所は昔のアメリカがその子孫にもたらした不健康さと関連づけられてきた。ただ**カルム**も説明しているように、他所者、すなわち異なる体質と生活様式をもってアメリカという母胎の中で生活する者に対して、この地は継母なのだ。

3　たとえ人間の技術が森林を伐採し、大地を開墾するにしても、**人間の技術が見知らぬ大陸を過激な恣意によって、ただちにヨーロッパのようなものに作り変えることができるなどと考えないことだ。**なぜなら生きた被造物の全体は連関の中にあり、この連関は慎重にでなければ、変えられるべきものではないからである。まさにカルムがアメリカ生れの年老いたスウェーデン人の口を借りて報告しているように、森林の急激な破壊と土地の開墾によって、それまでは大量に水辺や森で生きていた食用の鳥、河川や渓流に群がる魚、そして湖沼、小川、泉、急流、降雨、森林に密生する背の高い草などがひどく減少しただけでなく、この破壊が人の寿命や健康、それに季節にまで影響を及ぼしているように思われる。カルムはこう述べる。「ヨーロッパ人が来るまえのアメリカ先住民の寿命はゆうに一〇〇歳を超えていたが、今のアメリカ先住民の寿命は父祖たちの半分にまでも達しない。その原因は、人間を死に至らしめる火酒や彼らの変わってしまった生活様式だけにあるのではなく、おそらくまるで花園にいるかのように朝な夕なに香りを放っていた非常に多くの芳香性の薬草や、体を強くする植物が失われたことにもある。以前は冬もそれにふさわしい時期に始まり、寒くて、健康によく、安定していた。今は春でさえもが遅れて到来し、四季全体がそうなのだが、不安定で変わりやすいものになっている。」こう語るカルムの報告が、たとえ或る地域に限定されるものであるにせよ、明白に示しているのは、自然は土地の開墾という人間の行いうる最善の活動においてすら、あまりに急速で、あまりに力ずくの変化を好まないということだ。メキシコ、ペルー、パラグアイ、ブラジルにおけるいわゆる文明化されたアメリカ先住民の弱点はとりわけ次の点、すなわち自分たちにヨーロッパ人の本性を与えることができずに、あるいは与えようとしないで、自分たちの土地や生活を変えてしまった点に起因していないだろうか？　森の中で父祖たちの生活方法を守って生きている民族はみな勇敢でたくましい。彼らは老いても樹木のように瑞々しい。しかし土地が開墾され、湿潤な木陰を奪われると、彼らは悲しくもそこから姿を消し、魂と勇気が彼らの森の中に残される。たとえば人知れず自然に暮らしていた家族からドブリツホッファー*99が聞き出した心ゆさぶる話を読んでみるがよい。それによると、相次いでこの世を去った母親と娘が、後に残った息子で、娘の弟でもある男性をその夢の中で自分たちのところに来るよう延々と呼び続けたため、この男性は苦しむことも病むこともなく目を閉じた。この話からだけでも明らかになるのは、パラグアイのイエズス会士たちやペルーの旅行家たちも描いているように(103)、最初は勇敢で快活で豪胆であった民族でさえ、いかに短期間のうちに弱くなりうるかということである。しかもそれは読む者に悲痛の念を起こさせる弱々しさなのだ。なるほど、自然に対してこうした不自然な力を加えることは、それが何世紀も続けばいくつかの場所では良い影響を及ぼすかもしれない*100。ただ私としては、このようなことがいたるところで可能であるにせよ、それには懐疑的である。もちろん、開墾する側も開墾される側も、その最初の世代にとってはこうした悲しい変化が急速に起こるとは思われない。なぜなら自然はどこにあっても一つの生きた全体であり、穏やかにつき従われ改善されることを望みこそすれ、力ずくで支配されることは欲しないからだ。突然ヨーロッパの大都市の群衆の中に連れてこられた未開人は、みなどうにもしようがなかった。彼らは自分たちが昇らされた塔の光り輝く先端部に腰をおろして、自分の生れた平地を再び憧れ見て、その大部分の者は不器用になり堕落して、今となっては享受もできない自分たちの生活様式に戻っていった。これと同じことは、未開の風土をヨーロッパ人の手によって力ずくで作り変えようとする試みについても言える。

おお、すぐれた工匠ダイダロス(104)の息子たちよ、汝ら、地球上の運命の独楽よ。人間らしい思いやりのある方法で、諸民族に幸福をもたらすどれほど多くの才能が汝らの手中にあったことか。だが何と高慢で頑迷な所有欲が汝らをほとんどいたるところでかくも異なった道へと導いたことか！　見知らぬ土地にやって来て、そこの民とともに自らを先住民化させる術を心得ていた者は、みな先住民の愛と友情を享受したのみならず、最後にはまたその土地の風土に根ざした生活様式が決して誤っていないことに気がついた。しかしこのような人間のいかに少なかったことか！　それにヨーロッパ人が先住民から次のような称賛の言葉を、すなわち、「彼もわれわれと同じように理性を持った人間だ！」という言葉を得るのは何と稀だったことか！　また自然は自分に加えられるあらゆる冒瀆に復讐しないだろうか？　異なる性質の民族が遠くの見知らぬ土地にただ略奪するか荒廃させながら侵入しても、次の時代になると、以前の時代の征服や交易場所や侵略の跡はどこにいってしまうのか？　風土の静かな息吹がそれらを吹き消すか、食べ尽くしたのだ。そうなると先住民もこの根を失った木に容易にとどめの一撃を与えることができた。これに対して、自然の法則に順応した静かな植物は、自らが存続するだけでなく、新たな大地に恵みをもたらすべく、文化の種子を蒔(ま)きつづける。ヨーロッパのゲーニウスが他の風土に、また他の風土がヨーロッパのゲーニウスにどのような利益を、あるいはまた不利益をもたらしたかは、次の一〇〇〇年が決定すればよいのだ。

＊98　『ゲッティンゲン旅行記集』第十部、第十一部の数箇所。
＊99　ドブリツホッファー[105]による『アビポン人の歴史』第一部、一一四頁。
＊100　ウィリアムソンによる『風土変化の原因を明らかにする試み』、『ベルリン論集』第七巻を参照。

第八巻

私は自分が海上の波濤から虚空に向かって航行しなければならない者であるかのように感じている。[1] というのも、これまで人間の形姿と自然力について述べてきた私は、これから人間の精神に論述を移し、[2] 広大で丸い地球上でのその変わりやすい特性を、未知にして欠陥も含む不正確な報告に基づいて大胆にも探究しようとしているからだ。形而上学者であれば、この場合ずっと容易であろう。形而上学者は魂の概念を確固と定め、そこから展開させられうるものを、それがどこにどのような状態にあろうと展開させる。[3] しかし歴史の哲学者にとっては、抽象ではなく歴史だけが基盤となりうる。他方また、もし歴史の哲学者が無数の事実を少なくとも結び合わせて幾分なりとも普遍化しなければ、彼は偽りの結論を引き出すという危険を冒すことになる。それでも私はこの歴史という方法を試み、大洋を飛び越す船に代えて、むしろ海岸を縦横に歩き回りたい。すなわち私は、確実あるいは確実と見なされている事実を拠り所として、それらから自分の臆測(4)を切り離したい。ただ、それらの事実をいっそうよく整理して用いることは、より才能に恵まれた人たちに委ねたいと思う。

一　人間の感覚は形態や風土とともに変化する。しかしいたるところで人間による感覚の使用はフマニテートに至るものである

疾患的なアルビノを除けば、どの民族も人間としての感覚を五つか六つは持っている。ディオドロスの言う、感じとることのできない人間(5)、あるいは耳が聞こえず口のきけない民族は、近年の人間史記述においては作り話とされる。しかしそれでもわれわれヨーロッパ人のあいだにあってさえも外的な知覚の相違に注意を払うが、それからさらに地球のあらゆる風土に生きる無数の人間に思いを致す者は、ここでも大きな波が次から次へと波間に消えゆく大洋を目の前にしているような気がするだろう。どの人間にも固有

の節度があり、それはいわば感覚に基づくあらゆる感情の固有の調和である。その結果、これが通常の限度を超えると、それぞれの人間があれやこれやの問題に直面するごとに、きわめて驚くべき徴候が現れる。こうしたこともあって医者や哲学者は、いくつもの独特で特殊な感受、すなわち特異体質の実例をすでに多量に収集しているが、それらは往々にして奇妙で説明の困難なものだ。こうした実例に気づくのは病気や通常ではない偶然においての場合がほとんどであって、日常生活においてそのような実例は認められない。言語もまたこれらの徴候を表現することができない。というのは、どの人間も自分の感覚だけに従って話し、理解するからである。つまり、有機組織が異なると感覚も異なり、そうなると、それらの種々異なる感情に共通する尺度がなくなるのだ。最も明晰な感覚である視覚においてすら、これらの相違は事物の遠近のみならず、形態や色彩においても現れる。多くの画家がまったく自分独自の輪郭をもって描き、そのほとんどが自分の色調で描くのもこうした理由による。しかし人間史の哲学に課されているのは、こうした実例の大洋を汲み尽くすことではなく、われわれの目につく若干の相違を通じて、人間を取り巻く細かな差異に注意を向けることである。(6)

人間にとって最も普遍的にして不可欠な感覚は触覚である。[*101] 触覚は他の感覚の基礎であり、人間の有機組織による最大の長所の一つだ。触覚は人間に利便と案出と技術を与え、人間の有する観念の性状にも、おそらく想像以上に貢献している。しかしこの感覚は、人類にあって生活様式、風土、その使用と訓練、そして最後に身体の発生時の刺激反応性自体によって変化させられる度合いに応じて、それぞれ何と異なることか。たとえば、アメリカのいくつかの民族にあっては刺激反応性の欠如が皮膚に帰されており、この欠如は女性や、きわめて苦痛を伴う手術においてさえ認められるということだ。[*102] これが事実とすれば、私にはそれが身体のみならず、魂に即した誘因からほとんど説明がつくと思われる。すなわち、何世紀にもわたってアメリカ大陸の多くの民族は、刺激性の強い大気や、激しく刺す昆虫に裸体をさらし、他方また昆虫から身を護るために裸体に香油を、それも一部は刺激性の香油を塗った。そのうえ彼らは皮膚の柔らかさを促進する髪の毛をも抜いてしまった。刺激性の粉類とアルカリを含む根菜や草が彼らの食物だった。消化器官と皮膚の触覚がいかに精緻に一致しているかということもよく知られている。したがって多くの病気にあっては、この感覚がまったく消え失せてしまう。彼らは底無しの大食漢であり、食後はまさにどんなにひどい空腹にも耐える。しかしそれは同時に彼らの感覚が麻痺している証拠であるように思われる。事実こうした無感覚性は彼らの多くの病気に見られる徴候であり、[*103] また彼らの風土の長所でもあり短所でもある。自然は彼らをこの無感覚性によって、彼らがもし敏感であれば耐えられないような疾病に対して徐々に武装させ、彼らの技術が自然の後を追った。北アメリカの先住民の男性は、名誉という原則から、英雄的ともいえる無感覚性でもって苦しみと痛みを耐え忍ぶ。彼は若い頃からそのように育てられたのだが、女性もこの点では男にまったくひけをとらない。こうして禁欲にも似た無感覚性が、身体の苦痛にあっても彼らにはごく自然なものとなった。彼らが他の点では活発な体力を持ちながらも、肉欲にはそれほど敏感でないことと、無感覚性に隷属させられた多くの民族がそうであるように、無感覚性のあまり、自ら白日夢の中へと眠るように陥ってしまうことはこうした原因から導き出されるように思われる。それゆえ、自然がその子らに苦しみを和らげるための慰めとして与えた欠陥を、人間としての感情の点でより大きな欠陥のある者が濫用し、また痛ましい実験に利用するならば、それはまさに人の道に外れた人間の所業なのだ。

過度の暑さや寒さが外部の感覚を焼き焦がしたり鈍くしたりすることは、種々の経験から実証されている。砂の上を裸足で歩く民族は足の裏に鉄板を張ることにも耐え、しかも何人かは赤熱の石炭の上で二〇分も耐え抜いたという実例がある。腐蝕性の毒は、溶けた鉛の中に手をつけたように皮膚を変質させることができたし、悴(かじか)むような寒気は、怒りや他の情念と同じように、感覚を鈍らせることにも一役買う。*104 これに対して、最も精緻な敏感さは、皮膚のきわめて柔らかな張りと、感覚神経のいわば旋律のような伝播を促す地域や生活様式の中にあるように思われる。東インド人は感覚器官の十全な使用という点において、おそらく最も精緻な被造物だろう。発酵した飲み物や、辛い食べ物によっても決して鈍ることのないその舌は、純粋な水に加えられたごくわずかな味付けをも味わい分ける。またその指は、どんなに手の込んだ小さな作品でも模倣しながら作ってしまうため、原作品と模倣品の区別ができないほどだ。彼らの魂は快活にして落着きがあり、自分の周りでは感情が優しい余韻となって、ただ穏やかに心を動かすばかりだ。それはあたかも白鳥の周りで波が戯れ、春の透きとおる若葉の周りで微風がそよぐかのようだ。——

温暖で穏やかな気候風土に加えて、清潔、節制、運動ほど、この高められた触覚に寄与するものはない。これら生の三美徳においては、未開と呼ばれる多くの民族がわれわれを凌駕しており、これらの美徳は美しい地域の民族に特に固有のものであるように思われる。清潔な口、たびたびの入浴、屋外運動の愛好、それに身体を摩擦し伸ばすことでさえ健康と快活さをもたらし、体液の循環を促し、四肢の柔軟性ある調子を維持する。ちなみに身体を摩擦し伸ばすことは、インド人、ペルシア人、多くのタタール人のみならずローマ人にもよく知られていた。きわめて豊饒な地帯の民族は節度を守りながら生きている。その彼らに理解できないのは、本性に反して神経を刺激することや、日頃から刺胳(しらく)をすることが楽しみでありえることと、しかもそのためにこそ人間は創られたとされることだ。バラモン教(7)の人々は先祖代々、それも世界が創られてこのかた肉も酒も口にしたことがない。動物にあってこうした食物が感受体系の全体に対してどのような力を有しているかが明らかになっている今となっては、すべての有機組織の精華である人間全体にあって、この力がどれほどさらに強く活動するに違いないことか。フマニテートの哲学にとっては、節度ある感覚の享受こそが、無数の抽象概念を不自然に習得することよりも明らかにずっと有効な方法なのだ。感覚の粗野な民族、すなわち未開状態あるいは苛酷な風土に生きる民族はみな大食漢だが、それは彼らが後でしばしば飢えを凌(しの)がなければならないからだ。そのため彼らは目の前にあるものはほとんど何でも食べる。感覚の精緻な民族は、愛好する楽しみもまた精緻である。食事は簡素で、毎日同じ料理を味わう。しかしその代わり彼らは官能に訴える香油、芳香、華美、快楽を好み、官能的な性愛こそが最も華麗な享楽なのだ。たんに感覚器官の精緻さが問題だというのであれば、どちらの方に長所があるかは明白である。実際また上品なヨーロッパ人であれば、誰一人としてグリーンランド人のとる脂肪とクジラ油の食事と、インド人の香辛料とのあいだで選択は行わないだろう。ただそれでも問題とされるのは、口先だけで文化という言葉を唱えるわれわれが、その大多数の考えるところから見て、未開と文明のどちらの近くにいたいのかということだろう。インド人が自分の幸福を見出すのは、情念に乱されない落ち着き、そして快活さと喜びの完全な享受のうちにおいてである。インド人は快楽を存分に味わい、甘美な夢と爽快な芳香の海の中を泳ぐ。これに比べるとわれわれの手にしている贅沢は、いったい何を欲し、何を求めているのか？　しかもその贅沢のためにわれわれはすべての大陸を不安定な状態に陥れて略奪している。われわれの鈍くなった舌のための新しくて辛い香辛料。詰め込まれ混ぜ合わされすぎてほとんど味わうこともできない未知の果物や料理。われわれから安息と理知を奪う酒の類。このように、われわれの本性を刺激して破壊するために案出されうるかぎりのものが、日常的にわれわれの生の大きな目的となっている。それによって階級が区別され、それによって国民が幸福になる。――本当に幸福になるのだろうか？　どうして貧しい者は飢えて、苦労と汗で感覚を鈍らせて悲惨このうえない生活を送らねばならないのか？　それは、何の美的感覚も持たない高い身分の裕福な者たちが、おそらく自らの残忍さを永遠に維持すべく、日々優雅に自らの感覚を鈍らせるためなのだ。「ヨーロッパ人は何でも喰う」とインド人は言う。しかもインド人の精緻な嗅覚は、ヨーロッパ人の体臭にさえ嫌悪感を覚える。インド人は自分の理解に従ってヨーロッパ人をあの忌まわしいカーストの階級に分類することしかできない。しかもこの階級の者は、最も軽蔑される証拠に、何でも食べることが許された者なのだ。多くのイスラム教国でもヨーロッパ人は不純な動物と呼ばれるが、それは決して宗教上の憎悪からだけではない。

舌のわずかな小突起を満足させることがわれわれの苦労の多い人生の目標に、ましてや他の不幸な人々の悲惨さの終着点になるくらいならば、自然はわれわれに舌など与えなかっただろう。自然は美味という感覚で舌を覆ったが、それは一方ではひどい空腹を満たすという人間の義務を舌がいくらかでも甘美なものにするとともに、人間が苛酷な仕事にも少しでも気持よく向かい、そこから離れないようにするためでもあった。しかし他方では、舌という器官の感覚は健康を厳しく見張るという義務も負っていたのに、贅沢な民族にあっては、舌の有するこうした見張りという役割は、どこでもとうの昔に失われた。家畜は何が自分の健康によいかを知っており、おどおどしてはいるが、用心深く自分の草を選ぶ。また家畜は有毒なものや有害なものには触れず、選択を誤ることはめったにない。動物とともに生きていた人間は、動物と同じように食料を見分けることができた。だがこの基準は、かのインド人が自分たちの簡素な料理を放棄したときに純粋な嗅覚を失ったのと同じように、人間のもとでは失われてしまった。何ものにもとらわれず、健康に生きる民族は、この感覚上の指導者をまだずいぶんと持ち合わせている。彼らが自分の土地でとれる果物の選択を誤ることはまずありえない。それどころか北アメリカの先住民は、嗅覚によって敵さえ嗅ぎ出し、アンティール人(8)は種々の民族の足跡を嗅ぎ分ける。このように人間の最も感覚に即した動物的な諸力ですら、それが培われ練磨される度合いに応じて発達しうる。しかしこれら諸力を植えつけ向上させる最善の方法は、それらすべてが人間としての真の生活様式に向けて調和するべく、一つの力だけが突出しないように、もしくは消滅しないようにすることである。もちろん、その比例関係はそれぞれの土地と風土によって変化する。暑い地域の住民は粗野な味覚を持ち、われわれが吐き気を催すような食べ物を食べる。なぜなら、彼らの本性が薬あるいは緊急の救助手段としてこうした食べ物を要求するからだ。*105

ただ最終的には視覚と聴覚が最も上位の感覚であり、これらに向けて人間はすでにその有機組織の素質に従って格別に創られた。事実これら二つの感覚の器官は、人間にあってはあらゆる動物にもまして精巧に作り上げられている。多くの民族は目と耳を何とと鋭いものにしたことか！　カルムイク人の目は、ヨーロッパ人の目が届かないようなところにも煙をとらえる。用心深いアラブ人は、静まりかえった砂漠の中であたり一円にじっと耳を欹(そばだ)てる。またこれらの鋭く精緻な感覚が一貫した集中力と結びついて使用されるとき、どんなに些細な仕事においても熟練者が未熟者よりどれほど優れたことができるかは、多くの民族の示すところでもある。狩猟民族は自分の土地ならばどんな茂みや樹木でも知っている。北アメリカの先住民は自分の森で決して道に迷わず、何百マイルも敵を探し求めて自分の小屋に戻ってくる。ドブリツホッファーの語るところによると、文明化されたグアラニ人(9)は、どんなに精緻で手の込んだ作品を目の前に置かれても、それと同じものを驚くほど精確に作る。しかし耳から説明の言葉を聞いても彼らはほとんど考えることができないし、また何一つ案出できないということだ。これは彼らに授けられた教育の当然の結果であり、彼らの魂が言葉ではなく、目の前で具体的に見ることのできる事物によって形成されたからだ。これに比べて言葉で教えられた人間は、あまりにも多くのことを耳にしてきたために、自分の目の前にあるものがもはや見えない。自由な自然児の魂はいわば目と耳に分けられている。彼は自分が見たものを精確に識別し、自分が聞いた伝承を精確に語る。彼の射る矢が的をはずさないのと同じように、彼の舌はもつれることがない。いったい彼の魂が、それが精確に見て聞いたものにおいて見誤ったり、言いつかえたりすることがあろうか？

存在するものにとって自然の素質が十全に備わっているということは、その存在するものにあって最初の快適な享受と知性の若枝が、とにかく感覚器官に即した感受からのみ芽生えるということである。われわれの身体が健康で、感覚も訓練され、調和がとれていれば、そこに快活さと内面の喜びの基礎が置かれている。しかしこの基礎が失われると、思弁的理性がどれほど苦労しても、ほとんど取り返しがつかない。人間の、感覚に即した幸福の基礎はいたるところにあるが、それは人間がどこでも自分の暮らしているところで暮らし、自分の眼前にあるものを享受し、たとえ少ないものでも、過去と未来に目と心を配りながら分け合うためである。この中位の立場をしっかり守れば、人間は欠けるところもなく、力に満ちている。しかし現在のことしか考えずに、それを享受することが義務づけられるならば、人間はあれこれと思い迷うことになる。おお、人間は何と引き裂かれ、衰弱し、そして自らの幸福が狭く限定されている動物に比べて、何としばしば苦労して生きることか。とらわれのない自然人の目は自然を見つめ、それと知らずに自然の装いを目にするだけで元気になる。あるいはその目は仕事の範囲内で働き、季節の移り変わりを享受することによって、高齢に達してもほとんど弱ることがない。その耳は生半可な思想によって気が散らされることもなければ、文字で書かれたものによって混乱させられることもなく、聞こえてくるものを完全に聴き取る。その耳はまた話を呑み込み、それが特定の話題を示していれば、耳には聞こえない一連の抽象概念以上に魂を満足させる。このようにして未開人は生き、そして死んでいく。しかも感覚の与える単純な楽しみで満足し、これに飽きたりすることはない。

しかし自然はさらにもう一つの有益な贈り物を人類に与えてくれた。というのも、自然は、人類の中で思考することが最も乏しい成員にも、精緻な感覚の最初の萌芽、すなわち元気の源となる音楽を拒まなかったからである。子どもは話せるようになる前に歌うことができるか、あるいは少なくとも自分に響いてくる歌の魅力を感じる能力がある。未開民族においても音楽はまた魂を揺り動かす最初の芸術である。他方で目に訴える自然という絵画は、多様な変化に富み壮大なものなので、これを模倣する美的感覚は、長いあいだあちこちと手探りし、巨大なもの、目立つものといった粗野な素材によって自分の力を試さざるをえず、正しい比例関係をなかなか習得できない。しかし音楽は、たとえそれがどれほど単純で未熟なものであれ、あらゆる人間の心に語りかけ、舞踊とならんで、地球上における自然の普遍的な歓喜の祝祭なのだ。ただ残念ながら、たいていの旅行家は、そのあまりにも繊細な美的感覚のせいもあってか、未知の諸民族のこうした子どもらしい響きをわれわれに伝えることを拒んでいる。これらの響きはたとえ音楽家にとっては役に立たなくても、人間性の研究者にとってはきわめて教示に富むものである。なぜなら一民族の音楽は、たとえそれが好き勝手な音のきわめて不完全な羅列であっても、その民族の内面の特質、すなわち彼らの感覚器官の持つ固有の調子を、外界の偶然事の(10)冗長な記述が描き出しうるよりも、ずっと深く真実味をもって明らかにしてくれるからだ。——

いずれにせよ、人間の多様な居住地域や生活様式において、人間の感覚をあますところなく追跡すればするほど、それだけいっそう私には自然がいたるところで慈悲深い母として姿を現したことが分かる。或る感覚がそれほど満足させられなかったところでは、自然もその感覚をあまり刺激せず、何千年ものあいだ静かにこれをまどろませておく。その一方で、自然が感覚器官を精緻なものにし、あらゆる刺激に対して開放した場合は、自然はこれらの器官を満足させ楽しませるために、さまざまな手段を講じた。こうして地球全体が人類のそれぞれの有機組織をもって、それが抑制されたものか、発展するものかという違いこそあれ、調和のとれた弦楽合奏のごとく、自然に向かって響きを投げかける。しかもそこでは、すべての音が自然によって味わわれているか、もしくは味わわれることだろう。——

＊101 メッツガー『医学著作集』所収の『動物に対する人類の身体上の長所について[11]』を参照。
＊102 ロバートソン[12]による『アメリカの歴史』第一巻、五六二頁。
＊103 ウリョーア、第一部、一八八頁。
＊104 ハラーによる『生理学[13]』第五部、一六頁。
＊105 ウィルソンによる『風土の影響に関する考察』九三頁以下。

二　人間の想像力はいたるところで有機組織と風土に即している。しかしそれはいたるところで伝承によって導かれている[14]

われわれは自らの知覚の範囲外にある事柄についてはまったく理解できない。氷や雪といったものが存在するはずがないと考えたシャムの王の話[15]は、ほとんどの場合われわれ自身の話でもあるのだ。その土地に生れて、感覚に根ざした民族であれば、みな自分の想像する事柄をこのように自らの居住する地域に限定してきた。その民族が、まったく未知の事物について自分に語られる言葉をあたかも理解しているかのように振舞っても、彼らがそれらの言葉の内容を本当に理解しているのかを疑わせるのに十分な理由はずっと昔からある。

かの誠実なクランツは次のように語っている。[*106]「グリーンランド人はヨーロッパについての話を聞くのが好きだ。ただ彼らは、自分たちの知らないものを何かになぞらえながら説明してもらえないと、何一つ理解できないだろう。」「たとえばこう話すわけだ。ヨーロッパの都市、あるいは地方は非常に多くの住民を抱えており、そのため大量のクジラも一日の食料としては十分でない。しかし彼らはクジラを食べず、パンといって草のように地面から生えるものを食べる。また角のある動物の肉も食べ、大きくてたくましい動物の背中に自分を乗せて運ばせたり、あるいは木製の台に乗せて曳かせたりしている。こう話すとグリーンランド人は、パンを草と呼び、ウシをトナカイと、そしてウマを大きなイヌと呼ぶ。彼らはすべてに感心し、このように美しく豊饒な土地に住みたいという関心を示すが、それも彼らが、そこではたびたび雷鳴が轟き、アザラシもいないことを聞き知るまでのあいだのことだ。——彼らはまた神や、神に関する事柄についても喜んで聞きたがる。ただしそれは、こちら側も迷信に基づく彼らの寓話を認めるかぎりにおいてのことだが。」われわれとしてはまさにこのクランツ[*107]に倣って、彼らの神学的自然説の簡単な教理問答書を作り、ヨーロッパ側からの質問においてもまさに彼らの視野において答え、そして考えてみよう。

問「誰が天と地を、そして汝らが見るすべてのものを創ったのか?」

答「それはわれわれには分からない。その者をわれわれは知らない。その者はとても力の強い男にちがいない。そうでなければ天地はずっと以前のままであったし、これからもそのままだろう。」

問「汝らにも魂はあるのか?」

答「もちろんだ。魂は増えたり減ったりできる。アンギコクス[16]と呼ばれるわれわれの司祭は魂を繕い、修復できる。魂を紛失したら司祭がそれを返してくれる。病気の魂であれば、司祭はそれをウサギかトナカイか鳥か幼い子の新鮮で健康な魂と取り替えることができる。われわれが遠くへ旅に出たときも、魂は家にいることも稀でない。夜、睡眠中に魂は体からさまよい出る。魂は狩や踊りや訪問に出かけたりするが、体は健康なままそこに残っている。——」

問「それで魂は死んだらどこにあるのか?」

答「そのときは海の深いところにある幸福な場所に行く。そこには善い霊**トルンガルスク**[17]とその母が住んでいる。そこは常夏(とこなつ)で、太陽の光も美しく、しかも夜がない。水もきれいで、鳥、魚、アザラシ、トナカイがたくさんいて、どれもみな簡単につかまえられるし、そうでなければ、すでに大きな鍋の中で料理されているのさえ見つかる。」

問「すべての人間がそこへ行くのか?」

答「そこへ行くのは善い人間だけだ。つまりそれは仕事の役に立った人か、偉大な行いを為した人か、多くのクジラとアザラシをとった人か、多くの困難に耐えた人か、あるいは海で溺れ死んだ人や出産で死んだ人などだ。」

問「これらの人はどのようにしてそこへ行くのか?」

答「楽には行けない。五日間、あるいはそれ以上、すでに血みどろになった荒い岩を這い降りて行かねばならない。」

問「いったい汝らはあの美しい天体を見ないのか? われわれの未来の場所はむしろそこにあるはずではないのか?」

答「そこにも、つまり天空の最も上の、虹のさらに上方にもその場所はある。しかもそこへ行くのは簡単で時間もかからない。そのため魂はその晩のうちに、かつてはグリーンランド人であった月のところに行き、その家で十分に休息をとり、他の魂とボール遊びをしたり踊ったりもできる。魂のこうした踊りやボール遊びが、あのオーロラなのだ。」

問「魂はそこではほかに何をしているのか?」

答「たくさんの魚や鳥のいる大きな湖の周囲で、天幕の中で暮らしている。この湖が溢れると地上では雨が降る。その堤防がいつか決壊しようものなら、いたるところ大洪水となろう。——しかし、そもそも天に行くのは役立たずの怠け者だけであり、勤勉な者は海の底へ行く。天に行く魂は、しばしば食べる物にも不自由せざるをえず、痩せて力がない。また天は急速に回転するので、まったく落ち着いてもいられない。悪人や悪魔も天に行く。彼らは大烏（おおがらす）の責め苦を受け、それを頭髪から遠ざけることもできない。等々。」

問「人類の誕生についてはどう考えているのか？」

答「最初の人間カラックは地面から出てきた。それから間もなく、その親指から妻が出てきた。いつか彼女は一人のグリーンランド人の女を産み、この女は外国人であるカブルネートとイヌを産んだ。だからこの外国人はイヌと同じように好色で多産なのだ。」

問「ところで世界は永遠に続くのか？」

答「世界は一度すでに転覆させられ、すべての人間が溺れ死んだ。ただひとり生き延びた男性は杖で地面を叩いた。するとそこから一人の女が出てきて、この両人が地上を再び人でいっぱいにした。今のところ地面は支柱に支えられているが、これらの支柱は古くなってひどく腐っており、しばしばミシミシと音を立てている。それゆえ、もしわれわれのアンギコクスがつねに修繕していなければ、地面はとっくに崩落していただろう。」

問「しかし汝らはあの美しい星々を何だと思うのか?」

答「あれはみな以前グリーンランド人か動物だったが、特別の偶然によって天に昇り、食べ物の違いによって蒼く、あるいは赤く輝いている。あの出会う星は二人の女で、互いに訪問し合うのだ。この射るように飛ぶ星は、訪問のために旅する魂だ。この大きな星座(大熊座)はトナカイだ。あの七つの星はイヌで、クマをけしかけている。あれ(オリオン座)は、アザラシ狩に行ったものの、帰り道が分からず、星群に迷い込んだ荒くれたちだ。月と太陽は実の弟と姉なのだ[18]。姉のマリナは弟に闇の中で追いかけられ、逃げてわが身を救おうとして天に上がり太陽になった。弟のアニンガは彼女の後を追って月になった。今なお月は処女の太陽をつかまえたいと思って、その後を追い回っているが無駄なことだ。月は疲れ、痩せ衰えて(三日月となり)アザラシ狩に出かける。数日のあいだ留守にした後、われわれが満月に見るように、また肥(ふと)って戻ってくる。月は女が死ぬと喜び、太陽は男が死ぬと喜ぶ。」——

私が諸民族のさまざまな空想をこのように記述し続けても、誰も私に感謝しないだろう。われわれの地球を取り囲む空虚さの真のリンボ[19]ともいうべき想像力のこうした世界をくまなく旅して回りたいという人が現れたならば、私はその人が落ち着いた観察精神の持ち主であることを望みたいものだ。すなわちそれは、まず諸民族の相似とか起源に関するあらゆる仮説から自由であり、どこでもとにかく自分の土地にいて、さらには自分の同胞たちのどんな愚行をも有益な教訓にできるような人だ。私が明示しなければならないものは、空想に富む諸民族のこうした生々しい幻影の世界から導き出される次のいくつかの一般的な知見である。

1　**こうした幻影の世界でも、そのいたるところに風土と民族の特徴が現れる。**グリーンランドの神話とインドの神話を、ラップランドの神話と日本の神話を、ペルーの神話と黒人の神話をそれぞれ並べて比較してみるがよい[20]。それは詩作する魂の完全な地理学だ。バラモン教徒にアイスランドのヴォルスパ[21]を読み聞かせて説明しても、ほとんど何の光景も思い描けないだろう。またアイスランド人はヴェーダ[22]をまったく奇異なものと思うだろう。どの民族にも独自の表象の仕方があり、それは彼らに固有であり、彼らの天と地にも似ているし、また自分たちの生活様式から生れ、大昔の父祖たちから受け継がれているだけに、いっそう深く刻み込まれてもいる。他所者（よそもの）が最も驚嘆することを、彼らは最も明瞭に理解できると信じている。他所者が笑うものに、彼らはひどく真剣である。インド人は言う。人間の運命は脳髄に書き込まれており、その細かな線は、宿命の書からの読みがたい文字を表現している、と。それぞれの民族に見られるきわめて恣意的な世界理解や考えは、脳にこうして描き込まれた絵図、すなわち肉体と魂の非常に強固な連関が織りなす空想の多様な筆致であることも稀ではない。

2　どうしてこうなるのか？　これら人間の群れの各人が自らの神話を考え出したのは、まるでそれをいわば自分の所有物として愛するためなのか？　断じてそのようなことはない。誰も神話という形では何一つ考え出していない。**各人が神話を受け継いだのだ。**もし各人が神話を自らの思索によって完成させたのであれば、その人物はまた自らの思索によって拙劣なものを改善しえただろう。ところが実際はそうならなかった。ドブリツホッファーは以下のような例を挙げている。*108 或るとき彼は、勇敢で賢いアビポン人の全員に向かって、トラに化けようとした魔法使いに彼らが脅かされて、トラの爪がもうわが身に触れたと思ってびっくり仰天したときの様子がいかに滑稽かを説明したうえで、こう話しかけた。「君たちは毎日のように野外で本物のトラを倒して何も驚かないのに、実在しない想像上のトラに、なぜそうびくびく怯えるのか？」これに一人の勇敢なアビポン人が答えた。「あなたがた師父は、われわれのことがまったく分かっていない。われわれが野外のトラを怖がらないのは、それが目に見えるからだ。それでわれわれは簡単にトラを倒せるのだ。しかし魔法使いの術によるトラは目に見えないので殺せない。だからこそわれわれを不安に陥れるのだ。」問題の核心はここにあると私には思われる。人間にとってすべての想像が、目から得られる想像のように明断なものであれば、つまり視覚のとらえる対象から引き出され、まさにこれと比較できるようなものであれば、人間は錯覚や誤解の源泉をたとえ塞ぐことはできないにせよ、少なくとも認識はできるだろう。ところが実際には諸民族の空想の大部分は耳と語りから生れた。何も知らない子どもが好奇心に駆られて伝承に耳を傾けると、これらは母乳のように、また父祖の神酒のように魂に流れ込み、その糧となった。それらの伝承は、子どもにとっては自分が目にしたものを説明してくれるように思われ、若者には自らの部族の生活様式や父祖たちの名誉について教え伝えた。若者が一人前の大人になると、これらの伝承は彼に自分の生れ育った民族と風土に即して仕事の奥義を授け、彼の生全体とも不可分のものとなった。グリーンランド人とツングース人は生涯にわたって、そもそも幼少時に語られるのを聞いただけのものを、今も現実のものとして見ているだけでなく、目のあたりにした真実として信じている。はるか遠隔の地に住む大多数の民族が日蝕と月蝕にまつわる戦慄すべき慣習を持っているのもこうした理由によるし、大気や海をはじめ四大すべての精霊に対する彼らの恐るべき信仰についても事情は同じだ。自然の中で何かが動き、或るものが生きているように見え、変化し、しかもその変化の法則を目が認識しないでいると、耳がそこで声や話を聞いて、目が見たものの謎を、目が見なかったものによって、つまり耳が聞いたものによって、目に代わって解き明かしてくれる。すると想像力が高まり、それ独自の方法で、すなわち、さまざまな形象を思い描くことによって自己を充足させる。何といっても耳は、すべての感覚の中で最も怖がりで最も内気な感覚器官なのだ。耳は生き生きと感受するが、ただ曖昧にしか感受しない。耳は知覚したものをまとめることもしないし、明晰になるまで比較することもしない。なぜなら耳の知覚する対象は、心を奪う流れとなって消え去るからだ。なるほど耳は、魂を覚醒させる使命を負ってはいるが、他の感覚器官、とりわけ目の助けを借りなければ、魂を明晰な満足感に向けて教え導くことがほとんどできない。

3　したがって明らかなのは、**想像力が最も必然的に高められているのは、どのような民族においてなのか？**　ということである。すなわちそれは、孤独を好む民族であり、また自然の荒々しい地域、砂漠、岩だらけの土地、暴風によく見舞われる海岸、活火山のふもと、あるいはその他の驚異や変動に満ちた地域に住む民族である。太古の時代からアラビアの砂漠は高度の想像を産み出す母であったし、こうした想像にふけるのはたいてい孤独で驚きやすい人々だった。ムハンマド(23)がコーランを授かったのも孤独の中でのことだった。空想を掻き立てられ、恍惚となった彼は天へと導かれ、そこでまた空想によってあらゆる天使、聖人、世界を示された。彼の魂が最も激しく燃え上がるのは、それが孤独な夜の稲光、偉大な応報の日、そして他の壮大きわまりない事象を描き出すときなのだ。他方、いったいシャーマン(24)の迷信ほど、いたるところで広く信じられているものがあろうか？　それはグリーンランド、およびその三倍あるラップランドから、北極海の常夜の全海岸地帯を経て、タタールにまでずっと南下し、さらにはアメリカに向かってというふうに、ほとんどこの大陸全体に広がっている。地球のどこにでも魔法使いの姿が見られ、彼らの住む世界のいたるところに自然の恐ろしい光景がある。それゆえ地球の四分の三以上がこうした迷信の範囲なのだ。実際またヨーロッパにおいてもフィン人(25)やスラヴ人(26)を起源とする大多数の民族は、今なお自然崇拝の魔術に依存しており、また黒人の迷信は彼らのゲーニウスと風土に従って形作られたシャーマニズム(27)にほかならない。アジアの文化圏ではたしかにシャーマニズムは、現実的で、より人為的な宗教や国家機構によって追い払われたが、これが現れてもよいところ、つまり人の少ないところや庶民のもとに現れ、南洋のいくつかの島嶼(とうしょ)では再び大きな権勢を誇っている。このように自然崇拝は地球全体を覆った。そこから生れるさまざまな空想は、自然の強大な力や驚異といったそれぞれの風土に即した対象を拠り所とし、しかもこうした強大な力や驚異は、人間にとって必要不可欠なものとまさに紙一重なのだ。古代にあって自然崇拝は地球のほとんどあらゆる民族の神事だった。

4　その際それぞれの民族の生活様式とゲーニウスが強大な影響を及ぼすことは、ほとんど言うまでもない。羊飼いは漁師や狩人とは違った目で自然を見ており、またそれぞれの地域ではこれらの生業（なりわい）も諸民族の性格のように異なっている。私が驚いたのは、たとえばあれほど北方に住むカムチャッカ人の神話に、むしろ南方の民族に見出されるべきであるような破廉恥な好色性が見られることだ。しかしカムチャッカ人の風土と彼らの生来の性格を知れば、こうした異常な現象も明らかになる。[*109] 彼らの寒冷な国土には火を吐く山と熱い泉があり、凍りつく寒気と煮えたぎる灼熱がそこで争っている。彼らの好色な習俗は、神話に見られる露骨な茶番劇と同じように、両者の自然な産物なのだ。これと同じことが饒舌で情熱的な黒人のあの始まりも終わりもない伝説についても言える。[*110] また北アメリカの先住民の簡潔で凝縮された神話についても同様であり、[*111] 花にまつわるインド人の空想についても同じだ。[*112] ちなみにこの空想は、インド人自身のように極楽の官能的な安らぎを呼吸している。インド人の神々は乳と砂糖の湖に体をひたし、女神たちは涼しい池の上で甘く薫る花の蕚（うてな）に住んでいる。要するに、どの民族の神話も、その民族が自然をどのように見ていたか、とりわけその風土とゲーニウスに従って、善いもの、あるいは悪いものを自然の中に見出したかどうか、[28] そしてどのようにして、たとえば一つのものを他のものによって説明しようとしたのかということを、その民族固有の方法で写しとったものだ。それゆえ神話は、たとえどんなに未開な地域においても、またどんなに稚拙な筆致で書かれていても、人間の魂が覚醒する前の、つまり夢想し、好んで幼年時代にとどまるときの状態を、哲学的に説明する試み[29]なのだ。

5　アンギコクス、魔法使い、妖術師、シャーマン、祭司は、たいていの場合は民衆をさまざまに幻惑する張本人と見なされ、われわれも彼らを詐欺師と呼ぶことですべてを明らかにしたと思ってしまう[30]。およそどこにあっても彼らは実際そのようなものだが、しかし決して忘れてならないのは、彼ら自身も民衆であり、それゆえまた古い伝承によって欺かれた者であったということだ。彼らとて自分の部族の作り上げた数多くの想像の中で生れ、育てられた。彼らが特殊な能力を獲得したのは断食、隠遁、空想への没入、そして肉体と魂の苦行によってである。したがって最終的に魔術師となったのは、自らの守護霊が自分に現れた者、すなわち自分の魂の中で修行が完成された者だけなのだ。その後、彼は精神の集中と肉体の苦行を同じように繰り返しながら、この修行を生涯にわたって他人のために行う。どんなに冷静な旅行者でも、多くのこうした幻術に驚嘆せざるをえなかった。というのも、彼らは自分たちがほとんど不可能と考え、しばしば説明もできなかったような想像力の成果というものを、目のあたりにしたからである。そもそも空想は、人間の魂に備わったあらゆる力のうちで、最も研究されておらず、おそらくまた最も研究しがたいものなのだ。なぜなら、空想は非常に多くの不思議な病気が示すように、身体の全構造、なかでも脳と神経と関連しているため、魂のあらゆる精緻な諸力の絆であり、基盤でもあるのみならず、精神と身体の連関の結び目であるようにも思われるからである。言ってみれば空想とは、感覚に関わる有機組織全体から芽吹き、思考する諸力のさらなる使用に向かう花なのだ。それゆえ空想は、必然的にまた両親から子どもに伝えられる第一のものである。このことは、自然と矛盾するさらに多くの実例が、人間の内部および外部の有機体の明白な類似性ともども、まったく偶然的な事柄においても実証しているとおりである。(31)生得観念は存在するのか？　ということはずっと議論されてきた。もちろん生得観念は、これまで理解されてきたような意味においては存在しない。しかし生得観念を次のような素質、つまり或る種の観念と形象を受け容れ、結び合わせ、広げることに最も近い素質と見なすならば、これは生得観念と何一つ矛盾しないどころか、すべてが生得観念にあてはまる。もし或る息子が六本の指を、またイギリスの**ヤマアラシ人間**(32)が、その人間らしくない筋肉の異常な盛り上がりを受け継ぐことができ、さらには頭部と顔面の外部の形姿がしばしば目に見える形で移行するとすれば、次のこと、すなわち、脳の形姿も移行せず、おそらくその有機組織上きわめて精緻な皺(しわ)においても受け継がれないということが、奇蹟なくしてどうして起こりえようか？　多くの民族にあっては、われわれの理解できない空想による病気が蔓延しているが、患者のどの同胞もこの禍を寛大に扱う。というのも、誰もが自分の中に、その病が受け継がれることへの素質を感じとっているからだ。たとえば、勇敢で健康なアビポン人のあいだでは周期的な精神錯乱が見られるが、暴れまわっている当人は錯乱のあいだそれをまったく知らない。錯乱が治まれば、彼は以前と同じように正常なのだ。アビポン人の言うには、それは当人の魂が自分のもとにいなかっただけのことである。いくつもの民族においては、この禍に捌け口を与えるために夢の祭事を行ってきた。そこでは、夢見る者はその守護霊の命ずるままに何でも行うことが許されている。一般的に見ても、空想に富む民族にあっては、どこでも夢が驚くべき力を持っている。それどころか、夢はまたおそらく最初のムーサ、すなわち本来の虚構と詩作の母だった。夢は人間をそれまで見たことのない形態や事物のもとへ運んだが、それらを見たいという願望は、実は魂の中に存在していたのだ。たとえば、愛する故人が遺族の夢の中に現れることや、あんなに長くわれわれと目覚めた状態で暮らしていた人が、今は少なくとも影として、夢の中でわれわれと暮らしたいと願うことほど自然なことがあったろうか。諸民族の歴史は、摂理が想像という道具をどう使うかによって、それが人間にかくも強く、かくも純粋かつ自然に作用を及ぼしえたことを明らかにしてくれるだろう。しかしおぞましいことに、欺瞞もしくは専制政治がこの道具を濫用して、自らの目的のために、人間の空想や夢という、まだ抑制されていない大洋を悪用したのだ。

地球の偉大な精神よ、この丸い球体の上を駆け回るすべての影の形態と夢を、汝はどのような眼差しで見渡すのか。何といっても人間は影であり、人間の空想は影の夢しか詩作しないのだから。人間が純粋な大気の中でほとんど呼吸できないのと同じように、人間の多様で塵(ちり)から作られた外皮に純粋理性は今なお完全に伝わりえない。しかしたとえ想像力のどのような迷宮の中にあっても、人間は理性に向けて教育される。人間が形象に依存するのは、それが人間に種々の事柄の印象を与えてくれるからだ。こうして人間は、どんなに濃い霧の中でも真理の光を目にし、また探し求める。それゆえ、幸福で選ばれた人間というのは、その狭く限られた生の中で可能なかぎり空想から実在へ、すなわち子どもから大人へと成長し、またこの目的において、人類の歴史を純粋な精神をもって閲(けみ)してまわる者である。魂が、風土と教育によって人間の周囲に引き寄せられた狭い範囲からあえて抜け出そうとし、他の民族のもとに来て、そこで自分にとって省きうるものは何か、ということを少なくとも学ぶならば、その魂には高貴な広がりが与えられる。その魂は、ずっと長いあいだ本質的と自らが考えていた多くのものが、いかにそこでは無くても済まされており、また済まされうることを見出すことか！　しばしば人間理性の最も普遍的な原則であると思われ、また認められていたものは、ちょうど陸地が船乗りの視界から雲のように消えるのと同じように、あちらこちらで土地の風土もろとも雲散霧消してしまう。或る民族が自分たちの思想の範囲にとって不可欠と見なすものも、別の民族はまったく考えもしなかったし、有害とさえ見なす。こうしてわれわれは地球上で、人間による空想の迷宮をさまよい歩いている。しかし問題はこの迷宮の中心点、すなわち屈折した光線が太陽に戻るように、すべての迷路が立ち戻る中心点はどこにあるのか、ということだ。

＊106　『グリーンランド誌』二二五頁。
＊107　前掲書、第五章、第六章。
＊108　ドブリツホッファーによる『アビポン人の歴史』(34)第一部。
＊109　シュテラー(35)およびクラシェニーンニコフ(36)などを参照。
＊110　レーマー、ボスマン、ミュラー(37)、オルデンドルプなどを参照。
＊111　ラフィトー(38)、ル・ボー(39)、カーヴァーなどを参照。
＊112　バルダエウス(40)、ダウ(41)、ソヌラ、ホルウェル(42)などを参照。

三　人間の実践的知性はどこにおいても生活方法が必要とするもののもとで発達した。しかしこの知性はどこにおいても諸民族のゲーニウスの開花であり、伝承と慣習の子である[43]

地球の諸民族は、狩人、牧人、農民に区分され、この区分に従って文化における諸民族の序列のみならず、文化それ自体もこれらの生活方法の必然的結果と規定されがちである[44]。もしこれらの生活方法が、まずそれ自身だけで規定されるならば、それは素晴らしいことだ。しかしそれらの大部分はそれぞれの地域とともに変化し、互いにとても錯綜しているため、純粋な分類を適用することがきわめて困難となる。クジラを射止め、トナカイを狩り、アザラシを屠るグリーンランド人は、漁師でもあり狩人でもある。しかしそれは黒人が魚をつかまえ、アラウカーノ人がアンデス山中の荒れ野で狩猟をするのとは方法もまったく違っている。ベドゥイン人やモンゴル人、ラップ人やペルー人は牧人である。しかしベドゥイン人がラクダを、モンゴル人がウマを、ラップ人がトナカイを、ペルー人[45]がアルパカやラマを飼育するとき、彼らは互いにどれほど違っていることか。ウィダーの農民と日本の農民は、貿易におけるイギリス人と中国人のように互いにまったく似ても似つかぬものだ。

或る民族の中に、文化を産み出せるよう展開されることを待っている諸力が十分にある場合でさえ、その欲求だけでは足りないように思われる。なぜなら、人間の怠惰が自分の欠点と妥協し、安逸と呼ばれる子どもを産んでしまうと、人間はいつまでも現状にとどまり、これを苦労してまで良い方向に向かわせることがほとんどできなくなるからだ。そこでいっそう重要になるのは、或る民族の生活様式をあれこれと規定し、これに影響を及ぼしたその他の原因である。しかしここではまず生活様式をすでに規定されたものと仮定し、さまざまに異なる生活様式の中に、どのような活動を行う魂の諸力が現れているかを調べることにしよう。

植物の根と葉と実を食料としている人間は、耕作[46]という特別の原動力が加わらなければ、ずっと無為で諸力も制限されたままだ。美しい風土の中で温和な部族から芽吹いた生活様式は温和なものである。いったい豊かな自然がすべてを苦もなく提供してくれるのに、どうして争いが起こるはずがあろうか？　他方また技術や案出についても、彼らは日常の必要な範囲にしか到達しない。自然によって果実、なかでも特に恵み深いパンの木の果実[47]で養われ、美しい気候のもとで樹皮や小枝でわが身を装った島嶼の住民たちは、穏やかで幸福な生活を送った。語り伝えられるところによると、鳥はマリアナ諸島の住民の肩にとまり、心静かに歌っていた。ここの住民たちは弓と矢を知らなかった。なぜなら、野獣に追われるなどして身を護る必要がなかったからだ。彼らはまた火も知らなかった。温和な風土は、火がなくても彼らに快適な生活をさせたからである。これと似た例は、カロリン諸島や他の南洋の幸福な島々の住民にも見られた。ただし例外的にいくつかの島々では、共同体の文化がすでに高度に発達していて、さまざまな原因から少なからぬ技術と生業が統合されていた。風土が苛酷なものになると、人間もまた種々の苛酷な生活様式に逃げ場を求めざるをえない。オーストラリア人は、カンガルーやフクロネズミを追い、鳥を射て、魚をつかまえ、ヤマノイモを食べる。彼らは自らの粗野ながら快適な環境が要求するだけの生活様式を統合し、ついにはこうした快適さがいわば調和のとれたものとなり、その中で自らの流儀で幸福に暮らしている。ニューカレドニア人やニュージーランド人についても事情は同じであり、貧困なフエゴ島民とて例外ではない。彼らは樹皮の小舟、弓矢、籠と袋、火と小屋、衣服と鍬を持っていた。すなわちこれらは、あらゆる技術の端緒、それも、最も洗練された地球民族でさえ、これでもって自分たちの文化を完成させた技術の端緒なのだ。ただフエゴ島民にあっては、恐ろしい寒気の軛(くびき)のもと、不毛このうえない岩石島において、すべてがまだ最も粗野な最初の段階にとどまった。カリフォルニア人の実証する知性は、彼らの土地と生活様式が与え、また要求するものと同等のものである。このことは、ラブラドル半島の住民や、地球の最も貧困な僻地に住むあらゆる人間民族についても同じである。人間はどこにいても欠乏と和解し、受け継がれた慣習によって余儀なく行う仕事で幸福に暮らしている。そして緊急の必要がないものは重視されない。たとえばエスキモーは、あんなに自由自在に海上を舟で漕ぎまわるのに、泳ぐことは学んでこなかった。

われわれの地球のここアメリカ大陸では、人間と動物がいっそう密集している。それゆえ、人間の知性は動物によってさらに多様な方法で鍛えられる。もちろんアメリカに多くある沼沢地の住民は、ヘビやトカゲ、イグアナ、アルマジロ、アリゲータをも頼りにせざるをえなかった。しかしたいていの民族は、より優れた方法で狩猟民となった。北アメリカの先住民や南アメリカの先住民にはその生業能力の点で何が欠けているというのか？　彼らは自分が追う動物のことはもちろん、その住居、生態、策略も熟知し、これらの動物に対しては腕力と計略と熟練で身を護る。男子はグリーンランドのアザラシ猟師のように、狩人としての名誉に向けて教育される。これについて男子はさまざまな話や歌を聞き、また名誉ある所業については聞くだけでなく、目の前で種々の身振りや、興奮を誘う舞踊で演じて見せられる。男子は幼少時から道具を作ることと使用することを学ぶ。彼は武器で遊び、女子を相手にしない。実際、生活範囲が狭ければ狭いほど、また完全性が求められる仕事が一定のものであればあるほど、それだけいっそう早くこの完全性は獲得される。こうして活動に励む若者を妨げるものは何一つなく、むしろすべてが彼に刺激と勇気を与える。というのも、彼は自分の民族が注視する中で、父祖たちの身分と生業において生きるからだ。もし誰かが種々の民族の適応能力と、そこから生れた技術を集めた書物を編纂してくれるならば、その編纂者は、こうした能力や技術が地球上のいたるところに存在し、どれもがそれに適した場所で花開いているのを見出すだろう。黒人はこちらでは岩に砕ける激浪に飛び込むが、ヨーロッパ人にその勇気はない。黒人はまたあちらではわれわれの目がほとんど及ばない高い木によじ登る。この地の漁師は、まるで魔法で魚を呼び出すかのような技術をもって生業にいそしむ。またサモエード人は、シロクマに出くわすとこれと対等に闘うのが精一杯であるのに、黒人にとっては力と策略が結びつくと二頭のライオンも苦にならない。ホッテントットはサイやカバに襲いかかり、カナリア諸島の住民は険しく聳(そそ)り立つ岩山の上をまるでアルプスカモシカが跳ね回るように飛び歩く。丈夫で男性にも負けないチベットの女性は、他所から来た男性を、地球の最も巨大な山脈の向こう側まで運んでゆく。あらゆる動物の部分と本能から組み立てられたプロメテウスの一族である人間(48)は、動物から技術や適応能力をすべて習得した後、これらの点においてすべての動物をいたるところで乗り越えた。

とはいえ、人間の技術の大部分が動物と自然から習得された(49)ことも疑いのないところだ。なぜマリアナ諸島の住民は樹皮で身を包み、アメリカの先住民とパプア人(50)は羽毛で身を飾るのか？　それは前者が樹木とともに暮らし、樹木から食物を得ているからであり、また後者にとってはその土地の色とりどりの鳥が自分の目にする最も美しいものだからだ。狩人は獲物と同じような身なりをし、ビーバーと同じような方法で家を作る。鳥と同じように木にとまり、あるいは地上に鳥の巣のような小屋を作る民族もいる。鳥の嘴（くちばし）は、人間にとって槍と矢の手本だったし、同様に魚の形態は、巧みに水を切って進む小舟の手本だった。ヘビからも人間は、武器に毒を塗るという危険な方法を学んだ。そして身体に彩色を施すという広範囲に普及した慣習も、同じく動物や鳥の手本に倣ったものだった。人間は思った。「どうしてこれらのものはこれほど美しく飾りたてられ、これほど色とりどりに装っているのか？　それにひきかえ私は、なぜ単調で生彩のない色のまま歩き回らねばならないのか？　私の神と怠惰が私にどのようにも身を覆うことも許してくれないからだろうか？」それで人間は動物と釣合いがとれるように、刺繡と彩色を始めた。衣類を身につけた民族でさえ、雄ウシの角、鳥の鶏冠、クマの尻尾を羨み、これを模倣した。北アメリカの先住民は、或る鳥が自分たちにトウモロコシをもたらしてくれたことを感謝の念とともに称賛している。さらには風土に即した薬剤も、明らかにそのほとんどが動物から学びとったものだ。もちろんこれらすべてが成功するには、自由な自然人の、感覚に根ざした精神が必要だった。それに彼らはこれらの生きものと暮らしていたので、自分がこれらを無限に超えているとは考えなかった。見知らぬ大陸に赴いたヨーロッパ人には、先住民が日々用いているものを見つけ出すことさえ容易でなかった。ヨーロッパ人は何度も試行錯誤を重ねてようやくその秘密を、それも先住民から力ずくか、あるいは物乞いをするようにして入手せざるをえなかった。

しかし人間は動物をおびき寄せ、ついには隷属させることによって、以前とは比べものにならないほど長足の進歩を遂げた。人間の諸力を肩代わりするこれらの動物と一緒に暮らすと暮らさないとでは、隣接する民族のあいだでも明らかにとても大きな相違がある。遠く離れたアメリカは、発見された時点において旧世界の大部分に甚だしく立ち遅れており、ヨーロッパ人はその先住民を無防備なヒツジの群のように扱うことができた。どうしてだろうか？　肉体的な力だけが原因でなかったことは、今なお無数の森林民族の実例が示すとおりである。体格でも疾走でも機敏な動作でも、先住民は一対一ならば自分の土地を賭博の対象にする民族の大多数より勝っている。個人に属するかぎりの知性の力もその原因ではなかった。アメリカの先住民も自分で身のまわりの世話はできたし、妻子とも幸福に暮らしていた。要するに、原因は技術、武器、共同の連帯に、そしてなかでも飼い馴らされた動物にあった。もしアメリカの先住民が一頭でもウマを所有し、戦闘にふさわしいその威厳を、怯えながらも認めていたならば、またスペイン人がカトリックの威厳を示す傭兵仲間としてアメリカの先住民にけしかけた凶暴なイヌがアメリカ先住民のものだったならば(51)、侵略はもっと高くついたろうし、騎馬民族にとっては、少なくとも自分の山地や砂漠や平原への退却は自由だったろう。どの旅行家も述べているように、今なおウマがアメリカの諸民族のあいだに最も大きな相違を産み出している。北アメリカと南アメリカでは、特に後者の騎馬民族がメキシコやペルーの哀れな被征服者とは雲泥の差があるため、これらの民族が一つの地域で隣接しあう同胞であるとはとても考えられない。北アメリカと南アメリカの騎馬民族は、自由を保持したのみならず、おそらく彼らの土地が発見されたときよりも心身ともに逞しい人間になった。自分たちの同胞を抑圧した者たちによって、運命の未知の道具としてそれと知らずに授けられたウマが、いつかひょっとしたら自分たちの大陸全体を解放するものとなるかもしれないのだ。事実また彼らのところに連れてこられ飼育された他の動物も、一部は現在すでに彼らの便利な生活の道具となったし、おそらく将来は西方に特有の文化の仲介者ともなりうるだろう。しかしこのことがひとえに運命の手の中にあるのと同じように、彼らがかくも長いあいだウマも、ロバも、イヌもウシも、ヒツジもヤギも、ブタも、ネコも、ラクダも知らなかったということも運命の手から出たことであり、この大陸の自然に起因していたのだ。彼らが所有していた動物の種類が少ないのは、彼らの土地が他の大陸より小さく、旧世界から切り離され、その大部分がおそらく他の大陸より後になって海底から隆起したからだ。したがって、彼らが飼育できた動物もその分だけ少なかった。メキシコ、ペルー、チリにいるアルパカとラマ、それにビクーニャ[52]が飼育可能でまた飼い馴らされた唯一の動物だった。このようなわけでヨーロッパ人は、自分の知性をもってしても他の生きものをこれに加えることも、またキキ[53]やパギ[54]、バクやミユビナマケモノといったその土地の動物を、有益な家畜に仕立てることもできなかった。

これに対して旧世界には何と多くの飼い馴らされた動物がいることか！　しかもそれらは人間が活動するための知性にどれほど多く貢献したことか。ラクダやウマがいなければ、アラビアやアフリカの砂漠には、立ち入ることさえできなかっただろう。ヒツジとヤギは人間の家政に、ウシとロバは諸民族の農耕と交易に貢献した。未開な状態では人間という被造物は、これらの動物と仲良くいっしょに暮らしていた。人間は動物をいたわりながら扱い、動物からどのような恩を受けているのかを弁えていた。こうしてアラブ人とモンゴル人はウマと、羊飼いはヒツジと、狩人はイヌと、ペルー人はラマと暮らしていた。[*113] 周知のように、これら手助けとなる動物をみな人間のように扱えば、人間の生活様式もいっそう改善される。それらの生きものは、人間の言うことを理解し、人間を愛するようになる。しかもそれらの生きものにあっては、野生の動物にも人間に抑圧された動物にも知られていない能力や性向が発達する。ちなみに人間に抑圧された動物は、愚かにも脂肪太りになり、あるいは酷使されて衰弱した姿となって、その類本来の諸力や本能を自ら失う。このように一定の範囲では、人間と動物はいっしょに育ってきた。人間の実践的知性は動物によって、動物の能力は人間によって強められ拡大された。カムチャッカ人のイヌについて書かれたものを読むと、イヌとカムチャッカ人のどちらが理性的な生きものなのか、ほとんど分からなくなる。

ところで、人間が活動するための最初の知性は、こうした動物との共生という領域の中にとどまり、それどころか、この領域に慣れたすべての民族にはそれを捨て去ることも困難になった。どの国民も、とりわけ農耕によって抑圧的に支配されることを恐れた。北アメリカにどれほど美しい牧草地帯があろうとも、どの民族も自分の所有物をどれほどしっかりと愛してこれを守るにしても、またどれほど多くの民族がヨーロッパ人によって金銭や火酒やいくつかの快楽の価値を知ったとしても、とにかく土地の耕作はもちろん、トウモロコシや若干の野菜の栽培、それに小屋の管理を任せられるのは女性たちだけだった。好戦的な狩人は庭師や羊飼いや農民になる決心がつかなかった。いわゆる未開人[55]にとっては、自然の中での活動的で自由な生活がすべてに勝るものなのだ。さまざまな危険と格闘しながら、彼はこの生活によって自分の諸力、勇気、決断を呼び覚まされ、その代償として彼には健康な生活、小屋での自分だけの静寂、部族における名声と栄誉が与えられる。彼はそれ以上に何も求めたり、何も必要としない。それゆえ、もし彼が他の状態に置かれたら、しかも彼がその便利さも知らず、その困難にも耐えられないような状態であったならば、このような他の状態は、彼にいったいどのような幸福をもたらすことができようか？　未開人と呼ばれる者たちに関する非常に多くの偽らざる話を読んでみるがよい。そこには健全な知性が自然な公正心とともに紛れもなく現れていないだろうか？　人間の形はこの状態においても、荒々しい手によって僅少な目的に向けてではあるが、それでもここで可能なかぎり完成されている。すなわち人間の形は、落ち着いた満足に向けて、そして長く続いた健康の後に来る、この生からの穏やかな別離に向けて完成されている。ベドゥイン人やアビポン人は自分の境遇に満足している。ベドゥイン人は都市での生活に恐れおののき、アビポン人は死後もずっと教会の墓地に埋葬されることに身震いする。それはアビポン人の感覚からすれば、現世と同じように来世でも生きたまま葬られるようなものなのだろう。

　農耕が導入されたところでも、人間を一塊（ひとかたまり）の土に縛りつけ、土地の所有権を普及させるには大変な困難が伴った。土地を開墾した黒人のいくつかの小さな王国[56]の少なからぬ民族は、現在に至るまで所有権なるものを理解していない。彼らの言うには、土地は共有財産だからである。毎年彼らは自分たちのあいだで耕地を分配し、手間もかけずに耕作する。収穫がもたらされたら、土地は再び土地自身のものとなる。そもそも一区画の限定された土地での農耕ほど、人間の考え方に多くの変化を惹き起こした生活様式はない。農耕は労働と技術、村落と都市を産み出し、そのため法や警察組織を促進せざるをえなくなり、必然的にあの恐ろしい専制政治にも道を拓くことになった。ちなみに専制政治は、各人をその耕地に配置することができたので、最終的には各人にそれぞれがその一塊の土の上でのみ為すべきことを指示し、そこにふさわしいものとなるよう各人を強制した。もはやこうなっては、人間が土地を所有するのではなく、土地が人間を所有するのだ。耕作に使用される諸力の感覚も、それら諸力が使用されないとただちに失われた。抑圧された者は隷属と怯懦（きょうだ）に沈み、働く喜びも失い、安逸な贅沢へと移った。このようなわけで、地球全体において天幕に住む支配者は、小屋に住む被抑圧者のことを、軛につながれた駄馬のように萎縮した変種の人間と見なす。どれほど苛酷な欠乏状態も、それが自らの使命と自由によって味付けされ、埋め合わせがなされるかぎり、天幕に住む支配者にとっては楽しみとなる。これに対してあらゆる美食は、もしそれが魂を弛緩させ、死すべき人間がそのはかない生において唯一享受する尊厳と自由をその人間から奪うならば、たちどころに毒となってしまう。

摂理が人間を市民社会の構成に向けて整えるための最も優れた手段の一つとして用いた農耕という生活様式から、私がその価値のいくらかなりとも奪おうとしているなどとは考えないでほしい。なぜなら私もまた地上のパンを食べるからだ。私としては、とにかく他の生活様式も公平に扱ってほしいだけだ。事実それらの生活様式は、農民の生活と同じように、われわれの地球の特性に従って人類の教育者となるよう定められている。そもそも地球住民のなかで、土地をわれわれの方法によって耕作するのはごくわずかの住民であり、しかも自然は彼らに農耕とは別の生活さえ割り当てた。これまで見てきた数多くの民族、すなわち根菜、米、木の実、それに陸や海や空での狩猟によって生きる民族や、また今はたとえば隣人のパンを買い、何かの穀物を栽培することもある無数の遊牧民族、さらには土地所有権を持たず、女性や従僕を使って耕作を行う民族すべてがそうだ。このような民族は、どれもみな本来の農民ではない。だから技術に頼る農耕という生活様式には、地球のほんの小さな部分しか残されていないのだろうか？　すなわち自然は、いたるところで自分の目的を達成したか、あるいはどこにおいても達成しなかったかのどちらかだ。人間の実践的知性はあらゆる多様性の中で開花し、実をつけるべきものだろう。そのためにこそ、かくも多様な人類に、かくも多様な地球が与えられたのだから。

＊113　たとえばウリョーア（『アメリカに関する報告』第一部、一三一頁）に見られるように、ペルー人がラマを使役に供するときの子どものような喜びを読むがよい。他の民族の、動物との生活様式は種々の旅行記からも知られている。

四　人間の感覚と本能はいたるところで、人間がその中で暮らす状態と人間の有機組織に従っている。しかしそれらはいたるところで意見や慣習に影響される

自己保存[57]が存在物の第一の目的である。ちり粒から太陽に至るまで、万物は自己の現状を維持しようと努める。このために動物には本能が刻印されており、人間には本能の類比物、すなわち理性が与えられている。人間は激しい空腹に迫られると、この自己保存という法則に従っていたるところで食料を探し求める。人間は、その理由も目的も分からないまま、幼少時から自らの諸力の訓練や運動を求めて活動する。疲労した人間は安眠を呼び寄せなくとも、安眠の方からやってきて、疲労した人間の存在を新たなものにしてくれる。病気の人間は、もし可能であれば内的な生命力によって助けられるか、少なくともこの生命力をあえぎ求める。人間は自分を攻撃するすべてのものに対して自分の生命を護る。しかも人間がこのことを知らなくとも、自然はそのとき、人間の中と

その周囲に種々の措置を講じて、人間を支え、護り、維持してきた。

われわれ人間をこの自己保存の本能ゆえに肉食動物の仲間に数え、人間の自然状態を戦争状態とした哲学者たち(58)がいた。この主張の中には明らかに多くの比喩的な要素が見られる。もちろん人間は木の実をちぎるから泥棒であり、動物を屠るから殺戮者である。それに人間は自分の一投足、一呼吸によっておそらく無数の目に見えない生きものから命を奪うときには、地球で最も邪悪な暴君でもある。誰もが知っているように、穏やかなインド哲学のみならず、誇張されたエジプト哲学までもが、人間がまったく無害な被造物となるように気の遠くなる努力を重ねたが、こうした空論は何の意味もない。四大の混沌の中にまでわれわれの目は届かない。われわれはたとえ大きな動物に喰らいつかないまでも、水中や大気中の、また乳の中や植物中にいる無数の小さな生きものを呑み込んでいる。

さて、こうした細かい議論から離れて、人間をその同胞のもとに置き、こう尋ねてみよう。人間はその本性からして自分の同類に対して猛獣であり、非社会的な存在(59)なのか？　と。人間はその形態からすれば前者ではなく、その生れからすれば後者ではなおさらない。人間は愛の母胎で生を受け、愛の乳房で養われ、数多くの人間によって育て上げられる。こうして人間は、それらの人間から自分には過ぎたような無数の善いものを受け取った。したがって、このかぎりにおいて人間は現実に社会の中で、そして社会に向けて形成される。社会なくして人間は生れることも、人間になることもできなかった。人間において非社会性が芽生えるのは、人間が他の生きものと衝突して、彼の本性が圧迫される場合である。しかしこの場合でも人間はまた例外となるのではなく、あらゆる存在物に見られる自己保存という大きな法則に従って活動している。われわれとしては、自然がここでもまた人間をできるだけ満足させながら制限し、万人に対する万人の闘いを防ぐべく、どのような手段を考え出してきたかを見ることにしよう。

1　人間は多方面にわたって最も精巧な被造物であり、どの類の生きものにおいても、人間においてほど発生時に遡る諸特性のかくも大きな相違が見られるものはない。人間という精緻な形成物には、すべてを一つの方向に引っ張っていく盲目的な本能が欠けている。これに対して、種々の観念と欲望の光線が人間においては他の被造物では見られないくらい分散している。すなわち、人間はその本性に従えば他のものと衝突することがより少なくてすむ。というのも、この本性は、人間にあって種々の素質や感覚や本能の無限の多様性となって分散され、いわば個別化されているからである。或る人間にはどうでもよいと思われることが、他の人間を惹きつける。このように、それぞれの人間が身のまわりに自分の享受する世界を持っている。つまり自分のために創られた世界を有しているのだ。

2　差異化を事とするこの被造物に、自然は大きな空間を、すなわち豊かで広大な地球を与え、その上ではきわめて多種多様な地域と生活様式が人間を分散させるようにした。自然は人間を互いに引き離すべく、こちらに山を、あちらに河川と砂漠を配置した。さらに自然は、狩人に広大な森を、漁師に広大な海を、羊飼いに広大な平原を与えた。それゆえ、鳥刺しの術に欺かれた鳥たちが網の中に飛び込んで互いに餌や眼球を嘴でつつき合い、吐く息を悪臭で満たしても、それは自然の責任ではない。なぜなら、自然は鳥を大気の中に配したのであって、鳥刺しの網の中に入れたのではないからだ。かの未開の諸部族を見るがよい。彼らは互いに何と未開から遠い生活をしていることか！　そこでは誰も他の者を羨まず、各自が平穏のうちに自分のものを手に入れ、それを享受する。だから、ぎゅうぎゅう詰めにされた人間たち、ひたすら相手に負けまいとする芸術家、争ってばかりいる政治家、嫉妬深い学者、といった者たちの邪悪で非常識な性格を人類の一般的特性としてしまうならば、それは歴史の真実に反することになる。地球上の大多数の人間は、都市の吐き出す汚染大気ではなく、自由な空気を吸って生きているので、これらの傷つける棘（とげ）や、それらによる血まみれの傷のことなど何も知らない。法を軽蔑する者が生れるだろうという理由で、法を必須のものにする者は、前提として自分がまずそのことを実証すべきだろう。人間を狭い牢獄に押し込めなどしなければ、汝らはこれらの者に新鮮な空気をことさら送る必要もない。また人間を不自然に逆上させなければ、汝らはこれらの者を種々の策を弄してまで束縛する必要もない。

3　自然は人間が共にいなければならない時間をも、できるだけ短くした。人間は長期にわたる教育を必要とするが、しかしそれから後もまだ弱いままである。人間には子どものようなところがある。怒ったかと思えばすぐ忘れ、不機嫌なこともしばしばだが、長く根に持つことはない。人間は大人になるとただちに本能が目覚め、父の家を出る。自然が本能という形で作用を及ぼしたのだ。自然は人間が自分の巣を営むようにと人間を追い出したのである。

しかし人間は誰と巣を営むのか？　それは自分と似ていないが似ており、好戦的情熱の点では似ても似つかぬように作られている被造物とである。しかもその被造物のこうした性質は、両者の合一という目的においてのみ、どうにか実現しえたものだ。女性の本性は男性のそれとは別のものである。感受の仕方も違えば、活動の仕方も違う。妻が自分の競争相手であり、男性の長所においてさえ自分を凌駕する妻を持つ夫は何と惨めなことか！　それゆえ女性には是非とも寛容な親切さでもって男性を統御してもらいたいと思う。そうすれば不和のリンゴも再び愛のリンゴとなるのだが。——

人類の個別化の歴史は、もうこれくらいにしておこう。人間が家を出て、また別の家族を作ると、これを土台としてまた新たな社会、法、慣習、そして言語までもが生まれる。これらの言語が方言となって地球上で無数に存在し、時にはまたほんのわずかしか離れていないところでも、互いに異なる形で出現せざるをえないということ。これは何を物語っているのか？　それは、遠くへ広める母なる自然が自分の子どもに、一箇所に寄り集まるのでなく、自由に移住するための素質を与えたことを示している。一本の木が次のような目的で、すなわち、他の木を矮小なままにしておくとか、あるいは自由な呼吸を享受しようとして他の木を曲がった惨めな奇形にする目的で、他の木から大気を奪うことはできるかぎり避けるべきだ。どの木も自分の場所を見つけて、自分の本能によって根から高く伸び上がり、花咲く樹冠をつけることが自然の意図なのだから。

それゆえ、困難な状況に押し込められていないときの人類の自然な状態とは、戦争ではなく平和である。(60)なぜなら、戦争は困窮の状態であって、元来の享受の状態ではないからだ。自然の手の中で戦争は（人喰い人間さえも含めて）決して目的ではなく、どこにあっても苛酷で悲しい手段なのだ。しかもこの手段からは万物の母でさえ、どうしても逃れられなかったが、彼女はそれでもこの手段を、その埋め合わせに、いっそう高次で豊かで多様な目的に適用した。

そこで悲しむべき憎悪に言及するまえに、喜ぶべき愛[61]について語ろうと思う。地球のいたるところ愛の世界であるが、ただ、どこにおいても愛はそれぞれ異なる形態をとって現れる。

草花は生長するとすぐに花開く。それゆえ開花の時期は生長の期間に従っており、この期間はそれを促す太陽熱で定まる。人間の開花時期の早いか遅いかも、同じように風土とそれに属するすべてのものに左右される。この小さい地球上といえども、人間の性的成熟の時期にはそれぞれ驚くほどの隔たりがあり、生活様式や地域によって異なっている。ペルシア人の女性は八歳で結婚し、九歳で出産する。他方で昔のドイツ人女性は、性愛のことを考えるときには三〇歳の逞しい女性になっていた。

こうした相違が両性の関係全体をどれほど変えざるをえなかったかは誰の目にも明らかだろう。東洋人の女性は結婚するときは子どもだ。彼女は早く花咲き、早く枯れる。それゆえまた彼女は、大人の夫から子どもや花のように扱われる。こうした温暖な地域では、両性における肉体的本能が早くから刺激されるだけでなく、活発に発達する。そのため男性が自分の性の利点をすぐさま濫用して、これらの一時的に咲く花を集めた庭を作ろうとしたのも当然の帰結だった。人類にとってこの行為は重大な結果をもたらした。それは、男性の嫉妬が少なからぬ数の女性をハレムに囲い、そこで彼女らを男性との関係に向けて、信じられないくらい早く促進し教育できたことだけにとどまらない。そこではまた女性の教育が、幼少時からハレムや多くの女性たちからなる集団のためにも行われ、それどころか、子どもが二歳でもう売られたり結婚させられたりすることも稀ではなかった。いったいこれは次のこと、すなわち、女性たちと交わる男性のあらゆる行為、家の設備、子どもの教育、最後にはまた出産の多寡それ自体が、時とともに、こうした不均衡の一翼を担わざるをえなかったこと以外の何だろうか？　つまりこのことが十分に実証しているのは、女性の早婚と男性のあまりに強い性欲は健全な形態にも、子どもの出産にも有益ではないということだ。それに何人もの旅行家の報告を見ると、これらの地域はそのほとんどのところで実際に男児よりも女児の方が多く生れてくることもありえそうに思われる。これがもし根拠のあることならば、それは一夫多妻制の結果でありうるのみならず、翻って（ひるがえって）は、一夫多妻制を産み出しつづける原因ともなったのだ。しかし確かにこれは、技術が、そしてまた性欲に刺激された人間の贅沢心が、自然をその軌道から逸脱させた唯一の場合である。なぜなら自然は、それ以外では両性の誕生においてはかなりの均衡を保っているからだ。しかし女性がわれわれの地球の最もか弱い萌芽であり、愛が昔から創造において活動する最も強力な動因であったとすれば、両性の扱いは必然的にまた人類史における最初の決定的な分岐点とならざるをえなかった。いたるところ女性は男の欲望が産み出す争いの最初の火種であり、その本性からすれば、人間の創造という構築作業にあって、いわば最初の砕けやすい石であった。――

たとえばクックの最後の旅に同行してみよう。ソシエテ諸島[62]や他の島々では、女性はキュテレ[63]という女神の所有物となるためにこの女神に仕えているように見えた。そのため女性は装飾用の一本の釘、一つの装身具、一つの羽根飾りを求めて身を任せたのみならず、男性も自分が欲しくてたまらない些細な品物のために妻を売ることもためらわなかった。しかし他の島嶼の住民については、風土や性格とともにこうした光景も明らかに変わる。男性が武器の斧をもって姿を現すような民族にあっては、女性もその分だけ家に隠れていた。男性の粗暴な慣習が女性をもいっそう厳格な状態に置いたので、女性の醜さも美しさも人目にさらされなかったのだ。思うに、どのような境遇においても、男性もしくは民族に固有の性格の違いは、女性の扱いに最も明瞭に現れる。たいていの民族は、生活状況が苛酷になると女性を家畜にまで貶め、小屋の厄介な仕事をすべて女性に押しつけた。というのも、男性は危険に満ちた勇敢で男らしい行為によって、些細な仕事はすべて免れていると考え、これを女性に任せたからだ。あらゆる地域の大部分の未開人に見られる女性の従属性はこうした理由による。しかもそのためにまた息子は成人に達するとすぐに自分の母親を軽視するようになる。早くから息子は危険の多い仕事に向けて教育され、男としての長所に目覚めることもしばしばだった。こうして戦いや仕事への一種の荒々しい勇気が、優しい情愛に取って代わった。グリーンランドからホッテントットの国に至るまで、それぞれの民族と大陸において異なった形態をとりこそすれ、この女性軽視はあらゆる未開の民族のあいだに広まっている。奴隷制においてさえ、黒人女性は黒人男性のずっと下に置かれ、あの貧相きわまりないカリブ人男性でさえ、家の中では自分が王だと思い込んでいるありさまだ。

しかし女性を男性に隷属させてきた原因は、女性の弱さだけではないように思われる。たいていの地域では女性の過敏な神経、狡猾さ、感情の細かい動きもまたこれに少なからず与(あずか)ってきた。たとえば東洋人にとって理解しがたいのは、女性の国であるヨーロッパにおいて、女性の無限の自由が、男性にとってのきわめて大きな危険を伴わずに、どのようにして生れ、あるいは存続しうるのか、ということである。東洋人の言うには、自分たちのところの女たちは、容易に感情を動かされ、狡猾で、何にでも手を出そうとするので、これを制御しないと、万事が不安な状態に置かれるとのことだ。男性による多くの暴虐な慣習の原因として、いつも挙げられるのは次のような弁明だ。すなわち、女性がかくも厳しい掟を課されたのは、かつて女性自らが及んだあれこれの振舞いのせいであり、男性は自分の身の安全と心の平静のために女性に掟を課さざるをえなかったという弁明だ。こうしてたとえば、インドにおける非人間的な風習、つまり夫が死んだら妻もいっしょに焼き殺すという風習が説明される。インド人の言うには、男の人生はこの恐ろしい対抗手段、つまり男とともに女自身の生命を犠牲に供するという手段なしには安全ではなかった。実際こうした地域の女性に見られる抜け目のない好色さ、インドの踊り子の妖艶な魅力、トルコ人やペルシア人のハレムでの奸計について書かれたもの(64)を読むと、何かこの種のこともほとんど信じられるような気がしてくる。すなわち男性は、自らの贅沢心が寄せ集めた軽やかな火口を性欲の火花から護るにはあまりにも力不足であり、他方また情愛のこもった女性らしい能力と陰謀との限りない縺れを、より良い目的に向けて解きほぐすにはあまりにも弱く怠惰であった。こうして男性は、贅沢だが弱い野蛮人として野蛮な方法で平安を手に入れるとともに、知恵では女性の狡猾さに勝てなかったため、暴力で女性を押さえつけた。東洋人とギリシア人が女性について述べたことを読んでみるがよい。そうすれば、熱い気候風土のほとんどの地域における女性の数奇な運命について説明してくれる種々の資料が見つかるだろう。もちろんまた基本的には、すべての責任は男性の側にあった。というのも、男性の鈍感で粗暴な振舞いをもってしては、女性の行動を頑なに拘束するという禍を決して根絶しにしえなかったからだ。このことは、理性に基づいた教育によって女性を男性と同等に扱った文化を有する民族の歴史によって明らかにされているだけでなく、これほどの精緻な文化を持たないまでも、分別のあるいくつかの民族の実例によってもまた明らかにされている。昔のドイツ人男性は、未開の森の中でも女性のうちに気高いものを認め、そこに女性の最も素晴らしい特性である賢さ、誠実さ、勇気、貞節を享受した。しかし、もちろんこうした特性が産み出されるに際しては、女性の生れ育った風土、発生時に遡る性格、生活様式の全体が手を貸していた。このドイツ人男性とその妻は、樫(かし)の木のようにゆっくりと頑健に力強く成長したが、それは男性を誘惑するという刺激がその土地に欠けていたからだ。これとは逆に、従い慣れた制度のみならず欠乏までもが種々の美徳への衝動を両性に与えた。ゲルマーニア(65)の娘よ、汝の始祖なる母たちの名声を感じとり、これに負けまいと努めるがよい。こうした母たちのことを誇れる歴史を有する民族はそう多くないのだから。この民族は最古のゲルマーニアの地において男性が女性の美徳を尊重したが、ほかにそういう民族はほとんどない。女性を軽視するような制度の中で暮らしている大部分の民族の女性は奴隷なのだ。しかし汝ゲルマーニアの娘の始祖なる母たちは、忠告を与える友人であったし、そのうちの気高い女性は今でも皆そうなのだ。

　そこで次に、女性の美徳が人類史においてどのように現れるかに目を向けよう。どれほど未開な民族にあっても、女性はその優しい愛想よさ、装飾や美への愛着によって男性と区別される。これらの特性はまた、その民族が風土や甚だしい困窮と闘っているところでも見られる。実際どこにおいても女性は、たとえ身のまわりにある装飾のための品がどれほどわずかでも自分の身を飾る。こうして早春の生命に満ちた大地は、少なくとも香りこそまだないものの、若干の小さな花を、他の季節において為しうることの先駆けとして芽吹かせる。——そして女性のもう一つの美徳は清潔さであり、これに女性は自分の本性を従わせ、それによってまた人の気に入られようとする衝動も刺激される。病気のことを知らないすべての民族が、女性の病気を分離し、無害なものにした際に使用した施設、さらにはしばしば度を超えた掟や慣習は、多くの文明化された国民を恥じ入らせる。それらの民族はしたがってまた次の弱点を、すなわち、われわれにあっては贅沢で病める女性が、その不幸な子孫に伝える深刻な堕落の結果でもあり新たな原因でもある弱点をほとんど知らなかったし、今も知らない。——さらに大きな称賛に値する美徳は、穏やかな忍耐と倦むことのない勤勉さだ。これらの美徳において女性は自らの文化を濫用することなく、地球上のいたるところで際立っている。女性に対する男たちの粗暴な優位性、無為と怠惰を好む男たちの性情、そして何よりも祖先の放埓な行為によって受け継がれた軛、それも慣習として負わせられまでした軛に、女性は泰然と耐えている。この点では、最も貧困な諸民族において、最も偉大な模範が見出されることも稀ではない。また多くの地域では、婚期に達した娘が辛い結婚を余儀なくされるのも偽りではない。娘は嫁いだ小さな家を飛び出し、荒れ野に逃れる。流れる涙とともに娘は花嫁の冠を手にとる。なぜならそれは、自由に過ごすことのできたこれまでの青春が花開く最後の瞬間だからだ。こうした民族の婚礼歌の大部分は、激励と慰めと半ば悲哀の歌なのだ[*114]。われわれはこれらの歌をあざ笑うが、それはわれわれがそれらの歌の持つ純粋さや真実味を、もはや感じとれないからである。さて、娘は自分の青春にとって大切だったすべてのものに優しく別れを告げる。彼女は死んだ者として両親の家を後にし、それまでの姓を捨て、おそらく自分の暴君となる見知らぬ男の所有物になる。人間の持っている最も貴重なもの、すなわち人格の所有、自由、自らの意志、それどころか場合によっては、健康と生命までをも彼女はその男のために犠牲にしなければならない。しかもこれらはみな純潔な女性がまだ知らず、彼女にとっては多分ただちに不快の海に消えてしまう官能的刺激と引き換えにされるのだ。ただ、自然が女性の心に、男性の人格的価値に対して何ともいえず優しくかつ強い感情をいだかせ、その心を美しく飾ったことは幸いだった。この感情によって女性は夫の非情な言動にも耐え、夫にあって気高く偉大で勇敢で非凡であると思われるすべてのものを甘美な感激のうちに喜んで迎え入れる。そして女性は、われわれの心を打つほどの共感をもって夫の語るさまざまな行為に耳を傾ける。夜になるとそれらは、彼女の心の中で昼間の辛かった苦労を甘美なものに変え、自分がいずれ夫に所有されることが避けられないのであれば、このような男性の所有となることを誇りに思わせてくれるのだ。それゆえ、女性の性格に見られる夢想的なものへの愛着は、自然からの慈悲深い贈り物であり、女性にとっての慰めであるとともに、男性に報い、これを鼓舞するものでもある。事実また青年にとっての最も美しい花冠は、つねに純潔な女性の愛であった。

最後に、自然が女性に与えた甘美な母性愛の話をしよう。この母性愛は冷たい理性にほとんど依存せず、また利己的な報酬欲ともまったく縁遠いものである。母親が自分の子を愛するのは、その子が愛らしいからでなく、その子が母親自身の生きた一部分にして彼女の心の子であり、さらには彼女の本性を写し取ったものだからだ。それだからこそ子どもの苦痛に母親の臓腑は揺り動かされ、子どもの幸福には心臓がいっそう強く鼓動する。また子どもが乳房を吸うことによって、いわば母親に結びついたままであるとき、母親の血液はより穏やかに流れる。母親としてのこうした感情は、地球上の堕落していないすべての民族に広がっている。普通は何でも変える風土も、この感情だけは変えることができなかった。たしかに社会のきわめて堕落した制度も、たとえば時間をかければ脆弱な悪習を甘美なものにすることはできたが、母性愛のあの優しい苦痛については例外だった。グリーンランド人の女性は、自分の息子が三、四歳になってもまだ乳を与える。というのも、その風土が彼女に子どもの食物を提供しないからだ。彼女は息子に芽生える不行儀、すなわち男としての傲慢からくるあらゆる不行儀に寛大な心をもって耐える。黒人の女性は自分の子が怪物に襲われると男以上の力を出す。自分の生命を犠牲にすることを何とも思わない母親としての大きな勇気についての実例は、読む者を驚かせるばかりだ。そしてわれわれが未開人と呼ぶ優しい母親から、その生の最上の慰めであり価値であり、また心配でもあるものが、ついには死によって奪われる悲しみや、さらには自分の夫と四歳の息子を失ったナドウェ・スー人の女性の嘆きについては、**カーヴァー**を読んでみるがよい[*115]。女性を支配する感情は筆舌に尽くしがたい。――それゆえ、もしたとえば欠乏、悲惨な困窮、あるいは誤った名誉や代々受け継がれた粗暴な慣習が彼女たちをあちらこちらで間違った道に導きさえしなければ、これらの民族に、女性としての真のフマニテートが有するどのような知覚が欠けているというのか？　すべての偉大なもの、気高いものへの感情の萌芽は、いたるところに存在するのみならず、生活様式、風土、伝承もしくは民族の特性が許容した状況に応じて、どこにおいても十分に生長している。

＊

女性については以上のとおりであるとしても、男性が女性に立ち遅れているということにはならないだろう。実際また地球上のあちらこちらで開花しなかった男性の美徳というものが考えられようか？　地球上を支配し、仕事も蔑(ないがし)ろにせず、自らの生を十分かつ自由に享受するという男らしい勇気が、おそらく男性の第一の美徳であろう。この美徳はきわめて幅広く、かつ多様に形成された。というのも、ほとんどいたるところで困窮が男性を余儀なくこの美徳へと向かわせ、それぞれの地域、それぞれの慣習がこの美徳を違う方向に向けたからだ。やがて男性は危険のうちに名誉を求め、危険に打ち勝つことは男性としての生の最も貴重な宝となった。こうした性向は父から息子へと受け継がれた。早期の教育がこの性向を促進し、それへの素質もわずか数世代でその民族にとっては受け継がれるものとなった。生れながらの狩人にとっては角笛の音とイヌの声が他の者には普通ありえない意味を持っている。幼少時の印象がこれを助けた。そればかりか、狩人の顔つきや狩猟に適した頭脳が世代を超えて伝えられることも稀ではない。自由に活動する諸民族の他の生活様式についても事情はまったく同じだ。どの民族の歌謡も、その民族に固有の感情、衝動、物の見方についての最良の証人であり、その民族の思考および知覚方法の真の注釈、それも当該の民族自身の喜ばしい口元から出た注釈なのだ。*116(66) 民族の特徴を表すに際しては、慣習、ことわざ、処世訓でさえも歌謡に遠く及ばない。しかし諸民族に固有のさまざまな夢は、もしわれわれがそうした夢の実例を知っているか、あるいはむしろ旅行家たちがこれらを書き留めておいてくれるならば、歌謡にも勝る役割を果たすことだろう。夢の中で、そして遊びの中で人間は全体としてその本来の姿を現す。(67) そのうち最もよく現れるのは夢においてである。

子どもに対する父親の愛情は男性の第二の美徳であり、これは男子にあっては男性による教育を通じて最もよく現れる。早くから父親は自分の生活方法に息子を慣れさせる。父親は息子に自分の技術を教え、息子の中に自身の名誉という感情を目覚めさせる。そうすると、父親が年老いて、もはや存在しなくなっても、息子はこの感情のうちに自分自身を愛することができる。この感情こそが地球上のあらゆる部族の名誉と美徳の基礎なのだ。この感情は教育を公的で永遠の仕事にするのみならず、人類のあらゆる長所と先入見を代々にわたって伝えてきた。(68) ほとんどすべての部族や民族において、息子が一人前の男になり、父親の道具や武具で身を飾るときに父親と分有する喜びが生れるのも、逆にまた父親がその最も誇り高い希望である息子を失うときの深い悲しみもこの感情に由来している。息子を失ったグリーンランド人男性の嘆き*117を読むがよい。息子オスカルを失ったオシアンの嘆き(69)を聞くがよい。そうすればこれらの嘆きの中にわれわれは父親の心の傷が、すなわち男性の胸中の最も美しい傷が血を吹くのを目にすることだろう。

もちろん父親に対する息子の感謝に満ちた愛は、父親が息子を愛するという本能のわずかな返礼にすぎない。しかしこれもまた自然の意図なのだ。息子が父親になるやいなや、その心はさらに彼の息子たちに作用を及ぼす。以前より充溢した河流は上ではなく下に向かって流れなければならない。なぜなら、絶えず成長する新しい民族の連鎖は、このようにしてのみ維持されるからだ。それゆえ欠乏に苦しむいくつかの民族が、老衰した父親より子どもを大切にし、あるいは二、三の物語が伝えるように、老人の死を促しさえするとしても、それを不自然なものと非難することはできない。こうした促しは憎悪ではなく、悲しき困窮もしくは冷静な善意でさえある。これらの民族は、老人を養うことも同行させることもできないため、それならば動物の歯牙に委ねるより、むしろ親族自らの手で苦痛のない終末を迎えさせてやりたい、と考えるからだ。また、とても悲しいことだが、困窮に追われて友が仲間を救えない場合にその仲間を殺し、これによってその友がこの方法でしか実証できなかった善意をその仲間に実証するということもあるのではないか?――祖先の栄誉はその部族の魂の中で不滅の生を獲得し、作用を及ぼしつづけるということ。それはほとんどの民族にあっては彼らの歌謡や戦争、物語や伝承の示すところである。しかしそれが最も端的に示されるのは、彼らが永遠の尊敬の念をもって受け継いでゆく生活様式においてなのだ。

最後に、共同体の危険は共同体の勇気を目覚めさせる。こうしてこれらの危険は男たちを第三の最も気高い絆である**友情**へと結びつける。共同体としての作業を必要とする生活様式や地域にあっては、生死を賭けて友愛の絆を結ぶ英雄的な魂の持ち主が存在する。ギリシアでは英雄時代の永遠に名高い友人たちがそうだったし、かの称賛されるスキタイ人(70)がそうだった。狩猟や戦争、森林や荒れ野への遠征その他の冒険を好む民族においては、今なおいたるところにこうした友情が見られる。しかし農民は一人の隣人しか知らず、手工業者は自分が引き立てるか、羨んだりする一人の同業者しか知らない。ましてや両替商、学者、廷臣にいたっては――これらの者はあの自ら選んだ活発で信頼の置ける友情から、どれほど離れてしまったことか。こうした友情については、一つの鎖につながれて互いに嘆息しあう放浪者や囚人や奴隷のほうがむしろよく知っているくらいだ。欠乏の時代や困窮した地域にあっては魂が互いに結びつく。死に瀕した友は、流された血の復讐を仲間に依頼し、血塗られた墓の後ろでこの仲間との再会を喜ぶ。消しがたい友情の炎に燃えながら、この仲間は友の亡霊を慰め、友を牢獄から解き放ち、戦いにおいてはこれに加勢し、栄誉の幸福を友と分かち合う。小さな氏族が集まって生れた部族は、こうして血で結ばれた友人からなる合唱団にほかならず、これらの友人は互いに憎むか愛するかによって他の部族と袂を分かつことになる。アラブ人の部族やタタール人の多くの部族がそうであるし、アメリカ先住民の部族も大部分がそうだ。彼らのあいだに見られる血で血を洗う戦いは人類の恥辱のように思われるが、それらは彼らの最も気高い感情、すなわち部族の傷つけられた名誉、あるいは部族の害われた友情という感情から生れたものなのだ。

さらに進んで女性もしくは男性の君主による地球上のさまざまな統治形式(71)に立ち入ることは今ここではまだ行わない。というのも、これまでに述べた根拠からはまだ以下のこと、すなわち、なぜたった一人の人間が、君主の子として生れてきたことを権利として、その無数の同胞を支配するのか？　なぜたった一人の人間がその無数の同胞に契約や条件もなしに好き勝手に命令し、幾千もの同胞を無責任にも死へと追いやり、国家の財産を釈明もなしに浪費し尽くし、そのため生じたきわめて重い賦課を、よりによって貧民に負わせてよいのか？　ということが説明できないからだ。まして自然の最初の構想からすると、以下のことはなおさら説明がつかない。つまりそれは、勇敢にして豪胆な民族、あるいは何千人もの気高い男性や女性が、なぜ一人の弱者の足に接吻し、一人の愚者の王笏、それも彼らを血の出るほど殴る王笏を崇拝するのか？　ということである。それだけではない。次のことについても事情は同じだ。それはすなわち、どのような神、もしくは悪魔がこれらの気高い男性や女性を促して、これらの者たちの理性や諸力、またときには生命を、そしてまた人類のあらゆる権利を一人の専制君主の恣意に委ね、この君主が未来の専制君主を作ることを、その至上の幸福ならびに喜びと思わせるようにしたのか、ということだ。――私に言わせれば、これらすべてのことは一見したところ、人類の最も錯綜した謎のように思われるし、また幸か不幸か、地球上の大部分はこれらの統治形式を知らない。それゆえ、これらの統治形式を人類の第一にして必然的で普遍的な自然法則に数え入れることはできない。男性と女性、父親と息子、友と敵というのは特定の関係にして名称である。しかし指導者と王、世襲の立法者と裁判官、および自分自身と、自分のまだ生れてもいない子孫のことしか考えない専横的な命令者と国家統治者――これらの概念は、われわれにここで与えられるものとは異なる詳細な説明を必要とする。したがって今は次のことで、すなわち、われわれは地球を、自然に即した感覚や才能、熟練と技術、魂の諸力や美徳の促成場としてとらえ、それらのかなり大きな相違に目を向けてきた、ということで十分であろう。さて、それでは人間は、これらのものによってどの程度にまで幸福を築き上げる権限、もしくは能力を有しているのか、いや、それどころか、幸福の尺度なるものはどこにあるのか？　次はこれについて検討しよう。

＊114　著者による『民謡集』第一部、三三頁、および第二部、九六―九八頁、一〇四頁におけるいくつかの歌を参照。[72]

＊115　カーヴァーによる『旅行記』[73]三三八頁以下。

＊116　『民謡集』幾分は全体的に、また幾分は特に北方のものを参照。具体的には第一部、一六六頁、一七五頁、一七七頁、二四二頁、二四七頁、および第二部、二一〇頁、二四五頁を参照。[74]

＊117　『民謡集』第二部、一二八頁。[75]

五　人間の幸福はどこにおいても個人の財産である。したがってそれはどこにおいても風土と有機組織に根ざしたものであり、訓練と伝承と慣習の所産である

幸福という名称がすでに暗示しているように、人間は純粋な至福を得ることも創り出すこともできない[76]。というのも、人間自身は運の産物であり、この運が人間をあちらこちらに置き、地域や時代や有機組織や生活環境に従って、人間の享受能力や苦楽の種類と程度を規定してきたからである。幸福に暮らすためにはすべての大陸の住民がヨーロッパ人でなければならない、というのは愚かで高慢な考えだろう。実際われわれ自身がヨーロッパ以外のところで、現在のわれわれになれたろうか？　われわれをここヨーロッパに置いた創造主は、他の者たちをまた別のところに置いたが、彼らにもわれわれと同じように地上の生を享受する権利を与えた。幸福とは内在的な状態であるので、その尺度と目的は各個人の心情の外部にでなく内部に存在する。他人は自分の感情に無理や

り私を従わせる権利を持たないし、自分の感じ方を私に授けたり、自分という存在に私という存在を変える力も持っていない。それゆえわれわれとしても、高慢な怠惰、もしくは習い性となった思い上がりから、人類の幸福の形態や尺度を、創造主が定めたよりも短くしたり高くしたりしないように努めよう。死すべき定めの人間が、何のためにこの地球上で存在すべきかを知っているのは創造主だけなのだから。

1 人間が自らの多様に有機組織化された身体を、すべての感覚や部位とともに授かったのは、これらを使用し訓練するためである。これらがなければ、われわれの生命を司る体液は流れなくなり、器官も衰弱する。そうなると生きた屍(しかばね)も同然の身体は、それが死ぬよりずっと前に死んでしまう。つまり身体はゆっくりとした惨めで不自然な死に向かって腐敗してゆく。したがって自然が人間に幸福の第一にして不可欠の基礎である健康を保証しようとしたのは、人間が不健康な状態で暮らすくらいなら、むしろ訓練と努力と労働を賦与することによって、是が非でも健康な状態を押しつけなければならない、と考えたからである。ギリシア人も言うように(77)、神々は人間に労働のために何でも授けてくれるが、それは嫉妬からではなく、善意からなのだ。というのも、まさにこの労働という闘いの中で、すなわち元気の源となる休息を求めるこの努力の中でこそ、人間は健康な状態を最大に享受できるとともに、作用し活動する諸力を感じとれるからだ。

これに対して、人間が病み衰えるのは、諸力を奪う無為において、あるいは贅沢から生じる怠惰が、身体を生きたまま葬り、色褪せた屍へ、もしくは自分自身をもてあます重荷へと変えてしまう風土や状況においてだけである。しかしそれとは異なったまさにきわめて苛酷な生活様式や地域にあっては、人間の四肢はきわめて力強く成長し、とても健康で美しい均整となって花開く。諸民族の歴史全体に目を通し、たとえばパジェスがチョクトー人やテワ人の形姿について、またヴィサヤ人[78]やインド人やアラブ人の性格について述べていることを読むがよい[*118]。どれほど重圧となる風土でさえ、人間の寿命にはさほどの相違を産み出さない。快活な貧者たちを健康の源となる労働に向けて強くするのはまさに窮乏なのだ。身体の奇形は地球上のあちらこちらで、発生時に遡る体質、あるいは受け継がれた慣習として現れるが、これもまた人為的な装飾や、数多くの極度に不自然な生活様式ほどには健康を害わない。実際アラカン人の引き伸ばされた耳たぶ、東インド人および西インド人のむしり取られた髭、あるいは孔をあけた鼻などは、非常に多くのヨーロッパ人男女に見られる圧迫され苦しくなった胸部、前かがみの膝や格好のよくない足、発育不全、もしくは、くる病のような姿勢や締めつけられた腹部に比べてどれほどの相違があるのか？　とにかく健康こそが自然に即したわれわれのすべての幸福の土台なのだから、地球上のかくも広範囲にこの土台を置いた摂理を讃えようではないか。摂理が継母のように扱ったと思われる諸民族は、おそらく摂理にとって最も愛すべき子たちだった。なぜなら、摂理は彼らに甘い毒の入った心地よい饗宴を提供する代わりに、労働という厳しい手によって健康の杯と、彼らを内部から活気づける生命熱の杯を与えたのだから。曙光の子である彼らは開花してまた萎む。時として無邪気な快活さや、自分は健康だという内面からの感情が彼らにとっての幸福であり、生の使命であり享受なのだ。これほど穏やかで長続きする享受が、いったい他にありえようか?

2　われわれは自分の魂の精緻な諸力を誇りに思っている。しかしわれわれとしては悲しい経験から次のことを学ぼうではないか。すなわち、発達したすべての精緻さが幸福を保証するものではなく、それどころか、多くのあまりに精緻な道具はまさに精緻であるがゆえに使用に耐えなくなるということを。たとえば思弁は、ごく僅かの暇な人間たちの楽しみでしかありえず、当人にとってもそれは東洋諸国における阿片嗜好のように諸力を奪い歪め、眠りを誘う夢の快楽となることも稀ではない。目覚めた健康な状態での感覚の使用。実生活の種々の場面に即応する知恵。活発な想起や素早い決断や有効な活動を伴った場合の力強い集中力。これらだけが精神の現前、内的な生命力と呼ばれるものであり、したがってまたそれらが報いられるのは、現前して活動する力を感じとることと、幸福ならびに喜びそれ自体によってである。汝ら人間よ、幸福とは、時宜を得ない過度の洗練もしくは成熟のことだとか、生きた存在物に生の学問を与えうるのはあらゆる学問の死んだ専門用語や、あらゆる技術の綱渡り的な使用だ、などとは思わないでほしい。なぜなら幸福という感情は、暗誦(あんしょう)した術語や習得した技術の処方箋によっては獲得できないからだ。知識で溢れんばかりの頭脳は、たとえ金科玉条の知識であろうと身体を圧迫し、感性を狭め、目を曇らせ、持ち主の生を病へ導く重荷となる。われわれが自らの魂の諸力を細かく分割すればするほど、それだけいっそう余力も死に絶える。技術という足場の上に磔(はりつけ)にされると、われわれの能力と四肢はこの光り輝く十字架上で衰えていく。とにかく健康の恵みは魂全体、とりわけその活動的諸力の使用の上にのみ築かれる。そこであらためて次のこと、すなわち摂理が人類の全体をそれほど精緻なものとは考えなかったばかりか、われわれの地球を知識偏重の学問の講義室に決して指定しなかったことを感謝しようではないか。寛大にも摂理は、人類の大多数の民族や身分において魂の諸力を一つの堅固な糸玉の形に集め、必要なときにのみ、この糸玉を解きほぐした。地球のほとんどの民族が活動し、夢想し、愛し、憎み、望み、恐れ、笑い、泣く様子はまるで子どもと同じだ。それゆえまたどの民族も、少なくとも子どもらしい青春の夢という幸福を享受する。生の享受を頭だけであれこれ考える者は何と哀れであることか！

3　最後に、われわれの健康な状態は、輝かしい思想というよりも、むしろ穏やかな感情のうちにあるため、生活において愛と喜びとをもって報いてくれるのは、明らかにまた心が感受するものであって、深遠な理性の活動などではない。それゆえ偉大な母が自分と他者に対する好意の源泉であるフマニテートに向けて人類を創ったのみならず、人類のこの真のフマニテートを、種々の動機や人為的な原動力とほとんど無関係に、人間の胸の中に植えつけてくれたのは何と良かったことか。どの生きものも自分の生を喜ぶ。(79) どの生きものも、自分が何のために存在しているのか？　と問うことも、思い煩うこともない。どの生きものにとっても、存在していることが目的なのであり、目的とは存在していることなのだ。未開人が自殺しないのは、動物がほとんど自殺しないのと同じである。未開人は自分の子孫を殖(ふ)やすが、それが何のためなのかを知らない。未開人はどれほど苛酷な風土に圧迫されても、とにかく生きるためにはどんな苦労や労働も厭わない。存在しているという、この単純で深くて何ものにも代えがたい感情こそが幸福なのだ。(80) それはすなわち、万物の中にあるとともに、万物の中で喜び、かつ感じる全至福者の無限の海から流れる一滴なのだ。多くのヨーロッパ人が、異民族の顔や生活の中に侵しがたい快活さと喜びを見て驚いたのもこれに起因している。実際ヨーロッパ人は自分の落ち着きのない慌(あわただ)しさにあって、こうした快活さや喜びを自分の中に感じとれなかった。他方また、地球上で復讐や防衛へと強制されなかったあらゆる幸福な民族における分け隔てない好意や、親切で形式張らない好ましい態度も、こうした感情に起因している。偏らない見方をする者たちの報告によれば、この好ましい態度は地球上のいたるところに広がっており、私としてはこれを人類の特徴と呼びたいほどだ。もっともこれは、妄想からにせよ、理性からにせよ、将来の困窮に対して武装するために、残念ながらまさにこの両義的な本性の特徴のゆえに、分け隔てない好意や献身的な快活さや喜びを自他ともに制限することがなければ、の話であるが。それ自身で幸福な被造物は、他の被造物が自分とならんで幸福であるのを認め、可能であれば他の被造物の幸福に寄与してはいけないのだろうか？　そんなはずはない。ただ、われわれ自身が欠乏に取り囲まれ、非常に窮乏し、そのうえ技巧や奸策によって、ますます幸福でなくなってゆくために、結果としてわれわれの存在は狭められる。しかも猜疑心や苦労や疲労や心配といった暗雲が、本来は分け隔てのない、共感に満ちた喜びのために作られた顔面を覆い隠してしまう。しかしここでも自然は人間の心を掌握し、この感じやすいパン生地を多種多様な方法で捏ね上げた。そのため自然は、与えることによってこれを満足なものに仕上げられなかった場合には、少なくとも自ら拒絶することによって仕上げようとした。ヨーロッパ人には黒人の胸中で燃えさかる熱い情念や幻想が理解できないし、インド人には、ヨーロッパ人を世界の果てから果てまで駆り立ててやまない欲求が理解できない。感情過多なくらいに優しくなれない未開人には、それだけいっそう分別があって落ち着いた優しさがある。これに対して、好意の炎が明るい火花を周囲に撒きちらすところでは、優しさもまたすぐに燃え尽き、これらの火花の中で消え去ってしまう。要するに、人間の感情はあらゆる形を獲得したが、それはみなこの地球上での多種多様な風土や状態、および人間の有機組織においてのみ生じたものなのだ。しかし、どこにおいても生の幸福は、人心を攪乱(かくらん)する多量の感受や観念の中に存在するのではなく、こうした感受や観念と、存在およびそれに算入されるものを真に内面から享受するわれわれ自身との比例関係の中にある。地球上のどこにあっても幸福のバラは棘なしには開花しない。しかしこれらの棘から生れるものは、どこであっても、どのような形姿であっても、人間の生という束の間であるが美しいバラなのだ。

私が間違っていなければ、各人の胸中がその真実味を感じとるこれらの単純な前提に従って、何本かの線が、それも少なくとも人類の使命についての多くの矛盾や思い違いを断ち切ってくれる線が示されうる。その矛盾や思い違いとは、たとえば、われわれがこの地球で知っている人間は、その魂の諸力を無限に成長させるために、またその感受と活動を絶えず拡大させるために作られているというものであり、そして、こうした人間が人類の目的としての国家のために、また人類のすべての世代が、そもそもただ最後に来る世代のためにだけ、しかも先行するすべての世代の幸福が崩壊してできた足場の上に君臨する世代のためにだけ作られている、(81)というものである。このようなことを言ったところで、それに何の意味があろうか？　地球上にいる同胞を注視し、さらには個々の人間生活をよく知りさえするだけでも、創造する摂理の構想に誤って帰せられる前述の文言を否定するには十分だ。観念や感情が無限に成長して肥大するようには人間の頭脳も心も形成されていないし、手もそのようには作られておらず、ましてや生もそのように見込まれてはいない。人間の魂の最も素晴らしい諸力は、開花したのであれば凋落しないだろうか？　しかもそれらの諸力自身も、時代や状況とともに相互のあいだで変化したり、友好的な反目、あるいはむしろ循環する輪舞の中で相互に入れ替わったりしないだろうか？　そしてまた次のことを経験しなかった者がいるだろうか？　すなわち、自分の感情を無限に拡大したがために愛の手綱であるべきものを、引き裂かれた綿屑として風に委ね、その燃えかすの灰で他人の目をくらますに至り、それによってたんに自分の感情が弱められ破壊されたにすぎなかったことを。

人間は自分自身以上に他人を愛せないし、自分自身を愛するのとは異なった方法で他人を愛することもできない。なぜなら、人間は他人を自分自身の部分としてしか愛さないし、場合によっては他人の中にも自分自身しか愛さないからだ。それゆえ、言うまでもなく幸福な魂とは、人間以上の高い精神のように自らの活動力によって多くのものを包括し、それを不断の有益な活動において自分自身の一部に数え入れる魂である。しかしこれとは異なり、自分の感情が言葉の中に塞き止められ、他人はおろか自分にも役立たない魂は悲惨である。自分の妻子を落ち着いた喜びでもって愛し、自分の生活のためと同じように、自分の部族のために限られた活動力をもって情熱を捧げる未開人は、思うに、あの教養はあるが影の如き人物、すなわち人類全体の影ともいうべきたった一つの名辞に愛情を燃やす人物よりもずっと真の存在者なのだ。この未開人は自分のみすぼらしい小屋の中に、あらゆる他所者のための場所を持っており、そこでは他所者をいつもと変わらない温厚さでもって自分の同胞として受け入れ、その者に、どこから来たのか？　などと尋ねもしない。だが無為な世界市民(82)の塞き止められた心は、誰をも受け入れる小屋さえ持たない。

わが同胞たちよ、とにかく自然は自分にできることをすべて行ったということ、それも人間を拡大させるためにではなく、制限し、まさに自らの生の輪郭に慣れさせるために行ったということが見えないだろうか？　人間の感覚や諸力には限度がある。季節の女神ホーレンたちが代わる代わる手を差し伸べるのは、来る者が去る者と交替するためだけである。したがって、大人である老人が今なお自分が青年だと夢想するならば、それは妄想なのだ。ましてや魂の貪欲さが情欲に対してさえ好意的であったのに、それが一瞬にして嫌悪感に変わるとしても、その貪欲さは楽園の快感なのか、あるいはむしろタンタロス[83]の地獄なのか、無意味に苦しめられるダナイスたち[84]の永遠の水汲みなのか？おお、人間よ、汝がこの地上において唯一できることは、節度を守ることだ。汝が天の子である人間として渇望する喜びは、汝の周囲と汝の中にあっては分別と落ち着いた享受の娘であり、生死にあっては汝の存在に対する充足と満足との妹なのだ。

さらに理解しがたいのは、なぜ人間は国家のために、それも国家の制度から人間の最初の真の幸福が必然的に芽生えるべく作られていなければならないのかということだ。実際また地球上の多数の民族は国家について何も知らないが、それでも彼らは国家のために礫となって殉じた多くの者に比べれば、ずっと幸福なのだ。私としては、社会のこの人為的な制度に必然的に伴う利害について論究するつもりはまったくない。というのも、あらためて言うまでもなく、どの技術も道具にすぎず、またどんなに精巧な道具でも、きわめて入念かつ慎重に使用することが必ず要求されるからだ。したがって国家が大きくなるにつれ、またそれを構成する技術が精緻になるにつれ、個々の不幸な人間を創り出す危険も必然的に限りなく増大することは明らかだ[85]。大きな国家では一人が贅沢三昧に暮らすために、何百人もが飢えねばならない。王位についた一人の愚者か賢者が自分の空想を実行に移すために何万人もが抑圧され、死に追い込まれる。どの国家学者も言っているように、よく整った国家は、どれもたった一人の考えが支配する機械たらざるをえない。とすれば、この機械の中で、思考しない一員として協力することほど大きな幸福を保証してくれることがあろうか。あるいはむしろ、立派な良心や感情に逆ってまでも、生涯にわたってこの機械の中でイクシオンの車輪(86)に縛りつけられることほど大きな幸福を保証してくれることがあろうか？　ちなみにこの車輪は、自分で自分のことを決める自由な魂の最後の活動までをも、まるで自分の愛児のように窒息させ、無感覚な機械の中に自分の幸福を見出すよりほかに、この悲しくも永劫の罰を受けた者には何の慰めも与えない。――おお、われわれが人間であるならば、摂理が人類の普遍的な目的を、こうした方向に置かなかったことを感謝しようではないか。地球の何百万という人間は、国家を持たずに暮らしている。それゆえ、各自がどのような人為的な国家にあっても幸福でありたいと思うならば、まさに未開人が出発点とした次のこと、すなわち、自分の健康と諸力、家庭および心の幸福を、国家からではなく、自分自身で獲得し維持するところから始めなければならないのではないだろうか。父と母、夫と妻、子どもと兄弟姉妹、友人と仲間――これが自然の関係であり、これによってわれわれは幸福になる。国家が与えうるものは人為的な道具である。しかも残念なことに、国家はわれわれからたとえばもっと本質的なもの、つまりわれわれ自身を奪いかねない。

こうして摂理は、大きな社会の人為的な究極目的よりも、個々の人間の身近な幸福をまだしも良しとし、あの国家という高価な機械にはできるだけ時間をかけないようにすることで慈悲深い思慮を示した。摂理はまた諸民族を見事に分配したが、それは森林や山地、海洋や砂漠、河川や風土によってだけでなく、とりわけ言語、性向、性格によっても行われた。その目的は、抑圧的な専制政治の活動を困難なものにするためと、すべての大陸を一頭の木馬[87]の腹に押し込めないようにするためであった。全世界の住民を、自分とその一族のために、一つの囲いの中に追い込むことにこれまで成功したニムロド[88]はいない。そして結束したヨーロッパの何百年来の目的が、すべての地球民族に幸福を押し売りする専制君主たることであるにせよ、幸福の女神はその目的からほど遠いところにいる。もし、創造する母がその子である人類の真にして唯一の使命、すなわち幸福であるという使命を、若干の後世の者たちの人為になる車輪に託して、これらの者たちの手から地球創造の目的の実現を期待したとすれば、その母は微力で愚かであったということになろう。汝らすべての大陸の人間よ、永劫このかた専制政治の犠牲となった者たちよ、汝らは自分たちの子孫が、この世の終わりにヨーロッパ文化によって幸福になるためにだけ生きてきたのでもなければ、たとえば汝らの灰だけで地球に肥料を与えてきたのでもない。前述のような高慢な思想は、自然の尊厳を冒瀆するものでなくて何であろうか?

幸福というものが地球上で得られるものであるとすれば、それは個々人が感じとる存在物の中にある。それどころか幸福は、この存在物の中にその本性を通じて存在せざるをえず、またその存在物を助ける技術も、この存在物の中で幸福を享受するためにその存在物の本性とならざるをえない。この点で今やどの人間も、自分の幸福の尺度を自分の中に持っている(89)。どの人間も、自分が幸福に向けて作られてきた形を身に備えており、その形の純粋な輪郭において、ひとり幸福になれるのだ。そのためにこそ自然は地球上で人間のすべての形を出し尽くしたのだ。しかし、それはまるで自然が、それぞれの形のために、その場所と時代において、死すべき定めの人間の生涯のすべてを享受できると思い込んでいるかのようでもあった。

＊118 パジェスによる『世界一周旅行』一七頁、一八頁、二六頁、五二頁、五四頁、一四〇頁、一四一頁、一五六頁、一六七頁、一八八頁など。

第九巻

一　人間はとかくすべてを自分自身から産み出すと思い込んでいるが、自己の能力の発展においては他のものに左右されるところがきわめて大きい

人間の理性を感覚や器官から独立させ、人間本来の純粋な能力として称揚したのは哲学者だけではない。感覚を重視する人間もまた、自己の生における夢想の中で、自分が今在るものになったのはすべて自分自身によるものと思い込んでいる。感覚を重視する人間に著しく見られるこうした思い込みは、たしかに納得できるものであるが、それは

この人間に創造主が与えた自己活動という感情が、この人間を行動へと駆り立て、それを自分で完結させたという最も快い報酬をもって報いてくれるからだ。この人間の幼年時代は忘れられているが、幼年時代のみならず今もなお日々受け入れている種々の萌芽は、彼の魂の中でまどろんでいる。そのため彼は萌え出た幹だけを目にして、これを享受し、その生き生きとした生長と、実をつけた枝を見てうれしく思う。これに比べると、人間生活の発生と範囲を経験において知り、そればかりか人類形成の連鎖全体をも歴史において追跡できるような哲学者は、万事が彼に自らの従属関係を想起させる時点で、自分ひとりで万事充足していると感じるその観念的な世界から意外に早く脱して、われわれの現実的な世界に立ち戻るにちがいないと思われる。

人間はその自然な誕生から見れば、自分自身で生れるものでないのと同じように、その精神諸力の使用においても、自分だけで生れたものではない。人間の内的素質の萌芽は、身体という形成物と同じようにその発生時に遡るだけでなく、この萌芽のあらゆる発展も運命に左右される。というのも、運命は人間をあちらこちらに植えつけ、時代や年齢に応じて形成の補助手段を身のまわりに置いたからである。すでに目は見ることを、耳は聞くことを学ばねばならなかった。他方また人間の思考の最も重要な手段である言語が、いかに技巧の粋(すい)を凝らして獲得されるかということも誰にも隠しておく必要はない。明らかに自然は、人間という機構全体をもその年齢の特性や持続期間も含めて、この未知の助けである言語に向けて整えた。子どもの脳髄は柔らかで、まだ頭蓋に付着しているが、徐々に線条体を形作り、年齢とともにようやく固まる。そしてついには次第に硬くなって、新たな印象をもはや受け入れなくなる[1]。子どもの四肢や本能についてもこれと同じことが言える。四肢は柔らかで模倣に向けて整えられ、本能は子どもが見たり聞いたりするものを驚くほど強い集中力と内面の生命力でもって受け入れる。このように、人間は精巧な機械なのだ[2]。これにはなるほど発生時に遡る素質と充溢した生が賦与されているが、この機械は自分自身の力で動くわけではない。すなわちどれほど有能な人間でも、この機械をどのようにして動かすかを学ばねばならない。理性とは、われわれの魂による観察と訓練の集合体であり、人類の教育の総体である[3]。しかもこの教育は、教育を受ける者が、与えられた未知の手本に従って、最終的には未知の技術者として自ら完成させるものなのだ。

すなわち、この点にこそ人類史のための原理があり、これ無しに人類史は存在しないだろう。人間がすべてを自分自身から受け取り、それを外界の事物から切り離して発展させるならば、たしかに一人の人間の歴史は存在しえようが、人間たちの歴史、つまり人類全体の歴史は存在しえないだろう。なぜなら、ほとんど本能を持たずに生れてきた人間は、もっぱら生涯にわたる訓練を通じて人間へと形成されるからである。そしてまた人類の有する素質、それも完全性へ向かう素質のみならず、堕落へ向かう素質[4]もこうした事情に起因している。人間に固有の性格は、まさにこうした点にある。それによってまさに人類史も必然的に一つの全体となるが、これは最初の環から最後の環に至るまで、社会性[5]および形成する伝承からなる一つの連鎖にほかならない。

人類の教育[6]というものが存在するのはこうした理由による。つまり人間は教育によってのみ人間となり、人類全体も個々の人間からなるこの連鎖の中にしか生きていない。もちろん誰かが、個々の人間ではなく、人類が教育されると言うようであれば、それは私にとっては理解しがたいことだろう。というのも、属とか類というもの[7]は、それが個々の被造物の中に存在しないかぎりは一般的な概念にすぎないからだ。そこで私がこの一般的な概念に、フマニテート、文化、最高度の啓蒙といった理想的な概念の許容するあらゆる完全性を与えるとしても、それは私が動物性、石性、金属性[8]について一般的に語り、どれほど立派でも個々の存在物にあって互いに矛盾する属性でこれらを飾り立てるのとまったく同じようなことを人類史に対しても行うにすぎないだろう。こうした**アヴェロエス風の**哲学によれば、人類全体はたった一つの、きわめて低劣な魂しか所有せず、しかも個々の人間にはその魂が部分的にしか分かち与えられないのだから、このような哲学の道をわれわれの歴史の哲学は歩んではならない[9]。しかしまたこれとは反対に、私が人間においてすべてを個人に限定し、その関係の連鎖を相互においてのみならず、全体においても否定したならば、人間の本性とその明白な歴史は、その返す刀で私に反抗するだろう。なぜなら、われわれの誰ひとりとして自分自身だけで人間になったのではないからだ。人間におけるフマニテートの形成物全体は、精神上の発生である教育を通じて、両親、教師、友人、生涯のあらゆる状況、すなわち民族と祖先、それればかりか最終的には人類の連鎖全体と関連している。しかも人類という連鎖は、そのどこかの環において、人間の魂に備わる諸力のどれか一つには触れているであろう。こうして民族は家族となり、家族は祖先にまで遡る。歴史の流れは次第に狭まってその源泉に至る。そして地球という居住地全体が最後にわれわれの家族の学校へと姿を変える。ちなみにこの学校は、多くの部門、学級、理科室や工作室などを持っているが、授業は一つの原型[10]だけに従い、しかもこの原型は世代ごとに多種多様な補足と変更を加えながらも太祖から受け継がれてきた。そこでわれわれも、一人の教師がその限られた知性に従って理由もなく生徒のクラス分けを行ったのではないと信じよう。そしてまたわれわれが、人類も地球上のいたるところで、しかも時代と住居の要求に応じて、技術に基づいた一種の教育を受けているということを知るならば、地球の構造とそれに対する人間の関係を考察する知性を有する者は、次のように推察しないだろうか？　つまり、諸民族がどれだけの期間、ならびにどれだけの範囲で居住すべきかを定めた人類の父は、これをまた人類の教師としての立場からも定めたのではなかったか？　と。船を観察する者は、その船に船大工の意図が見られることを否定するだろうか？　とすれば、われわれの本性によって人為的に形成されたものを、居住可能な土地のそれぞれの風土と比較する者は、こう考えざるをえないのではないだろうか？　すなわち、精神上の教育という意図においても、多種多様な人間を取り巻く風土上の差異こそが地球創造の目的ではなかったか？　と。しかし居住地だけがすべてを決定するのではない。われわれに類似した生きもの(11)も、われわれを教育し、熟練させ、形成するためには不可欠なのだ。思うに、人類の教育と人類史の哲学が存在するということは、人類だけが、それも各個人が共同で活動するものとしての人類だけが、われわれを人間にしたということとまったく同じくらい確実なことなのだ。

これで即座に人類史の哲学の原理も、人間の自然史の場合と同じように明白で簡潔で見間違えようのないものとなる。その原理とは、**伝承と有機的諸力**である(12)。あらゆる教育はもっぱら模倣と訓練によって、すなわち手本から模写への移行によって行われる。とすれば、われわれはこれに伝承という名称にまさるものを与えることができようか？

しかし模倣者は伝達されたものと伝達されうるものを受け入れる諸力のみならず、それを自分が生きる糧としている食物のように自分の本性に変える諸力を持っていなければならない。彼が誰から何をどれほど受け入れ、どのようにして自分のものとし、利用し、適用するかは、受け入れる側の諸力によって決定されうる。したがって人類の教育は、二重の意味で発生時に遡るものであるとともに、有機組織に即したものとなる。(13)つまり伝達を通じて発生時に遡るものとなり、伝達されたものを受け入れ適用することによって有機組織に即したものとなる。人間の生涯全体にわたる教育というこの第二の発生を、農地の耕作に比して**文化**と呼ぼうが、あるいは光のイメージから**啓蒙**と呼ぼうが、名称は自由に考えればよい。(14)いずれにしても文化と啓蒙の連鎖は地球の果てにまで達しており、カリフォルニア人もフエゴ島の住民も弓矢を作り、それを使用することを学んだ。彼らが身につけている言語、観念、熟練、技術は、われわれがそれらを習得するのと同じように彼らが習得したものである。そのかぎりにおいて彼らは、たときわめて低い程度においてであれ現実に文化を手にして啓蒙されているのだ。それゆえ、啓蒙された民族と啓蒙されていない民族との相違、あるいは文化を持つ民族と文化を持たない民族との相違は、人間の種類に固有のものではなく程度の差にすぎない。この点で諸民族の絵図は無限の差異を示しており、それらは場所や時代とともに変化する。したがってあらゆる絵画の場合と同じように、この絵図においても重要となるのは、それぞれの形姿を観察する際の立脚点である。たとえば、ヨーロッパの文化を理解の根底に据えるならば、このような形で理解される文化は、もちろんヨーロッパにしか見出されない。それに文化と啓蒙のどちらも正しいものであり、どちらか一方が欠けても存在しえないものである以上、われわれが文化と啓蒙とをなおも恣意的に区別するならば、どちらも現実からますます遠ざかって雲の国へと入ることになる。しかしわれわれが地球上にとどまり、きわめて広い範囲で次のものを、すなわち、自らの創造物の目的と性格を最もよく知っていたにちがいない自然が、人間の形成として自らわれわれの眼前に置くものを注視するならば、それは、**人間の幸福と生活様式の何らかの形に向けて行われる教育の伝承**にほかならない。この伝承は人類と同じようにどこにでも存在するものであり、それどころか未開人のもとにあっても、ただ範囲が狭いだけで、きわめて活発であることも稀ではない。人間は人間の中にいるかぎり、このさまざまな形を作る文化から逃れられない。伝承が人間に歩み寄り、人間の頭脳を形作り、四肢を形成する。伝承の在りように従って**人間は人間となり**、四肢の形成されうる状況に従って人間の形姿は作られる。有名な実例の大部分が証明しているように[15]、動物の仲間に陥った子どもたちでさえ、その子たちが以前にしばらくのあいだ人間のもとで暮らしたことがあれば、すぐにも人間の文化を自分のものとした。これに対して、誕生の最初の瞬間から雌オオカミの手に委ねられた子どもは、地球上で文化を持たない唯一の人間ということになろう。

人類史全体を通じて実証されるこの確固たる視点から、どのような結論が導き出されるのか？　**第一に、**それは人間の生のみならず、ここでの考察にも勇気と慰めを与えてくれる次の原則である。すなわち、人類は自分自身によって生れたのではなく、それどころか、その本性の中にはいくら感嘆しても称賛しても足りないいくらいの素質が認められることからすれば、こうした素質の形成もまた創造主が父としての賢明このうえない善意を示す手段によって規定しているにちがいない、という原則である。いったい人間の目は徒(いたずら)にかくも素晴らしいものとして作られたのか？　この目はただちに自分の前に黄金の光線を見出さないだろうか？　それも、目が光線のために創られているのと同じように、目のために創られ、自己の素質の賢明さを完成に導く光線を。これと同じことがすべての感覚、すべての器官についても言える。これらのものは自らを完成させるための手段としての媒体を発見するが、それはまたこれらの感覚や器官が、この媒体に向けて創られたからである。人類の特性、ならびにその幸福の種類と程度は、人間の精神に関わる感覚や器官の使用に依拠しているが、これらの感覚や器官についても事情は同じではないだろうか？　いったいこの点で創造主が自分の意図を、それも人間の諸力の使用に依存しながらも自然全体の意図を実現しそこなったことがあろうか？　断じてありえない！　これについてのどのような妄想も人間に責任があるはずだ。というのも、その場合われわれは創造主に偽りの目的をなすりつけているか、あるいは人間に関するかぎり創造主の意図を蔑ろにしているからだ。しかし蔑ろにするといっても限度がなければならないし、この全知なる者の構想も、彼の思想の産物である人間によって狂わされることはありえない。だからわれわれとしても次のこと、すなわち、神が地球上で人類について意図するものは、人類のきわめて混乱した歴史にあっても永遠に見間違えようのないものであることを確信しようではないか。神のすべての作品に見られる特色とは、これらの作品のどれもが、一つの見渡しがたい全体に属しながらも、それぞれがそれ自体で一つの全体であるとともに、自己の使命に賦与された神的な性格を自らのうちに備えているということなのだ。植物や動物についても事情は同じである。とすれば、人間とその使命について、これと違うということがあろうか？　たとえば何千もの人間が、たった一人の人間のために、また過去のすべての世代が最後の世代のために、そしてあげくの果てには、すべての個人がただその類という一つの抽象的な名辞の比喩的表現のために作り出されたのだろうか？　全知なる者は、このように振舞いもしなければ、抽象的で影のような夢想をでっちあげることもない。この全知なる者は、自分のそれぞれの子どもの中で自分を愛し、自らを感じとる。しかもこの全知なる者は、それを父親としての感情をもって、あたかも人間という被造物が彼の世界の唯一のものであるかのように行う。彼の手段はすべて目的であり、目的はすべてずっと大きな目的のための手段なのだ。[16] そしてこの大きな目的の中でこそ、無限なる者は、すべてを充溢させながら顕現する。したがって、それぞれの人間が今あるもの、またありうるものが、人類の目的でなければならない。それは何か？　今いる場所での、今の段階でのフマニテートと幸福であり、人類全体に及ぶ形成の連鎖にほかならないこの環なのだ。おお、人間よ、汝がどこで生れ、また何者であっても、汝は今いるところで、あるべき者となっているのだ。この連鎖から離れようとも、またそれを越えようともせず、この連鎖にしっかりと自分を結びつけておくがよい。この連鎖とのつながりの中でのみ、すなわち汝が受け取り、また与えるもの両方の中で活動する存在に**なる**ところにのみ、汝にとっての生と平安があるのだ。

第二。神が人間を助手に採用し、地上での人間の形成を人間自身およびその同類に委ねたことは人間の自負心をすこぶる満足させるが、しかしまさに神の選んだ形成というこの手段こそが、地上における人間という存在の不完全性を明らかにしている。というのも、元来われわれはまだ人間で**ある**わけではなく、日ごとに人間に**なる**ものだからだ。

自分自身の中から生れたものを何一つ持たず、すべてを手本と教育と訓練によって獲得し、それによって蠟のようにどんな形態にもなるとは、何と哀れな被造物だろうか！人間よ、汝が自分の理性を誇りに思うならば、広大な地球上における同胞たちの活動の場に目を向けるか、あるいは、喧騒と不協和音に満ちた彼らの歴史の語るところに耳を傾けるがよい。そこでは何と非人間的な所業が行われうることか。しかもこうした所業に慣らされたのは、一人の人間や一つの民族ではなく、いくつもの民族であったことも稀ではない。実際ついには彼らの多くが、場合によってはその大部分が仲間の肉を喰らったのだ。たとえこれがどれほど馬鹿げた妄想であっても、代々受け継がれる伝承が、あちらこちらで現実に神聖化しなかったような妄想など考えられようか？　このように、現実の人間ほど低次の理性的な被造物はいない。なぜなら、人間は生涯にわたって理性においては子どもであるのみならず、他人の理性の教え子でさえあるからだ。人間は誰の手に落ちようと、それに従って形成される。だから民族、あるいはその民族の個人が存在しない形で、あるいは存在しなかった形で実在しうるような人間の習俗があるとは私には思われない。すべての悪行と残虐行為が歴史の中で行い尽くされて初めて、あちらこちらで人間らしい思想や美徳の気高い形が姿を現す。創造主の選んだ手段、すなわち、われわれ人類は人類自身によってのみ形成されるという手段に従えば、こうする以外には考えられなかった。賢明さという乏しい財宝と同じように、愚行もまた受け継がれざるをえなかったのだ。人間の歩む道は迷路と同じものとなった。あらゆるところに間違った道があるため、最も奥にある目的地にまで辿りつくのは、ごく僅かな足跡だけだ。死すべき運命にありながら、そこに向かったか、あるいは到達した人間は幸福である。というのも、同胞の美しいフマニテートに作用を及ぼし続けたのは、人間の思想と性向と願望、あるいはまた人間という目立たない実例から発せられる光だけなのだから。神が地球上で活動するのは、選ばれた偉大な人間を通じてのみである(17)。宗教と言語、芸術と学問、そればかりか統治形態でさえも、人間の魂における道徳上のさらなる形成というこの月桂樹の冠より美しい冠で飾られることは適(かな)わない。人間の肉体は墓の中で朽ち果て、名声の姿もたちまち地上の影になる。ただ神の声の中に、すなわち、形成する伝承の中に包摂されることによってのみ、人間もまた無名の活動を通じてではあれ、同胞の魂の中で作用を及ぼしながら生き続けることができる。

第三。それゆえ、伝承の連鎖をどこまでも辿る歴史の哲学こそが、本来は真の人間史であって、これが無くては、世界のあらゆる外面上の出来事も幻影にすぎないか、あるいは、われわれを威嚇する歪んだものにしかならない。地球の諸変革の中に、残骸に次ぐ残骸、終わりのない永遠の開始、持続する意図を伴わない運命の変転しか見られないとしたら、それは何と恐ろしい光景だろうか！　形成の連鎖のみが、これらの残骸から一つの全体を形作る。[18]その中では、なるほど人間の形姿は消え去るが、しかし人間の精神は滅びることなく活動しながら生き続ける。文化の歴史において人類のゲーニウスとして、また時代の闇に輝く星として微光を発するいくつもの栄えある名よ！　永劫に及ぶ時の経過が汝らの少なからぬ建造物を崩壊させ、多くの黄金を忘却の泥沼に沈めても、そのままにさせておくがよい。それでも人間生活における汝らの労苦は無駄ではなかった。なぜなら、摂理は汝らの仕事から救おうと思ったものを、他の形姿の中で救ったからである。そうでもしないと地球上における人間の記念碑は、完全かつ永遠に存続しえないのだ。ただ、こうした記念碑は、世代の流れの中で、もっぱら時代の手によって時代のために建立されたため、それが後世の新たな努力を不必要なものとしたり妨げたりすると、たちまち後世にとって有害なものとなる。それゆえまた、人間によるあらゆる活動の変わりやすい形姿と不完全さも、創造主の計画の中に織りこみ済みだった。愚かさも、叡智によって克服されるために現れざるをえなかった。どれほど立派な作品でも、それを構成する物質と不可分である以上は、崩壊するような脆弱さを有しているが、それはこうした作品の残骸の上に、人間の手で改良し構築する新たな努力が生れるようにするためなのだ。事実、われわれはみな現世では訓練という作業場にいるのだから。どの個人もこの世を去らねばならない。それから後世の人々がその個人の作品について何を企てようとも、その個人にとってはどうでもよいことかもしれない。しかし後に続く世代がその個人の作品を、死んだように退屈な態度で崇拝し、あるいは自分独自のものを何一つ企てようとしないならば、その亡くなった個人の立派な精神にとって、それはきわめて不快なことだろう。その個人は後に続く世代にこうした新たな労苦を与える。なぜなら、その個人が現世から携えていったものは、彼の強められた力、すなわち彼の人間としての訓練から生れた内実豊かな成果だったからである。

形成という黄金の連鎖よ。地球に巻きつき、すべての個物を通じて摂理の玉座に達するものよ。私がこうして汝の姿を認め、汝のきわめて美しい個々の環を、すなわち父母、友人、教師を実感するうちに汝の跡を追いはじめてからというものは、私にとって歴史は、それまで自分が思っていたもの、それも神聖な地球上で繰り広げられる残虐な行為の廃墟ではもはやない。なるほど、そこでは何千もの恥ずべき行為が醜悪な称賛のヴェールで覆われているし、その横にはまた別の何千もの恥ずべき行為が醜態をさらけ出している。しかしそれもみな活動するフマニテートの控え目な真の功績を際立たせるためなのだ。ちなみにこの功績は、われわれの地球上にあってはいつも静かに隠れて歩んだため、摂理が物質から精神を引き出したのと同じように、人間が摂理によって自分の生から引き出された成果を知ることはほとんどなかった。高貴な植物が生長できたのは嵐の中においてのみであったし、人間の甘美な労苦は、誤った思い上がりに対抗する努力によってのみ勝利者にならねばならなかった。それどころかこの労苦は、その純粋な意図のもとで挫折するようにさえ見えることも稀ではなかった。しかしこの労苦は屈しなかった。善いものの灰から生れ出た種子はその後いっそう美しく芽を出し、血液で潤されながら、枯れることのない樹冠に向かって昇っていった。それゆえ変革という機構の活動[19]も、私を迷わせることはもはやない。河川が滞った沼地にならないために大波が必要とされるのと同じように、こうした活動も人類にとっては必要なのだ。フマニテートのゲーニウスはそのさまざまな形態の中でつねに若返りながら開花し、さまざまな民族、世代、氏族の中で若返りを繰り返しながら先へと進む。

二　人間形成の特別の手段は言語である(20)

人間はもちろん、サルにあってさえ模倣という固有の本能が見られる。ただこの本能は理性に基づく熟考の結果ではなく、有機組織に基づく共感の直接の産物であるように思われる。一本の弦が他の弦と共鳴するのと同じように、またすべての物体もその密度と同質性が純粋なものになるにつれて振動能力が増加するのと同じように、あらゆる有機組織の中で最も精緻な人間の有機組織も、その大部分は必然的に他のあらゆる存在物の響きを反響させて、これを自らの中で感じとるように定められている。種々の病気の歴史が明らかにしているように、情念や身体の傷のみならず、狂気ですら共感という形で蔓延することもあった。

それゆえ同じ調子を持った存在同士のこうした共鳴の作用は、子どもにおいて顕著に見られる。それどころかまた、そのためにこそ長年にわたって子どもの身体は、容易に他の響きを反響させる弦楽器たるべく定められているのだろう。さまざまな行動や身振り、それに情念や観念までもが子どもの中に気づかないまま移ってゆき、その結果として、子どもはまだ実行できないことにも少なくとも調子を合わせられ、そして精神の有する同化という一種の本能に、それと知らずに従う。自然の子である未開の民族においても事情はまったく変わらない。生来のパントマイム役者である彼らは、自分に語られるものや自ら表現したいものすべてを生き生きと模倣し、それによって彼ら固有の思考様式を舞踊や遊戯や冗談や会話において示す。すなわち、模倣を通じて彼らの空想はこれらの形に達したのだ。こうした種類の典型の中に彼らの記憶と言語の財宝が蓄えられており、それだからまた彼らの思想もいたって簡単に行動や生きた伝承へと姿を変える。

しかしこれらすべての物真似をもってしても、人間はその類としての特徴を示す技術、すなわち理性には到達しなかっただろう。人間が理性を獲得するには言語によるしかない。そこで言語の人間への組み入れというこの神々しい奇蹟のもとにしばらくとどまることにしよう。おそらくこれは生きものの創造を別にすれば、地球創造の最大の奇蹟なのだから。

もし誰かがわれわれに次の難題、すなわち視覚のとらえた像、および互いにきわめて異なる感覚が感受したものを音として理解せよという難題と、それらのものが観念を表現しまた呼び起こせるように、そこに内在する力によってこれらの音に伝達せよという難題を提示したとしよう。そうした場合われわれは、この問題を狂人の思いつき、それもまったく似ても似つかないものを相互に置き換えて、色彩を音に、音を観念に、(21)観念を描写のための響きにしてしまおうとする狂人の思いつきと見なすだろう。だが神性はこの問題を自らの活動によって解決した。人間の口から出る息吹は世界の絵図となり、われわれの観念と感情の類型は他者の魂の中に入っていく。そもそも人間が地球上で人間として考え、欲し、行ったことや、行うであろうことは、すべてこの動かされた僅かな空気に左右される。実際もしこの神々しい息吹が人間に吹きつけられず、また魔法の音のように人間の唇に漂い上らなかったとしたら、人間はみな今なお動物のように森の中を走りまわっていることだろう。それゆえ人類史の全体とは、人類の文化と伝承のあらゆる財宝とともに、神性による難題のこうした解決の結果にほかならない。ただ、人間にとってこの難題をいっそう特別なものにしているのは、それが解決された後になってさえ、言語能力は日常的に使用されているにもかかわらず、そのための器官の関連がまったく理解されていないという理由による。聴覚と言語は関連している。実際また被造物の性質が変わると、それらの器官は明らかに相互に変化する。またわれわれには身体全体がこうした共鳴に向けて整えられてきたことが分かっている。しかしこの共同作用の内面の特性が把握できないのだ。あらゆる情念、とりわけ苦痛と喜びが音になること。人間の耳が聞くものは舌をも動かすこと。形象や感受は精神に関わる徴表でありうること。これらの徴表は意味を有する言語、それどころか心を動かす言語でありうること。――こうしたすべてのことは、人間という被造物のかくも多くの素質の協和であり、いわばこの被造物の自らの意志による結びつきであると同時に、人間の身体と魂を組み合わせた創造主が、それに劣らず素晴らしい形で自らの創造物のきわめて多種多様な感覚と本能のあいだに、そして諸力と四肢のあいだに築こうとした結びつきなのだ。(22)

活動する空気の息吹が、人間の思考や感受の唯一にして少なくとも最上の手段でなければならないとは、何と特別なことか！　人間の魂の行動は、この息吹とはまったく似ても似つかないものだが、もしそれらの行動がこの息吹と、われわれの理解を超えた形で結びついていなければ、それらの行動は生じなかったろうし、人間の頭脳という精緻な調合物も無駄なままだったろう。そしてまた動物の仲間に陥った人間の実例が示すように、人間という存在の素質全体も未完のままだったろう。耳の聞こえない状態、あるいは口のきけない状態で生れてきた人間は、身振りや他の観念記号の存在する世界に何年間も暮らしていたにもかかわらず、やはり子ども、あるいは人間に近い動物のようにしか振舞わなかった。彼らは理解できずとも、目にしたものからの類推に従って行動したが、どれほど豊かな視覚をもってしても、本来の理性結合能力を身につけることができなかった。どの民族も観念を持っていれば、必ずそれに対応する言葉を持っている。しかし、たとえどれほど生き生きとした直観であっても、魂が徴表を見つけ、それを言葉によって記憶や回想や知恵に、それどころか最後には人間の知恵である伝承と一体化させないかぎり、その直観は蒙昧な感情のままである。言語を伴わない純粋理性は、地球上ではユートピアにすぎない。心の情念や社会のあらゆる性向についても事情は同じだ。言語だけが人間を人間たらしめた。すなわち、言語は人間の情念のすさまじい流れをせき止め、理性にふさわしい記念碑を、言葉によってこの流れに設けた。アンフィオンの竪琴(たてごと)(23)が都市を建設したのでもなければ、魔法の杖が砂漠を庭園に変えたのでもない。人間の偉大な伴侶たる言語がこれらのことを行ったのだ。言語によって人間は互いを歓迎しながら一体となり、愛の同盟を結んだ。言語は掟を定め、さまざまな種族を結びつけた。言語によってのみ人類の歴史は、心と魂が後世に受け継がれてゆく形において可能となった。今もなお私はホメロスの英雄たちを目にするし、オシアンの嘆きを感じとる。もちろんこれらの英雄や吟唱詩人の影はとっくに地上から消え去っている。しかし彼らの口から動かされ出た息吹は、彼らを不死のものとし、彼らの形姿を私の眼前に運んでくるのだ。死者の声は私の耳の中にあり、私にはこれらの者たちのとうの昔に黙してしまった思いが聞こえてくる。かつて人間の精神が考え出したことや、昔の賢人が思索したことは、摂理が私に許してくれさえすれば、もっぱら言語を通じて私のもとに届く。思考する私の魂は、同じく思考する最初の、そしておそらくまた最後の人間の魂と、言語によって結びついている。要するに、言語は人間の理性を最も特徴づけるものであり、これによってのみ理性は形態を獲得し、自己を伝達する。

しかし、少しでも詳しく見れば、人間を形成するこの言語という手段は、理性の道具としてだけでなく、人間と人間を結ぶ絆としても、いかに不完全なものであるかが明らかになる。それゆえ、創造主が人類を相互に結びつけようとしたのにしては、言語ほど実体のない軽少で失われやすい織物はほとんど考えられない。慈悲深い父よ、いったい汝はこのような言語を用いなければ、人間の観念を算出し、また人間の精神と心を、これほど緊密に結びつけることができなかったのだろうか?

1　言語が表現するのは、事物ではなく名称だけである。それゆえまた、いかなる人間理性も事物を認識するのではなく、事物の徴表を有しているにすぎず、それを言葉でもって表示する。言語のみならず、理性の自尊心をも傷つけるこの見解は、われわれの知性の歴史全体を狭く限定し、これにまったく実体のない形姿を与える。われわれの形而上学がなべて形而上学であるゆえんは、それが経験に基づく観察を蔑ろにして、抽象的に分類された名称索引となっているからだ。分類および索引としてならば、この学問は非常に有用なものでありうるし、ある程度は他のすべての学問においても、取ってつけたような理解を導くにちがいない。しかしそれ自身として、事物の本性に従って見るならば、この形而上学という学問は、完全で実体のある概念はおろか、本来の真理もまったく与えてくれない。われわれの学問は、どれもたんに抽象された外面の徴表を細かく数え上げるだけで、たった一つの物でも、その実在の内面に触れることがない。なぜなら、物の内面を知覚し表現するための器官を、われわれは何一つ持っていないからだ。われわれは力というものをその実在において知ることはないし、また知るようになることも決してありえない。なるほど、われわれに生命を与え、自らの中で思考する力を、われわれは享受し、感じとっているが、しかしその力についてはまったく知らない。それゆえ、われわれは原因と結果のあいだにある連関を何一つ理解していない。というのも、われわれは、作用を及ぼすものも、作用を受けるものも、その内面において見ることがないため、物が存在するということについて何も分かっていないからだ。このように、われわれの貧弱な理性は、いくつかの言語においてはその名称が示しているように、表示して計算するもの(24)にすぎない。

2　しかしこの理性は、何でもって計算するのか？　たとえば自ら抽出した徴表それ自体をもって、であろうか？　たとえこれらの徴表が、どれほど不完全で本質的でないものであっても、であろうか？　まったく違う！　実際これらの徴表は、自分とはまったく無関係な任意の音声に再びまとめられ、それらの音声でもって人間の魂は思考する。すなわち人間の理性は、計算練習用の模造貨幣にすぎない空虚な響きや数字を計算するものなのだ。地球上の言語を二つだけでも知っている者であれば、言語と観念とのあいだに、ましてや言語と事物自体とのあいだに、何らかの本質的な関連があるとは誰も思わないだろう。しかも地球上にはそれ以上に何と多くの言語があることか！　だがそれらのどれにおいても理性は計算するだけであり、恣意的な組合せの影絵芝居で満足している。なぜこうなるのか？　それは理性自身が実体のない徴表しか所有していないため、どのような数字で表示しても、けっきょく理性にとっては同じことだからである。それにしてもこれは、人類の歴史に対する何と陰鬱な見方であることか！　誤りや臆見は、どのみち人間の本性にとっては不可避のものだ。というのも、これらはたとえば観察者の誤りだけによるものではなく、人間が観念に到達し、それらを理性と言語によって伝達する経路の出発点それ自体にも起因しているからである。もしわれわれが、抽象的な徴表に代えて事物のことを考えるならば、また恣意的な記号に代えて事物の本性を言い表すならば、さあ、誤りや臆見に別れを告げよう。われわれは真理の国にいるのだから。しかし今はわれわれがたとえこの国に境を接して立っていると思っていても、現実にはこの国から、どれほど離れていることか。なぜなら、私が或る事物について知っていることは、その事物の外的で引きはがされた象徴[25]にすぎず、しかもそれは他の恣意的な象徴に包み込まれているからである。他人は私を理解するのか？　他人は私が言葉と結びつけた観念を、その言葉と結びつけるのか？　それとも何の観念も結びつけないのか？　しかし他人は言葉を数え上げつづけ、場合によっては、それをさらに別の者たちに中味のない胡桃(くるみ)の皮として与える。こうした状況は、あらゆる哲学の学派や宗教に見られた。創始者は自分の語ることについて少なくとも明瞭な理解を持っていたが、それゆえにまだこれは真の理解ではなかった。事実またその弟子や後継者は、創始者の語ったことを自己流に理解した。すなわち、彼らはそれぞれ自分の観念でもって創始者の言葉に生命を与えたために、最後には空虚な響きだけが人間の耳元で音を立てる始末だった。このように、人間の思想を伝達するための唯一の手段である言語には、不完全なものしか存在しない。しかしそれでも人間は自己の形成に関しては、この言語による連鎖に結びつけられている。われわれはこの連鎖から逃れられない。

この点に人類史にとってのいくつかの重要な結果が含まれている。[26]第一。神の選んだこの言語という手段に従って、人類がたんなる思弁、もしくは純粋直観に向けて作られているということはほとんどありえない。なぜなら、思弁も純粋直観も、人間という領域においては、きわめて不完全なものだからだ。人類が純粋直観に向けて作られていない理由は、これがいかなる人間にも事物の内面を見させないがゆえに欺瞞であるか、もしくは、これがいかなる徴表も言葉も許容しないため、少なくとも何一つ伝達しえないままだからである。直観する者は、自分がこの純粋直観という名づけがたい財宝に到達した道へと他人を導くことはほとんどできない。そのため、自分がこれらの直観にどれほど関与しようとも、そこへの到達を他人自身とそのゲーニウスに委ねざるをえない。これによって精神のおびただしい無駄な苦痛と、数え切れない種類の狡猾な欺瞞への門戸が必然的に開かれるのだが、それはすべての民族の歴史が示すとおりである。同様にまた人間は思弁に向けても作られていない。というのも、思弁はその発生と伝達の様子に従えば、直観ほど完全なものでこそないが、ただあまりに早く崇拝者の頭脳を空虚な言葉で満たしてしまうからだ。そればかりかこの両極端、つまり思弁と直観が手を組もうとさえするうえに、形而上学に酔いしれる者が、直観だらけで言葉のない理性を指し示すものだから、おお、哀れな人類よ、汝は冷たい熱と、熱い冷たさのあいだの不条理という空間までをも漂っているのだ。しかし神は言語によって人類をより確実な中庸の道へと導いてくれた。人類の本性の享受、諸力の適用、生の健全な使用のために、要するにフマニテートの形成のために、人類の中に十分に存在するのは、言語を通じてわれわれが獲得する知性の観念のみである。われわれはエーテルと呼ばれる純粋大気を呼吸してはならない。これに向けてはわれわれ人間という機械も作られてはいない。そうではなく、大地の健やかな香気をこそ呼吸しなければならない。

おお、いったい真にして有用な観念の領域でも、人間同士のあいだには、高慢な思弁が妄想しているほどの大きな隔たりがなくてはならないのか？　しかし諸民族の歴史のみならず理性と言語の本性も、私がこう信じることをほとんど許さない。哀れな未開人は僅かな物しか目にせず、それよりなお少ない観念しか結び合わせなかったものの、観念の結合という点では哲学の第一人者と何ら変わることはない。未開人は哲学者たちと同じように言語を持ち、それによって自分の知性と記憶と空想と回想とを幾重にも活用した。これが小さな範囲で行われたか、大きな範囲で行われたかということは問題ではない。むしろ重要なのは、未開人がこれを人間としての方法で行ったということだ。ヨーロッパの哲人であっても、自分だけに固有の魂の力を一つとして挙げることはできない。それどころか諸力とその活用の関係においてさえ、自然は十分なまでに代償を与えてくれている。たとえば多くの未開人にあっては記憶力、想像力、実践的な知恵、すみやかな決断、正しい判断、生きた身体表現が、ヨーロッパの学者の人為的な理性には稀にしか見られないくらいに発達している。これに対してヨーロッパの学者は、言葉による概念と数字でもって、たしかに自然人には思いもつかないくらい限りなく緻密かつ複雑な結合を計算する。しかし椅子に座ったこの計算機が、いったいすべての人間の完全性と幸福と力強さの原像なのだろうか？　自然人には彼がまだ抽象的に考えられないことを、具体的な形象において考えさせておこうではないか。たとえ自然人が成熟した思想を、すなわち神についての言葉をまだ持っていなくとも、生活の中で神を創造の偉大な霊として生き生きと享受するならば、おお、自然人は感謝して生きるとともに、満足して生きてもいるのだ。そして自然人は、たとえ言葉という数字によって不死の魂を自ら証明できなくても、これを信じるがゆえに、言葉を用いる大多数の疑り深い学者よりも、幸福な気持で父祖の国へ入っていくのだ。

慈悲深い摂理を賛美しようではないか。摂理こそが言語という、なるほど不完全ではあるが普遍的な手段によって、人間をその外観が示すよりも内面で相互に平等に作ったのだから。われわれはみな理性には言語を通じてのみ到達し、言語には伝承ならびに父祖の言葉への信仰を通じて到達する。ちなみに、自然の観察と経験のような困難な事柄に対する信仰は、ちょうど呑み込みの遅い語学の生徒ほど、言葉を最初に使用する理由と釈明を求めるのと同じように、言葉への健全な信頼を伴うならば、われわれを生涯全体にわたって導いてくれるにちがいない。自分の感覚を信頼しない者は愚か者であり、空虚な思弁家とならざるをえない。これとは逆に、自分の感覚を信頼しながら活用し、まさにそれによって研究し、誤りを正す者だけが人間として生きるための経験という宝を手に入れる。その際この者にとって言語は、そのあらゆる制限を持ったままでも十分なものだ。なぜなら言語は、観察者の注意を引き、その魂の諸力を自分なりに活発に使用するよう導くことだけを使命としているからだ。さらに微妙な言い回しとなれば、たとえそれが太陽光線のように隅々まで到達するものであっても普遍的なものではありえないだろうし、他方またわれわれの粗雑な活動の現在の範囲にとっては、かえって本当に害悪ともなろう。これと同じことは心情の言語についても言える。この言語は多くをこそ語らないが、それでも十分に言い尽くしている。実際われわれの言語は、たしかに理性よりも心情のために創られたのだ。理解のためには身振り、動き、事物それ自体が手を貸すこともできる。しかし人間の心のさまざまな感情は、もしそれらが旋律のような流れによって穏やかなうねりとなって他人の心にまで運ばれなければ、われわれの胸の中に埋没したままだろう。それゆえにこそ創造主も音響から音楽を作り、これを人間形成の道具に選んだのだ。すなわち音楽とは、感受のための言語であり、父母、子ども、友人の言語なのだ。まだ内面から触れ合えない被造物は、格子戸を隔てて立っているような形で愛の言葉をささやき合う。光の言語、もしくは人間とは異なる感覚器官の言語(27)

を話すような生きものが存在するならば、その形成の姿と連鎖全体が必然的に違った形のものとなろう。

第二に。したがって、人間の知性と心情の歴史と多様な特性描写[28]に関する最も優れた試みは、**諸言語の哲学的比較**であろう。なぜなら民族の知性と性格は、それぞれの言語に刻み込まれているからだ。どの民族にも例外なく固有の文字や音声があるように、言語の道具立てが地域ごとに異なるのみならず、命名という行為それ自体も、聞いて分かる事物の表示や、さらには感情の直接の表現である感嘆詞にあってさえ、地球上のいたるところで違ったものになる。直観や冷静な観察の対象にあってさえ、こうした相違はいっそう増大する。しかもこれは比喩的表現、言葉の綾(あや)、そして最後には言語の構造、品詞相互の関係や序列や調和にあっては測り知れないものとなる。しかしそれゆえにこそ民族のゲーニウスは、その民族の言語能力が示す相貌において常に最も明瞭に現れる。たとえば、或る民族においては名詞と動詞のどちらが多いのか？　人称や時制はどのように表されるのか？　概念のどのような配列が好まれるのか？　これらのことは、どれもみな細かな特徴となって民族の性格を端的に示すことも稀ではない。男性と女性がそれぞれ固有の言語を持つ民族も少なくないし、「私」という言葉だけにおいて身分が区別される民族もある[29]。活動的な民族は動詞のおびただしい数の話法を持ち、何ごとにおいても緻密な民族は、物の性質を多量に描写し、それらを抽象概念にまで高めた。しかし人間の言語の最も独特な部分は、何といってもさまざまな感情を表示する点に見られる。すなわちそれは、愛情や尊敬、阿諛（あゆ）や脅迫の表現であり、これらはその民族の弱点をしばしば滑稽なまでに露見させる*119。**言語に基づいた諸民族の普遍的観相学**を目ざした**ベーコン**(30)、**ライプニッツ**(31)、**ズルツァー**(32)らの願望を幾分かだけでも満たした著作を、私は是非とも完成させたいものだ。個々の民族の言語に関する書物や旅行記には、これに役立ちそうな数多くの実例が見られる。役立たないものは無視して、解明に資するものを、その分だけ上手に利用すれば、この仕事は無限に困難かつ膨大なものとならずにすむだろうし、また有益にして優雅であるという点においても後れをとることはないだろう。というのも、この仕事においては諸民族のあらゆる特性が、その実践的な知恵、空想、慣習、生活様式という形で、まさに人類の庭園のように観察者の眼前にあって種々多様な利用に供されているからだ。それゆえ最終的にはそこから**人間に関する概念の、きわめて豊かな建築術**(33)、すなわち**健全な知性の最良の論理学と形而上学**が生れるだろう。この花冠はまだ置かれたままだが、第二の**ライプニッツ**(34)が現れて、これを自分の時代のために獲得するだろう。

これに類似した仕事としては、個々の民族の言語の歴史を、それらの民族の種々の変革に従って記述することが挙げられよう。ここで私は特に祖国の言語であるドイツ語を実例に採りたい。なぜならこの言語は、他国の言語に見られるような他言語との混淆(こんこう)こそないものの、それでも本質的には文法からしてさえオトフリート[35]の時代以来ずっと変化してきたからだ。さまざまに洗練されてきた諸言語を、その民族の種々の変革と比較対照することは、光と影の線ごとに、いわば人間の精神の多様な発展を描く、変化に富む絵図を示してくれよう。思うに、人間の精神はそれぞれ異なる各地域の言語に従って、なおもそのすべての時代に地球上で花開く。そこでは諸民族が人類の幼年期、青年期、壮年期、老年期のどれかの段階にある。さらには他の民族と言語が自分の中に植えつけられることによって、あるいは灰から蘇るように、いかに多くの民族と言語が生れてくることか！

最後に、伝承中の伝承ともいうべき**文字**にも目を向けてみよう。言語が人類を**人間として**形成するための手段であるとすれば、文字は人類を**学問に向けて**形成するための手段である。われわれの理解するところに従えば、文字というこの人為的な伝承[36]の枠外にあった民族は、どれも文明化されないままであった。しかしたとえ不完全ながらもこの伝承に少しでも関与した民族は、固有の文書という形で、理性と法を永遠のものとすることに向けて努力を重ねた。失われやすい精神を、話し言葉だけでなく、このように文字で捕捉する手段を案出した人間は、死すべき運命にありながらも、神として人間たちのあいだで影響を及ぼした。[*120]

しかし言語において見てとれることは、文字においてなおいっそう顕著に見られる。すなわちそれは、人間の思想を永遠のものとするこの文字という手段も、精神と発話に対して、なるほど決定的な役割を果たしたものの、しかしまたこれらを制限し、拘束もしてきたということだ。これは、心情に力強く訴えかけるきっかけを発話に与えていた種々の生きたアクセントや身振りが、文字の使用に伴い次第に消えていったということだけでもないし、地域言語、つまり個々の部族や民族を特徴づける独自の言語もそれによって減少したということだけでもない。人間たちの記憶と彼らの生きた精神の力も、思想形式を書いて示すこの人為的な補助手段によって衰弱していったのだ。それゆえ学問や書物においては、もし摂理が破壊による多様な変革を通じて人間の精神に再び自由な余地を与えなかったら、人間の魂はとうに死に絶えていただろう。知性も文字に縛られては、どうにか苦労して活動できるにすぎない。こうしてわれわれの最も優れた思想も、死んだ文字に綴られてしまうと黙り込んでしまう。しかしこれらすべてのことは、[(37)]文字の伝承を、神の最も持続的かつ静謐で影響力のある創始物と見なすことを妨げるものではない。なぜなら、この伝承を通じてこそ民族が民族へ、世紀が世紀へと作用を及ぼし、おそらく時とともに、人類全体が同胞としての伝承の連鎖に連なるべく集まってくるからである。

＊119　この種の文例を挙げることはあまりにも煩雑であろう。これは本書においてではなく、別の場所で行うことにしたい(38)。

＊120　文字および他の案出物の歴史は、それらが人類の絵図に属するものであるかぎりにおいて、以下で述べられるであろう(39)。

三　模倣と理性と言語によって人類のあらゆる学問と技術は案出されてきた[40]

いかなる神、もしくはゲーニウスによってなされたにせよ、人間が事物を徴表として自分のものとし、その見出した徴表を任意の記号で置きかえる方法を知るようになったその瞬間に、すなわち、どれほど小さな端緒であれ、理性の言語が生れたその瞬間に、人間はあらゆる学問と技術に向かう途上にあった。実際また人間の理性は、学問と技術を案出するにあたって、注目することと命名すること以外に何を行うというのか？　こうして最も困難な技術である言語をもって、いわばすべてのものへの手本が与えられた。

人間は、たとえば動物から命名の徴表を得ることによって飼育可能な動物を飼育し、有用な動物を役立てるなどして、とにかく自然におけるすべてを自分のために征服する根拠を置いた。しかし実際また人間は、このような占有を行うごとに、飼育可能で有用で占有可能な存在物の徴表に注目し、それを言語もしくは実例によって表示することとしか行わなかった。たとえばおとなしいヒツジにおいては、子ヒツジの吸う乳や、手を暖めてくれる羊毛に注目し、その両方を自分のものにしようと努めた。空腹のためにその果実へと導かれた樹木においては、自分の体を巻いて包んでくれそうな木の葉と、それで暖をとれる木材に注目した。さらに人間は、自分を運んでもらうべく、ウマにひらりとまたがった。ウマを自分のもとに置いたのは、再び自分を運んでもらうためである。人間は動物からは、それらがどのようにして身を護り、栄養を摂取するかを見てとり、自然からは、これがどのようにして自分の子どもを育て上げ、また危険から護るかを見てとった。こうして人間はあらゆる技術への道に到達したが、もっぱらそれは、分離された徴表を自分の内面で誕生させることと、その徴表を或る行為、もしくはその他の記号という形で確保することによってのみ行われた。要するに、言語によってこの道に到達したのだ。言語、とにかく言語によってのみ知覚、認知、回想、所有、観念の連鎖が可能となり、こうして時とともに、表示する理性、および目的を持った模倣との娘である学問と技術が生れた。

すでにベーコンは案出術を実現したいと考えていた。[41] しかし案出の理論はむずかしいものであり、しかもおそらく役に立たないだろう。[42] それゆえむしろ**案出の歴史**を記述するほうが、神々や人類の天才たちをその子孫にとっての永遠の模範とするような有益な仕事だろう。それによって明らかになるのは、運命と偶然がどのようにして或る案出者には新たな徴表に注目させ、また別の案出者には道具として新たな命名を魂の中に入れたかということと、たいていは二つの長らく知られている観念を互いに少し近づけることによって、それから何世紀にもわたって作用を及ぼすような技術を促進したかということだ。こうした技術はしばしば案出され、忘れ去られた。その理論は残っていたが、用いられなかった。ところがついに他の幸運な案出者が現れ、その放置された黄金を流通させるか、もしくは小さな梃子(てこ)でもって新たな観点から世界を動かした。われわれの精神が何かにつけ最も誇りに思うもの、すなわち技術の案出と改良の歴史ほど、人間に関わる事物における高次の運命の支配を明瞭に示すものはおそらくないだろう。徴表とそれが表示する素材はつねに存在していた。しかし今や徴表は注目され、それは命名された。人間の発生と同じように、技術の発生も歓びの瞬間、つまり観念と記号の、精神と身体の婚姻であった。

私が人間精神による種々の案出を、認知し命名する人間理性の、この簡素な原理に還元するのは、人間に対する尊敬の念をもってのことだ。なぜなら、この原理こそが人間における真の奇蹟であり、人間を人間であらしめている長所だからである。習得した言語を使用する者は、誰でもみな理性の夢の中にいるかのように歩き回り、他人の理性の中で思考し、そして模倣することによってのみ賢明になる。いったい他の技術者の技術を使用する者は、技術を使用するからといって、自らが技術者であろうか。そのようなことはあるまい。しかし、次のような者、すなわち自らの魂の中で固有の思想を産み出して、身体を自分自身で形成する者。目だけでなく精神でも見る者。舌ではなく魂で命名する者。自然の語ることにその創造の場において耳を傾け、自然の活動の新たな徴表を探知し、それを技術に基づく道具によって人間のための目的に適用できる者。こうした者こそ本来の人間であり、かつ稀にしか現れないため、人間の中の一人の神なのだ。彼は話すが、幾千の者は彼の口真似をする。彼は創り出すが、他の者は彼が産み出したものを弄ぶ。彼は大人であった。しかし彼の後の何世紀かは、また子どもしかいないだろう。世界を見回すと、諸民族の歴史が何百もの実例において示しているのは、人類にあって案出者はいかに稀であったかということと、われわれは自分に欠けているものには無関心で、持っているものにはいかに怠惰に、そして安易に依存しているかということである。そしてまた文化の歴史こそが、このことをわれわれ自身に十分に教示してくれるだろう。

こうして学問と技術とともに、新たな伝承が人類に行き渡るが、その連鎖に何か新しいものを加えることが許された幸運な者はきわめて少数だった。他の者は忠勤な奴隷のようにその鎖にしがみつき、機械のようにこれを引きずっていく。ちょうどこのような砂糖入りのチョコレート飲料が、多くの改良の手を経て私のところに届き、私としてはこれを飲むよりほかに取り柄がないのと同じように、人間の理性と生活様式、学識と技術教育、戦争術と経国術も他人の案出と思想が合流したものであって、それらはわれわれの功績がなくとも世界中からわれわれに届き、その中にわれわれは幼少時からどっぷり浸かっているのだ。

したがって、ヨーロッパの俗人の多くが啓蒙や技術や学問と呼ばれるものにおいて三大陸すべての上に座を占めながら、かの狂人[43]が港内の船をすべて自分のものと考えるのと同じように、ヨーロッパの案出を、自分がこれらの案出と伝承との合流の中で生れたという理由だけから、すべて自分のものと考えるならば、そのような自慢は空虚なものだ[44]。憐れむべき者よ、汝はこれらの技術のうちで、何かを案出したのか？　汝はその吸収したすべての伝承の中で何かを考えているのか？　汝がそれらの技術の使用を学んだというのは、機械の仕事なのだ。汝が学問の汁液を吸収するというのは、まさにこのヨーロッパという湿った場所に育った海綿の功績なのだ。汝がタヒチ島に軍艦を差し向け、ヘブリディーズ諸島[45]で大砲を轟かせても、汝はヘブリディーズ諸島の住民や、自分の手で造った船を巧みに操るタヒチ島の住民ほど本当は利口でも器用でもないのだ。すべての未開人がヨーロッパ人をよく知った瞬間に、おぼろげに感じとったのはまさにこのことだった。さまざまな道具で武装したヨーロッパ人は、未開人には見知らぬ高次の存在のように思われたので、未開人はその前に身を屈し、畏敬の念をもってこれを迎えた。しかしヨーロッパ人が傷つきやすく、死にやすく、病気にもなり、身体を使う活動においては未開人自身よりも弱いことが分かった瞬間に、未開人はヨーロッパ人の技術をこそ恐れたが、この技術と決して同じでないヨーロッパ人は、未開人に首を絞められ、殺された。このことはヨーロッパ文化のすべてにあてはまる。或る国民の言語が、とりわけ書物においては上品で繊細であるからといって、これらの書物を読み、その言語を話す人間がみな繊細で上品であるわけではない。その人間がどのようにこれらの書物を読み、どのようにその言語を話すのか？　それが問題だろう。その人間が、いつもただ模倣しながら考え、話すだけならば、彼は他人の思想や表現力に従っているのだ。これに比べて未開人は、狭い範囲において独力で思考し、その範囲では自分を実体に即して明確に力強く表現する。この未開人こそ実生活という活動領域において、五感と五体、実践的な知恵、それに数少ない道具を、技術と沈着な精神をもって使いこなす術（すべ）を心得ているのだ。しかもこの未開人を一個の人間としてヨーロッパ人と対比させて見るならば、政治や学問にうつつをぬかす機械のようなヨーロッパ人よりも明らかに高い形成段階にある。このようなヨーロッパ人は、子どものように非常に高い足場の上に立っているが、その足場は残念ながら他人の手によって、それどころか前の時代の努力を尽くして建てられたものであることも稀ではない。これに対して自然人は、たしかに制限されてはいるが、それでも地球上の健全で有能な人間である。ヨーロッパが技術および案出を事とする人間知性の文書館であることは誰も否定しないだろう。時代の順序という運命が、ヨーロッパに人間知性の財宝を預け置いたのだ。それらの財宝はそこで殖やされたと同時に今も使用されている。しかしだからといって、それらを使用する者がみな案出者としての知性を持っているわけではない。案出品が使用されることによって、むしろこうした知性は部分的には無用になった。実際もし私が他人の手になる道具を持っていれば、自分で道具を案出することはほとんどないだろう。

そしてまだずっと困難な問題がある。それは、技術と学問は人間の幸福のために何をしてきたのか？　もしくは人間の幸福をどれくらい増大させてきたのか？　という問題である。[46]しかし思うに、この問題は明確な答えが出るものではない。なぜなら、あらゆるものについてと同じように、この場合もまた、案出されたものがどのように使用されるかにすべてが左右されるからだ。世界には精緻にして精巧な道具が多々あり、それゆえ少ない労力でも多くのことがなされる。したがって、人間の労苦もわれわれがこれを省き、節約したいと考えるならば、実際そうできるということについては何の問題もない。さらに同じように、それぞれの技術や学問を通じて社会性という共通の欲求の新たな絆が結ばれ、これなしには技術を本性とする人間は、もはや生きられないということも議論の余地のないところだ。しかし以下のこと、すなわち増大したそれぞれの欲求は、人間の幸福という狭い範囲をも相互に拡大するのか？　技術がかつて実際に何かを自然に付け加えることができたのか？　あるいは、自然がむしろ技術によって多くの点において不要とされたり、力を奪われたりするのか？　すべての学者および技術者の才能が、人間の胸中で次のような性向、つまりその内面の不安感をもってたえず満足感に逆らうために、人間の最も素晴らしい才能であるこの満足感にわれわれが達することをずっと稀で困難なものにする性向をも活発なものにしなかったか？　そして最後に何よりも、人間が密集し、社会がさらに大きくなることによって、多くの地域や都市が貧民院、あるいは自然に反した野戦病院や養老院[47]となり、その閉塞した空気の中で、蒼ざめた人々はまた不自然に病み衰え、しかも彼らは学問、技術、政治制度の非常に多くの不当な施し物によって養われるため、その大部分が乞食根性までをも身につけ、あらゆる物乞いの術に没頭し、その代償として乞食の運命を甘受することがないのか？　以上のことや、他のさらに多くのことについては、時の娘ともいうべき歴史それ自体に教示を得ることにしたい。

運命の使者たる天才と案出者たちよ、汝らはそれゆえに何と有益にして危険な高みで神の如き職務を遂行することか！　しかし汝らが案出を行ったのは自分のためではなかった。それにまた現世と後世の人間が汝らの案出をどのように応用し、これらに何を加え、そしてこれらとの類比に従ってどのような反対のもの、ないしは新しいものを案出するかを決める力も汝らにはなかったのではないか？　真珠は何世紀のあいだも埋もれ、雄鶏がその上の土を掻きあさることも稀ではなかった[48]。しかしついにあるとき、多分この真珠にふさわしくない者がこれを見つけて君主の王冠に植え込んだが、その真珠は必ずしも慈悲深い輝きを発するわけではない。それでも汝らは自分の職務を遂行した。そして汝らはその倦むことのない精神によって発掘された財宝を、あるいは天上の運命によって汝らにひそかに手渡された財宝を後世の人間に恵み与えた。こうして汝らは、この支配する運命に自らの発掘品の作用と効用を委ねた。そしてこの運命は自分が善いと判断したことを行った。すなわち、この支配する運命は、周期的な変革の中で思想を完成させるか、もしくは消滅させ、つねに毒には抗毒素を、利益には損害を混ぜ合わせ、それぞれを緩和させる術を心得ていた。火薬の案出者は[49]、自分の黒粒の火花が、人間の諸力の作る政治上ならびに物質上の世界にどのような荒廃をもたらすかということには思いが及ばなかった。またそれ以上にこの案出者は、われわれも現在ほとんどあえて推測しようとしないことだが、多くの専制君主の恐ろしい玉座たるこの火薬樽の中から、再び後世の他の制度に向けて有益な種子がどれほど芽吹いているかも理解できなかった。いったい激しい雷雨は大気を浄めないだろうか？　もし大地の巨人たちが抹殺されたら、怪力無双の英雄ヘルクレス自身がいっそう有益な仕事に着手せざるをえないのではないか？　その一方で、磁石の針が特定の方向を指すことに最初に気づいた人間は、この魔法の贈り物が他の無数の技術に支えられて、すべての大陸にもたらすであろう幸福も不幸も予見しなかった。ましてや彼は、おそらく他の案出の場合と同じように、新たな破局がそれ以前の災いに取って代わるか、もしくは新たな災いを産み出すかをも知らなかった。これと同じことは硝子、金、鉄、衣服、書写術と書籍印刷術、占星術、および人為による統治についてのあらゆる学問についても言える。これらの案出の発展と周期的な改善を支配するように見える驚くべき連関や、一つの案出が他の案出の作用を制限し緩和させる独特の方法といったものは、どれもみな人類に関する神の高次の家政、すなわち人類史の真の哲学に属することなのだ。

四　種々の統治は人間のあいだでの確固とした秩序であり、大部分は受け継がれた伝承に基づいている

人間の自然状態は社会という状態である。(50) なぜなら、人間は社会の中で生れ、そして育て上げられるからだ。人間はその美しい青春期に目覚める本能によって社会へと導かれる。(51) 人間関係の最も快い名称、すなわち父と子、兄弟、姉妹、恋人、友人、扶養者は自然法の絆であり、どの原始的な人間社会においても見出される。したがって、これらの絆とともにまた人間のあいだで最初の統治形態の基礎が作られた。まず家族の秩序があり、これがないと人類は存続しえない。次に法であり、これは自然によって与えられたものだが、それ自身によっても十分に制限されてきた。われわれはこれらを、**自然に基づく統治の第一段階**と呼ぶことにしよう。これらはいずれにしても最高にして究極の段階であり続けるだろう。

ここに自然は社会の基礎作りを終えるとともに、その上に、より高い建物を築くこと

を人間の知性もしくは欲求に委ねた。どの地域においても、個々の民族と一族が互いを必要とすることが少なければ、互いに関与することも少ない。彼らはそれゆえ大きな政治組織に考えが及ばなかった。このような地域とは漁師の海岸、羊飼いの牧草地、狩人の森林であり、そこでは父による家族統治が途絶えると、人間のそれ以上の結合はたいてい契約か委任にのみ基づいたものとなる。たとえば狩猟民族が狩に出る。そこで指導者が必要となると、彼らは狩猟の最も上手な者を選ぶ。こうして自由な選択によって彼らの仕事に共通の目的のために選ばれるのが狩猟指導者であり、その命令に彼らは従う。群れをなして生きる動物は、すべてこのような指導者を持っている。移動、防御、そして一般に多数での共同の仕事にあっては、いずれもその作業を統率するこうした王が必要とされる。われわれはこの体制を、**自然に基づく統治の第二段階**と呼ぶことにしよう。これはもっぱら欲求だけに従い、いわゆる自然の状態に生きるすべての民族に見出される。或る民族の選んだ裁判官ですら統治のこの段階に属する。すなわち、最も賢明にして優れた者が職務としてこの裁判官に選ばれたが、この職務がなくなるとその支配も終わる。

しかし第三段階、すなわち人間のあいだでの世襲統治については、何と事情が異なることか！　ここでは自然の法則はどこで終わり、あるいはどこで始まるのか？　所有権などをめぐって争う者たちが、最も公正で賢明な男を裁判官に選んだことは当然の成り行きだったし、その男も裁判官として手腕を示せば、老年に至るまでその地位にとどまることができた。しかし、その男が老齢で亡くなると、息子が裁判官になっている。これはなぜか？　最も公正で賢明な男がその父親であるというのは、何の根拠にもならない。なぜなら、父親は自分の賢明さも公正さも息子に産み付けることはできないからだ。ましてや国民にしてみれば、自分たちがかつて父親を、その個人的資質によって裁判官に選んだからといって、今度は息子を裁判官と認めなければならないということは、その職務の性質から見ても、まったく考えられないだろう。息子は父親その人とは違うのだから。それにこの国民が、すべてのまだ生れない者に対しても、その者を裁判官として認めなければならないという法律までをも制定しようとし、そしてもし次のこと、すなわち国民すべての理性の名において、この一族のどの未誕生者も国民の生れながらの裁判官、指導者、牧人、すなわち国民全体の最も勇敢で公正で賢明な人物であり、そのような者としての生れゆえに誰からも認められねばならないという契約が永久のものとして取り決められるならば、この種の相続契約は、不法であるとは言わないまでも、理性と辻褄（つじつま）を合わせることすら困難であろう。自然はその最も高貴な贈り物を家族単位で分配することはしない。しかも未誕生者が他の未誕生者を、両者が生れたあかつきには生れに基づく権利によって支配するという権限。こうした権限を有するような血統という権利は、私にとっては人間の言葉の中でも最も得体の知れない空言（そらごと）なのだ。

人間のあいだで世襲統治が導入されたことについては、他にも原因があるにちがいないし、歴史もそれらの原因を秘密にはしていない。ドイツに、あるいは文明化されたヨーロッパに種々の統治体制を持ち込んだのは誰なのか？　それは戦争だ。異邦人の大群がこの大陸に来襲し、その頭目や上官たちが互いのあいだで土地と人間を分け合った。ここから生れたのが王侯国と封土であり、征服された民族は奴隷となった。征服者はそれらの所有者となり、それ以来この所有権において行われた変更は、そのつど革命や戦争や権力者の合意によるものだった。このように常に勝者が決定権を持っていた。王によるこうした道を歴史は邁進し、そして歴史の事実もこれを否定できない。何が世界をローマの支配下に置いたのか？　何がギリシアとオリエントをアレクサンドロス大王の支配下に置いたのか？　何がセソストリス三世(52)や、伝説的なセミラーミス(53)にまで至るすべての大君主政体を創り出し、また破壊したのか？　それは戦争だ。こうして暴力による征服が権利に取って代わった。この権利が後に法となったのは、時効によってのみか、あるいはわれわれの政治学者たちの言うように(54)、暗黙の契約によってであった。しかしこの場合における暗黙の契約とは、強者が自分の欲するものを取り、弱者は自分のものを差し出すか、もしくは是非ないことを耐え忍ぶということにほかならない。このように世襲統治の権利は、他のほとんどすべての世襲による所有の権利と同じように、伝承の鎖につながっているが、その最初の境界標柱[55]は幸福、もしくは権力によって打ち込まれ、鎖自身もあちらこちらで善意と叡智をもって、しかしたいていは再び幸福もしくは圧倒的な権勢によってのみ受け継がれた[56]。後継者や相続人は、一族の父祖が奪ったものを受け取った。持てる者には十分に持つようにと、さらにいっそう多く与えられたことは、これ以上の説明を要しない。前述したように、それは最初の土地と人間の所有から生じる自然な帰結なのだ[57]。

　ただ、これは侵略の怪物としての君主政体についてのみあてはまるのであって、本来の国家はこれと違う形で生れたのかもしれない、などとはどうか思わないでほしい。実際それらの国家が、これと違う形で生れたことなどあろうか？　父親は自分の家族を支配しているあいだは家長であり、息子たちをも家長たらしめ、もっぱら助言を通じて彼らを支配しようと努めた。多くの部族は自分たちで納得のゆくまで考えたうえで、特定の職務のために裁判官や指導者を選んだ。そのかぎりにおいてこれらの職務遂行者は、共通の目的に仕える者、つまり集会のつど選ばれる議長にすぎなかった。主君や王、そして独裁的かつ恣意的で世襲による専制君主といった名称は、このような体制をとる民族にとっては何か耳なれないものであった。しかし人民が眠り込んでしまい、自分たちの家長にして指導者かつ裁判官である者に統治させるようになった場合。さらには、人民が寝ぼけたまま感謝しつつ、この者にその功績、権力、富、あるいは何が原因であれ、牧人がヒツジの世話をするのと同じように、自分と子どもの世話をするようにと最終的に世襲の王笏(おうしゃく)を手渡した場合。こうした場合、一方には弱者が、他方には強者の権勢があるとすれば、強者の権利よりほかに何が考えられようか。ニムロドが獣を殺して、その後で人間を屈服させるならば、いずれの場合も彼は狩人である。植民地あるいは移動集団の指導者は、人間が動物のように自分に従うと、動物に対する人間の権利を、ただちに人間に対して使用するに至った。これと同じことは、諸民族を文明化した者たちについても言える。自らの民族を文明化しているあいだ、彼らは父であり、民族の教育者であり、全体のために法を執行する者だった。しかし彼らが独裁もしくは世襲による支配者となるやいなや、彼らは弱者の仕える強者となった。キツネがライオンに取って代わることも稀でなく、(58) そうなればキツネが強者であった。なぜなら、武器の力だけが強さではないからだ。抜け目のなさ、狡猾さ、巧みなごまかしは、たいてい武力以上のことをなしうる。要するに、人間における精神や幸福や身体の有する才能の大きな相違が、地域と生活様式と寿命の相違に従って、種々の圧制や専制を地球上で産み出し、それらは多くの国々にあって残念ながら互いにただ取って代わったにすぎない。たとえば好戦的な山岳民族は、平穏な平地に殺到して氾濫した。それ以前の彼らを強くし、かつ勇敢さを保たせていたのは、自分たちを取り巻く風土、困窮、欠乏だった。しかしこのように地上の主君として広がると、やがて彼らはこうした温和な地域で贅沢に負け、他の民族によって制圧された。かくしてわれわれの大地の年老いた女神テルスは屈服させられ、地上の歴史は人間狩や侵略の悲惨な絵図となった。どの小さな国境も、どの新しい時代も、そのほとんどが犠牲にされた者たちの血と、虐げられた者たちの涙をもって歴史書に書きつけられた。世界で最も名前の挙げられる人物とは、人類の首を絞める者たち、すなわち王冠を戴いた死刑執行人か、あるいは王冠を獲得しようと争う死刑執行人だった。そしてなお悲しいことに、最も高貴な人々でさえ、切羽詰まって自分の同胞を抑圧するというこの陰惨な舞台に立ったことも稀ではなかった。世界的な大国の歴史が、あまりにも不合理な目的かつ結果をもって書かれてきたのはなぜなのか？　それは、この歴史における大多数の最大事件の語るところによれば、その歴史が不合理な目的かつ結果をもって導かれてきたからだ。事実またフマニテートではなく、情念が地球上を我がものとし、地球の諸民族を野獣のように追いたてながら集めたり、互いに敵対させせたりした。もし、われわれを、より高次の存在によって統治させるということが摂理の念頭に浮かんでいたならば、人間史は何と違ったものになっていたことか！　しかし出来事の糸を情念の導くままに撚り合わせ、これを運命の欲するままに織りつづけたのは、ほとんどが英雄、つまり野心家で威力を備えた人間か、もしくは狡猾で大胆な人間だった。たとえ世界史のどの点においても人類の低劣さが示されないとしても、人類の統治の歴史がそれを明示してくれるだろう。しかもその歴史によれば、われわれの地球は、その大部分が地球ではなく、戦争神マルスの火星、もしくは、我が子を喰らうサトゥルヌス(59)の土星とでも呼ばれるべきものだろう。

さて、どうしたものか？　摂理が地球の諸地域を、かくも不平等に創り、また人間のあいだでもその天分を、かくも不平等に分配したからといって、われわれはこれを非難すべきだろうか？　このような非難は無意味で不当なものだろう。なぜならそれは人類の明白な目的に反しているからだ。地球が居住可能なものとなる運命だったからには、山地が地球上にあって、その山地の背には屈強な山岳民族が住まねばならなかった。彼らが山から大挙して流れ下り、豊饒な平地を制圧したのは、ほとんどの場合その平地が制圧に値したからだ。それではこの平地はなぜ制圧されえたのか？　またなぜその平地は、自然の胸にいだかれながら、子どもじみた贅沢と愚かさの中で衰えたのか？　歴史の原則と見なしうるのは、どの民族も自ら抑圧されようと望まなければ、つまり奴隷たるに値しなければ、決して抑圧されないということだ。(60) 臆病者だけが生れながらの下僕なのだ。愚か者だけが自分より賢い者に仕えるように自然によって定められている。だからこそ愚か者にとってはその地位にいることが幸福でもあるのだ。愚か者が命令すべきだとしたら、その愚か者は不幸だろう。

それに加えて人間の不平等は、同一の民族の性状が多様な統治のもとに置かれたときに示されるように、その本性からして教育によるものが最も大きい。どれほど高貴な民族でも専制政治の軛(くびき)のもとでは短期間のうちにその高貴さを失う。つまり、その骨の髄まで踏みつぶされるのだ。それにこの民族の最も良質で素晴らしい才能が濫用されて、虚偽や欺瞞、卑屈な奴隷根性や贅沢へと変質するならば、この民族がついにはその軛に慣れ、これに接吻し、花を飾っても何の不思議があろうか？　人間の生と歴史におけるこうした運命は嘆かわしいものだ。というのも、完全な若返りという奇蹟なしには、ほとんどの民族が、習い性となった卑屈な根性の奈落から再び這い上がれなかったからだ。しかしこのような運命がたとえどれほど嘆かわしいものであるにせよ、この悲惨な状態は自然の仕業ではなく、明らかに人間によるものなのだ。自然は社会の絆を家族にまで導いたにすぎず、それから先のことは人類の裁量に委ねた。そして人類は、自らの意志で制度を整え、人類の技術の最も精緻な作品である国家を築いた。人間が制度を立派に整えたとしたら、それは人間が立派に成し遂げたということだろう。また人間が圧政や劣悪な統治形態を選び、それらに耐えているとすれば、それは人間がそう望んだからなのだ。善良な母なる自然に唯一できたのは、理性によるか、歴史の伝承によるか、あるいは最後に当事者の苦痛と悲惨の感情によるかして教えることだった。それゆえ人類の内面からの堕落のみが、人間による統治にまつわる悪習や変質に余地を与えた。実際どんなに抑圧的な専制政治にあっても、奴隷はいつも自分の主人と略奪物を分け合っていないだろうか？　専制君主こそがつねに最もたちの悪い奴隷ではないのか？

しかし人類がどれほど堕落しても、不撓不屈(ふとうふくつ)の慈悲深い母は、子どもたちを見捨てることはなく、人間による抑圧という苦い飲み物を、少なくとも忘却や習慣によって人間にとって飲みやすいものにする術を心得ている。諸民族が目を覚まして活力を維持しているあいだ、もしくは自然が彼らに労働という固いパンを食べさせているあいだは、軟弱なスルタン(61)は現れない。荒れた土地と苛酷な生活様式が彼らにとっては自由の砦なのだ。これに対して、自然の柔らかな懐(ふところ)で眠り込み、自分たちに被せられた網を耐え忍んだ民族にあっては、見よ、そこでは慰める母が、抑圧された者に少なくとも穏やかな贈り物によって助けの手を差し伸べる。なぜなら、専制政治は一種の惰弱を、それも自然あるいは技術の贈り物から生れた、いっそうの安逸を前提としているからだ。専制君主に統治された多くの国では、自然が人間にほとんど苦もなく食物と衣服を与えているため、人間は猛烈に通りすぎる台風をいわば切り抜けさえすればよく、その後は、なるほど何の思慮も威厳もないが、それでもしかし、いくらかの享楽とともに自然からの活気づけの息吹を吸い込む。そもそも人間の運命と、地上での幸福に向けられた人間の使命は、支配にも服従にも結びつけられてはいない。貧しい者は幸福になれるし、鎖につながれた奴隷も自由になれる。専制君主とその手先が人類全体において最も不幸で最も価値のない奴隷であることも稀ではない。

私がこれまでに言及した命題は、本来どれも歴史それ自体から説明されなければならないものである。したがってその詳述は、歴史の展開という糸のために取っておくとして、ここではなお若干の一般的展望を述べることで許してもらいたい。

1　**人間は支配者を必要とし、この支配者からか、もしくはこの支配者との結びつきから、自己を最終決定するという幸福を期待する動物である**、という根本命題(62)は、人間史の哲学にとってたしかに平易ではあるが、良いものではない。むしろこの命題を逆にして、**支配者を必要とする人間は動物であり、人間は人間となった瞬間に本来の支配者をもはや必要としなくなる**、とすればよい。すなわち、自然は人類に何らの支配者をも定めなかった。ただ動物としての悪習と情念だけが、われわれに支配者を必要とさせる。

女性は夫を必要とし、男性は妻を必要とする。しつけの悪い子どもは、育て上げてくれる両親を、患者は医者を、争う者は裁定者を、民衆の集団は指導者を必要とする。これはそれぞれの事柄の概念に含まれる自然の関係である。しかし人間という概念には、人間に必要な専制君主もまた人間であるという概念は含まれない。人間は、保護者を必要とするには、まず弱いものと考えられねばならない。同じように、後見人を必要とするには、未成熟なものと考えられねばならない。飼い馴らす人を必要とするには、野生のものと考えられねばならない。処罰の天使を必要とするには、凶悪なものと考えられねばならない。このように、人間による統治は、どれもみな必要からのみ生れたのであり、この永続する必要のために存在している。しかし自分の子が生涯にわたって未成熟で、そのため生涯にわたって教育者を必要とするべく教育する父親はひどい父親である。また、患者が不幸にも墓に入るまで医者である自分を必要とするべく、病気を募らせる医者は性悪な医者である。これと同じようなことを人類の教育者や祖国の父祖とその教え子たちに適用してみるがよい。これらの教え子は、自己を改善する能力を持っていなくてもよいというのだろうか？　もしくは人間が統治されて以来、すべての世紀がとにかく次のこと、すなわち、これらの教え子がどうなったのか？　教育した者たちは彼らをどのような目的のために育て上げたのか？　ということを明らかにしてきたはずではなかったのか？　以下においては、これらの目的がきわめて明瞭に示されるであろう。

2　自然は家族を育て上げる。それゆえまた最も自然な国家とは、一つの国民としての性格を持った**一つの**民族でもある。(63) 何千年ものあいだ、この国民としての性格は民族の中で維持され、その民族と生れを同じくする君主にとって、その民族が重要であれば最も自然に育成されうる。なぜなら民族とは自然の植物であるのみならず、家族でもあるからだ。ただ、民族は、より多くの枝を持っている。したがって国家を不自然に拡大し、さまざまな種族の人間や民族を、一本の王笏のもとに乱暴に混ぜ合わせることほど統治の目的に明らかに反することはない。人間の持つ王笏は、さまざまに矛盾する部分がその中に植えつけられるにしては、あまりにも弱くて小さい。それゆえ、これらの部分は、膠(にかわ)で貼り合わされると、国家機関と呼ばれる壊れやすい機械にされるが、そこには内的な生命や部分相互の共感は見られない。この種の国は、最良の君主にも、祖国の父という名称を与えるのを困難にする。それでもこうした国は、預言者の夢の中の像における君主政の、かの象徴のように(64)歴史の中に姿を現す。ちなみに、その夢の中ではライオンの頭が竜の尾と、ワシの翼がクマの足と一つになって、愛国心とは程遠い不自然な国家の姿を形作っている。このような機械は、トロイアの木馬のように継ぎ接ぎ細工であり、それぞれの部分が相互に自分は不死だと請け合い、押し合いながら一つになる。

しかし国民としての性格を持たないこれらの機械には生命が存在しないため、無理やり寄せ集められた者たちにとって、それらの機械に不死を宣告できるのは、運命の呪詛だけだろう。なぜなら、こうした国家を産み出した政治術こそが民族と人間を生命のない物体のように弄ぶからだ。しかし歴史は次のことを、すなわち人間の誇るこれらの道具が陶土からできており、地球上のあらゆる陶土のように砕けるか、溶けて流れ去ることを十分に示している。

3 人間が互いにどのように結びつくにせよ、共同の援助と安全がその結びつきの主要目的であるのと同じように、国家にとって自然な秩序ほど最善のものはない[65]。それはつまり、国家においても各人は自然の定めた存在であるということだ。しかし君主が創造主に取って代わり、神が被造物に対して欲しなかったようなものを、独断もしくは情念から自分のために作り上げようとすると、天に命令するこの専制政治は、たちどころにあらゆる混乱と、避けることのできない不運の父となる。また伝承を通じて確立された人間のあらゆる身分が、何らかの方法で自然に逆らって、つまり人間の天分と身分とを結びつけない自然に逆らって行動するならば、ほとんどの民族があらゆる種類の統治を経験し、それぞれの重圧を感じとったあげく、最後には絶望のあまり専制的世襲的統治に立ち戻り、自分たちをことごとく機械にしても何の不思議もない。どの民族も、三つの災いを示されたヘブライの王ダビデ[66]のようにこう言った。「われらを人間の手よりは主の手に陥らしめよ」と。そして彼らは、神慮は自分たちに誰を君主として派遣してくれるのだろうか？　と期待しながら、慈悲であれ無慈悲であれ、神慮に身を任せた。なぜなら貴族階級による政治は苛酷な圧政であり、また命令する人民は真のレヴィアタン[67]なのだから。キリスト教徒の君主は、それゆえみな自分の権威を**神の恩寵によるもの**とし、それによって次のことを告白している。すなわち、自分が王位に就いたのは、自分が生れる前にはまったく挙げられない功績によるのではなく、この地位に生れるようにしてくれた摂理の配慮によるということを。たしかに王位に就くほどの功績は、いわば摂理がこれらの君主を高位の官職にふさわしいと認めたことの十分な理由でなければならないが、しかしそれは、彼らが自らの努力によって初めて手にしなければならないものである。というのも、君主という官職は、人間のあいだの神、つまり死すべき形姿を具えた高次のゲーニウスであることにほかならないからだ。凡庸な君主しかいない闇夜、しかも限りなく暗い闇夜の中で、この傑出した職務への呼びかけを理解して、星のように輝いているのは、ごく僅かな者だけだ。それでも彼らは人間史の政治の分野では、悲しい歩みの途上で道に迷った旅人を元気づけている。

おお、第二の**モンテスキュー**が現れ、最もよく知られた数世紀を通じてだけでも、この丸い地球上における法と統治の精神を、われわれに味わわせてくれないだろうか！　それも、いつでもどこでもまったく同一のもので、またそうあり続けるような三つか四つの統治形態の空虚な名称に従わず、ましてや国家という多くの明瞭な概念を有する諸原理にも従わない精神を。なぜなら、いかなる国家も一つの言葉だけからなる原理の上に築かれてはおらず、それに加えて、国家がこうした原理をすべての状態や時代において、不変のものとして保持していたようなこともないからだ。それはまたすべての民族、時代、地域から切り離された実例を通じてでもない。そのような実例が混乱をきたす中では、われわれの地球のゲーニウス自身も、一つの全体を形成しえないだろう。そうではなく、もっぱら市民による歴史を、哲学として生き生きと描くことによって、法と統治の精神を味わいたい。このような歴史は、たとえ単調に見えても、その中ではいかなる場面も二度は現れないし、人類とその支配者たちの悪徳と美徳の絵図を、場所と時代に従って、いつも変化はするものの、しかしいつも同じものとして、恐ろしくも有益なものに仕上げるのだ。

五　宗教は地球の最も古くて神聖な伝承である(69)

丸い地球のあらゆる変革を、地域と時代と民族とに従って見ることにすっかり疲れたわれわれは、だからといって同胞人類の共同の所有物にして長所であるとされるものを、この地球上で何一つ見出さないことがあろうか？　言うまでもなくそれは、人間の生を支える優美の三女神ともいうべき**理性**、**フマニテート**、**宗教**それぞれへの素質にほかならない。国家はどれも遅れて生れてきたものであり、学問や技術は各国家の中でさらにその後に生れた。これに対して家族は、自然が永遠に継続して行う家政という仕事であって、そこでは自然がフマニテートの種子を人類に植えつけ、自ら育て上げる。言語はそれぞれの民族ごと風土ごとに変化するが、しかしどの言語にも認められるのは、徴表を求める同一の人間理性である。最後に宗教は、その外皮がどれほど異なっていても、地球の片隅のどんなに貧しく粗暴な民族のもとでも、その痕跡が見出される。グリーンランド人、カムチャッカ人、フエゴ島の住民、パプア人が宗教を有していることは、それぞれの伝承や習俗を見れば明白である。ただ、インド諸島のアンツィケ人、あるいは森林に追いやられた人間たちのあいだに、まったく宗教を持たない何らかの民族が存在するとしたら、こうした欠乏それ自体が、彼らの極度に荒廃した状態を証拠立てるものだろう。

ところで、これらの民族はどのようにして宗教を手に入れたのか？　悲惨な状況に置かれた人間が、それぞれ自家用の礼拝を、たとえば自然の神学のようなものとして案出したのか？　苦労の多いそれらの民族は、何一つ案出せず、すべてにおいて父祖以来の伝承に従う。また外部からも、彼らにはこの案出のために何の契機も与えられなかった。実際にこれらの民族は弓矢と釣針と衣服とを動物もしくは自然から学び取った。しかし彼らはどの動物、どの自然物から宗教を見て取ったのか？　もし見て取ったとしても、それらのどれから彼らは礼拝を学んだというのか？　**それゆえここでもまた伝承こそが、彼らの言語と僅かな文化のみならず、宗教と神聖な習慣を後世に伝える母なのだ。**

ここからただちに導かれるのは、宗教上の伝承は、**理性と言語自身が用いた手段、すなわち象徴**(70)**という手段しか使用できなかった**ということである。思想が後世に伝えられようとすれば、言葉にならねばならないし、どの制度も他人および後世のために役立たねばならないとすれば、目に見える記号を持つ必要がある。それゆえ実際このように言葉か記号によらなければ、いったいどうして目に見えないものが目に見えるものになり、また過ぎ去った歴史が後に来る者たちのために保持されることができたろうか？　したがって、どれほど未開な民族にあっても、宗教の言語がつねに最も古く、かつ最も曖昧な言語であり、他所者（よそもの）は言うにおよばず、その宗教に通じた者にとってさえ不可解であることが稀ではなかった。それぞれの民族で重要な意味を持っていた神聖な象徴は、たとえそれが風土と民族に根ざしたものであったにせよ、少数の民族にあっては、しばしばこうして意味のないものとなった。しかしこれは不思議なことではない。なぜなら、どのような言語あるいは制度でも、それが任意の記号を伴っているかぎり、その対象物と何度も結びつけられ、現実に活用されることで、たえず重要なものとして想起されなければ、やはり意味のないものとならざるをえないからだ。宗教にあっては、こうした生きた結びつきは困難であるか、もしくは不可能だった。というのも記号は、目に見えない観念か、そうでなければ、過去の歴史にしか関わらなかったからである。

　そのためにまた必ず生じたのは、**元来はその民族の賢者であった聖職者が、必ずしも彼らの賢者でありつづけることはない**ということだった。すなわち、聖職者は象徴の有する意味を見失うやいなや、黙って偶像崇拝に奉仕し、あるいは虚言を弄して大っぴらに迷信を吹聴する者とならざるをえなかった。そして聖職者はほとんどいたるところで、かなりの程度そうなった。しかしそれは聖職者がその民族を特に欺こうとしてそうなったのではなく、事柄の性質上そうならざるをえなかったからである。言語のみならず、それぞれの学問、技術、制度においても同じ運命が支配している。無知の者が、語るか、あるいはその技術を継承すべき場合、この者は隠蔽し、作り話をし、偽善を装わざるをえない。こうして失われた真理に偽りの外観が取って代わる。これが地球上での**あらゆる神秘の歴史**である。どの神秘も最初は多くの知るに値するものを包蔵していたが、とりわけ人間の叡智がそれから離れて以来、けっきょく惨めな見かけ倒しへと堕落していった。これと同じように、神秘に仕える聖職者も、空虚な場と化した神殿において最後には哀れな詐欺師となった。

聖職者のこうした本質を最も端的に露呈させたのは君主と賢者だった。すなわち君主はその高い身分によってあらゆる権力を身につけ、間もなく何の拘束もない状態にさえ至ったので、目に見えない至高の権力を制限することと、したがってその象徴をも、庶民を操る道具として黙認するか、もしくは破壊することを自身の身分にふさわしい義務と考えた。そのため、文明化が不完全にしか行われていない民族にあっては、どこでも玉座と祭壇との不幸な争い(71)が生じ、ついには両者を統合しようとさえしたものだから、祭壇を戴く玉座とか、玉座を戴く祭壇といった異形なものまでが産み出される始末だった。この不平等な争いでは、堕落した聖職者が必然的につねに敗者とならざるをえなかった。なぜなら、目に見える権力が、目に見えない信仰と争ったため、古い伝承の影は、黄金の王笏の輝きと争う破目になり、しかもその王笏たるや、かつて聖職者が自ら聖別して君主の手に渡したものだったからだ。こうして聖職者による支配の時代は、文化の成長とともに過ぎ去った。当初は神の名において王位についた専制君主だったが、今や自分の名で王冠を戴くほうが容易であることに気がついた。民衆もそれからは君主と賢者によってこの新たな王笏に慣らされていった。

そこで第一に明らかなのは、いたるところで諸民族に最初の文化と学問をもたらしたのは宗教だけであるということと、それどころか、元来これらの文化と学問は一種の宗教上の伝承にほかならなかったということである。どの未開民族においても、その僅かな文化と学問は今なお宗教と結びついている。彼らの宗教で用いられる言語は崇高で荘厳なものであり、それは歌や踊りとともに神聖な風習に付随するのみならず、その大部分が太古の世界の伝承に由来するものでもある。したがってその言語は、彼らが自分の民族の古い報告、有史以前の世界の記憶、あるいは黎明期の学問について保持している唯一のものなのだ。時間計算の根拠となる日の数とその記し方は、どの未開民族においても神聖なものであったか、あるいは今でもそうだ。天空と自然を扱う学問は、それがどのようなものであれ、すべての大陸の魔術師によって占有されてきた。また調剤術や予言術、神秘学、夢の解釈、書字術、神々との和解、死者の鎮魂、死者についての状況報告——要するに、人間に非常に関わりのある問題やその説明はまた不可解な領域でもあり、これが聖職者の手中にあったのだ。そのため多くの民族にあっては、共同の祭事とそれにまつわる祝典が、個々の家族を一つの全体の影に向けて結びつけるほとんど唯一のものとなっている。文化の歴史は、このことが文明化のきわめて進んだ民族においてもまったく同じだったことを明らかにするだろう。エジプト人や極東地域にまで至るすべての東洋人、ヨーロッパにおいては古代の文明化されたすべての民族、すなわちエトルリア人[73]、ギリシア人、ローマ人は、学問を宗教上の伝承の胎内からヴェールに包まれたまま受け取った。こうして彼らには詩歌と芸術、音楽と文字、歴史学と調剤術、自然学と形而上学、天文学と年代学、それに倫理学と政治学までもが与えられた。最古の賢者たちが行ったのは、種子として与えられたものを選り分け、自分の作物として育て上げることだけだった。こうした事情はその後の発展においても変わらなかった。それにわれわれ北方人も、自分の学問をもっぱら宗教の衣に包んで保持してきた。したがってすべての民族の歴史について、あえてこう言ってもよいだろう。**地球はそのあらゆる高次の文化の種子を、文字と言語という形で宗教からの伝承に負っている、と。**

第二に。歴史という事柄の本性それ自体が、この主張の正しさを証明してくれる。いったい人間が動物以上のものに高められながら、どんなにひどく堕落しても、動物にまで完全に引き降ろされなかったのは何によるのか？　それは理性と言語によるものだと言われる。しかし人間は言語なくして理性に到達しえなかったのであり、またそれと同じように、理性と言語の両方に到達しえたのは、ひとえに次のこと、すなわち多様なものの中に一様なものを認めること、目に見えないものを目に見えるものとして思い描くこと、(74)そして原因を結果と結びつけることによってであった。それゆえ、人間を取り巻く存在物の織りなす混沌全体の中で、目に見えない形で活動する諸力には、一種の宗教的感情が備わっていたのであり、しかもこれは抽象された理性観念が最初に形成され結合される以前から存在し、かつそれらの観念の根底にあるものでなければならなかった。これはすなわち未開人が、たとえ神についての明確な概念を持っていないにせよ、自然の諸力に対していだく感情であり、しかもそれは、彼らの偶像崇拝や迷信にさえ見られるような生きた活発な感情なのだ。たんに目に見えるだけの事物を理解し把握するだけであれば、人間は常に動物と類似した行動をとる。しかし人間が高次な理性の最初の段階にまで高められるには、目に見えないものを目に見えるものとして、そして力を、活動するものとして自ら思い描くことが必要であった。この思い描くという行為は、超越的理性を有する未開民族の唯一のものであり、他の民族は若干の言葉へと発展させたにすぎない。魂は死後も存在しつづけるのか、という問題についても事情は同じだった。人間がたとえどのようにしてこの問題を考えるに至ったにせよ、またこれが地球上における一般的な民間信仰であるにしても、魂の不死という概念は、人間を死において動物から区別する唯一のものなのだ。どの未開民族も、人間における魂の不死の問題を哲学的に証明こそできないが、おそらくそれは哲学者も同じことである。なぜなら、哲学者も、人間の心の中にある魂の不死への信仰を、理性に基づく根拠によって強めることしかできないからだ。しかしこの信仰は、地球上のいたるところに見られる。カムチャッカ人も死者を動物に委ねるときにはこの信仰を持っているし、オーストラリアの住民も死骸を海に沈めるときにはこの信仰を持っている。いかなる民族も、動物を葬るようには身内の者を葬らない。どの未開人も、死ねば父祖の国、すなわち魂の国へ行くのだから。それゆえ、魂の不死にまつわる宗教上の伝承と、本来はまったく滅亡など知らないという在り方への心底からの感情は、細かく吟味する理性に先行するものなのだ。さもなければ、理性が不死という概念に思い至ることもほとんどなかったか、あるいはこれを何の力もない抽象的なものにしていただろう。このように、存在するものの存続を広く信じる人間の行為は、諸民族のすべての墓の上に築かれたピラミッドなのだ。

最後に。フマニテートの神々しい掟と規律は、たとえ残骸という形であっても、どんなに未開な民族にも見られる。とすれば、われわれはいったいこれらの掟や規律が何千年もの後に、たとえば理性によって案出されたと考え、この理性とかいう人間の抽象的思考の変わりやすい形成物に、それらの基礎を感謝しなければならないのだろうか？　歴史に即して見ても、そのようなことは私には信じられない。もし人間が動物と同じように地球上に散在して、フマニテートの内的形態を自ら最初から案出するとすれば、われわれは今なお言語、理性、宗教、習俗を持たない種々の民族を知っていなければならないだろう。なぜなら、人間はかつてあったとおりに現在も地球上にいるから⑯だ。しかし歴史や経験が語っているように、人間のようなオランウータンはどこにも存在しない。それに感覚を持たない人間や、他の人間らしくない人間について、後のディオドロスや、もっと後のプリニウスが語っている話⑰は、それ自体の根拠が架空のものであることを示しているか、あるいは少なくとも、これらの著作家の証言にまだ信用を与えるものではない。詩人たちが作中のオルフェウスやカドモス⑱の功績を高めるために、太古の時代の未開民族について作った伝説も、たしかに誇張されている。というのも、これらの詩人はその生きていた時代と叙述の目的からしても、歴史上の証人にはもう数えられないからだ。風土から類推しても、ヨーロッパの民族が、ましてやギリシア人がニュージーランドの住民やフエゴ島の住民より未開であったとは考えられない。しかしこれらの非人道的な住民も、フマニテートと理性と言語を持っている。さすがにどのような人喰い人間でも自分の兄弟や子どもまで喰うことはしない。人喰いというこの人間らしくない習慣は、彼らにとっては勇敢さを保ち、敵同士になった場合に互いを怖がらせるための残忍な戦時法なのだ。つまりそれは粗野な政治的理性の産物にほかならない。もっともこの理性は、彼らにあっては祖国の犠牲を少なくする意図のもとにフマニテートを屈服させたが、同じようにわれわれヨーロッパ人も、他の事柄についての意図のもとに現在に至るまでなおフマニテートを抑えつけてきた。人喰い人間は他所者に対しては自分たちの残忍な行為を恥じたのに、われわれヨーロッパ人は人間を殺戮してまったく恥じることがない。それどころか人喰い人間は、この人喰いという悲しい運命から逃れた捕虜に対しては、みな一様に同胞として気高く振舞う。それゆえこれらの特徴は、たとえホッテントットが自分の子を生き埋めにし、エスキモーが老いた父の寿命を縮めるにしても、どれもがみな悲しむべき困窮の結果であって、フマニテートの元来の感情を否定するものでは決してない。われわれもまた理性が惑わされ、奔放な贅沢さに誘惑されると、彼らよりずっと常軌を逸した多くの残虐行為を行ってきた。われわれの淫乱も、黒人の一夫多妻よりずっとたちの悪いものだ。しかしそうであるとはいえ、次のことは誰もが認めるだろう。すなわちそれは、獣姦者や残虐者や暗殺者において、たとえ情念や破廉恥な慣習によってほとんど識別できなくなっているにせよ、彼らの胸中にも、フマニテートの形象が埋め込まれているということである。とすれば、私が自ら地球の諸民族について読んだり調べたりしたすべてによって、次のように考えているということも認めてもらいたい。つまり私は、フマニテートに向けられたこの人間に内在する素質を、人間本性と同じくらいに普遍的であるだけでなく、元来この人間本性自体のために存在するものと考えているのだ。このフマニテートという素質は、思弁的理性よりも古いものなのだ。なぜなら、思弁的理性なるものは、知覚と言語を通じてようやく後から人間に形成されるものであり、しかも実践という場面にあっては、何らの行動基準をも、それがもしわれわれの胸中にある前述の茫漠としたフマニテートの形象から借りてこられなければ、自らのうちには持っていないからである。そもそも人間の義務がどれもみな、人間が自らの幸福の手段として、自分自身のために考え出し、経験を通じて固定させた因襲にすぎないとするならば、私が自らの目的である幸福を棄てたその瞬間に、この義務は私の義務ではなくなる。理性の三段論法(79)ならばこれで完成である。しかし幸福と、その手段である義務について一度も思弁的に考えたことのない者の胸中に、いったいどのようにして義務の観念が生じたのか？　婚姻の義務、親子の愛情の義務、家族の義務、社会の義務といったものがどのようにして、それも人間がこれらのそれぞれについて善悪の経験を集めないうちに、こうした義務がどのようにして人間の精神の中にまで到達したのか？　つまり、最初は多種多様な形で人間らしくない存在であったにちがいない人間が、人間になるまえにどのようにして義務の観念に到達したのか？　おお、慈悲深い神よ、かくも残忍な運命に、汝は自らの被造物を委ねたりはしないだろう。汝は動物には本能を授け、人間にはその魂に汝の似姿である宗教とフマニテートを刻み込んだ。人間という彫像の輪郭は、朦朧（もうろう）として深く大理石に彫られているが、ただこの彫像は、自らその輪郭にそって自己を切り出すことも、完成させることもできないのだ(80)。伝承と教育、理性と経験がこれを行えるように、汝は人間にそのための手段を十分に与えた。公正の規則、社会の法の原則、人間にとって最も自然な婚姻と愛情としての一夫一婦制、子どもへの情愛、恩人や友人に対する畏敬はもちろんのこと、最も強大で慈悲深い存在を感じとることさえも人間の特徴なのだ。それらは抑圧されていることもあれば、形成されていることもあろう。しかしどこにおいてもそれらはなお人間自身の根源的素質を示しているのだから、人間はこれらの素質に気づくやいなや、もはやこれを放棄してはならない。これらの素質とその完成という領域が地球上における神の本来の国であり、そこではすべての人間は階級や段階がどれほど異なっていても、その国の市民なのだ。

真の内的な人間を創造するこの領域の拡大に貢献できる者は幸いである。その者はいかなる案出者の学識も、いかなる王の玉座も羨むことがないのだから[81]。

しかし次のように問う者もいるだろう。「人間のこの心を覚醒させるフマニテートと宗教の伝承は、地球上のどこで、どのようにして生れ、そしてかくも多くの変遷を経て世界の果てまで広がり、きわめて茫漠とした残骸となって姿を消したのか？　今なお子どもはみな言語を他人から学び、また誰一人として理性を自分で案出できないというのに、誰が人間に言語を教えたのか？　文化の最初の萌芽が、まさに宇宙生成論と宗教上の伝承というヴェールに包まれて諸民族のあいだに生れたときに、人間が使用した最初の象徴はどのようなものだったのか？　人類とその知的形成、および道徳的形成という連鎖の最初の環はどこにつながっているのか？」と。これについてわれわれは、最古の伝承をも含めた地球の自然史が語ることに目を向けようではないか。

訳　注

第二部

第六巻

（1）ローマの喜劇作家テレンティウスの『自虐者』第一幕第一場における老人クレメスの言葉（訳文は城江良和訳、『テレンティウス　ローマ喜劇集5』京都大学学術出版会、二〇〇二年、一二六頁）。

（2）本巻第七章の原注65を参照。

（3）本書第一巻の特に第六章を参照。

（4）「グリーンランド」は北極海と北大西洋の間にある世界最大の島。先住民はイヌイト。

（5）オランダの哲学者で地理学者のコルネリウス・ド・パウ（Pauw, Cornelius de, 1739-99）は、『アメリカ人についての哲学的探究』（一七七一年）のエスキモーに関する章で次のように述べている。「おそらく自然は、植物や木々を生長させ、驚くほど多様な陸棲動物を産み出すために動員するのと同じくらい多くの生のエネルギーを、クジラやアザラシ、また本来は北極地方の海盆を居住地とするニシンやタラの無数の大群、それに時として北極海の海面を覆い尽くす海鳥の大群にも惜しげもなく使う。こうしたことをよく見るにつけ、われわれも次のことに納得せざるをえないのではないだろうか。すなわちそれは、いたるところに有機組織化に向けた同一の努力が活動しているということ。無限に変化する物質に生命を賦与する活動的精神は、地球全体に一様に分配されているということ。大気のそれぞれ異なる温度も、生命のこうした恒常的な進展には、さしたる障害とはなりえないということである。」このような「恒常的な進展」にとっては、自然界のあらゆる差異の原因を風土上の差異に求める環境決定論的な議論はほとんど説得力を持たない。これについては第七巻の訳注(56)を参照。

(6) ロシア、アラスカ、カナダ、グリーンランドに広がるツンドラ地帯に住む人々の総称。ただカナダではエスキモーという名称には差別的な意味があるとされ、イヌイトが正式な呼称となっている。次の段落で言及される「ラップ人」はラップランドに居住する先住民。ちなみに「ラップランド」とは「辺境」の地を意味する蔑称であり、彼らの自称はサーミ。

(7) ラップランドの山地の森林限界(=高木が生育できず、森林を形成できない限界線)以上に居住するラップ人。

(8) ロシア北部のツンドラ気候地帯に住む先住民。

(9) 北東アジア地域に住み、ツングース語族に属する言語を話す諸民族の旧称。

(10) モンゴル高原を中心にユーラシア大陸で広く活動する遊牧系民族。

(11) シベリア中央部に居住する民族で、自称はハンティ。

(12) 北東アジアに居住するテュルク系民族で、自称はサハ。

(13) シベリア北東部の北極海寄りに住む少数民族。

(14) モンゴル高原とシベリアから東ヨーロッパにかけて活動した民族の総称。日本では韃靼(だったん)とも表記された。

(15) 黒海とカスピ海に挟まれたコーカサス山脈を中心とする地域。

(16) 原語は Steppen. ゴビ砂漠という乾燥地帯を中央に有するモンゴル高原のことと思われる。

(17) これら三つの「形姿」は、それぞれが対等なものとして並置されている。「北方の形姿」には「グリーンランド人」「エスキモー」「(山地)ラップ人」「サモエード人」「ツングース人」「オスチャーク人」「ヤクート人」「ユカギール人」が含まれる。それに対して「モンゴル人」と「タタール人」はそれ自体が一つの大きな民族と考えられている。そして何よりも重要なのは、ここに挙げられた民族はすべて対等なものとして考察されており、相互の比較対照による優劣がつけられていないことであろう。本書の第二部が刊行された一七八五年にドイツの歴史家クリストフ・マイナース(Meiners, Christoph, 1747-1810)は『人類史の梗概』を出版するが、その第二章の§25で次のように述べている。「モンゴル人は徳性の悲しい欠如と、いくつもの恐ろしい不作法によってタタール人と区別される」(同書、六九頁)。

(18) Engel, Samuel (1702-84) スイスの探検旅行家。『アジアとアメリカに関する地理的報告』(一七六六年)、同書のドイツ語訳増補版『最新の旅行記に基づくアジアとアメリカの位置に関する地理的および批判的報告』(一七七二年)、『アジアとアメリカの北部地域に関する新たな試論、および北海を経てインドに向かう航路の新たな試み』(一七七九年)。

(19) Pagès, Pierre Marie François (1748-93) フランスの探検旅行家。『一七六七年から七六年の陸路と海路による世界一周および両極への旅行』(一七八二年)。

(20) Phipps, Constantine John (1744-94) イギリスの航海者。『航海日記。(…)北極への旅』(一七七四年)。ドイツ語訳は『一七七三年に行われた北極への旅。州知事エンゲル氏による補遺と注釈付』(一七七七年)。

(21) Cranz, David (1723-77) ヘルンフート派の宣教師。『グリーンランド誌。土地および住民などの記述、特にノイ・ヘルンフートとリヒテンフェルスの福音主義の同士による同地での宣教の歴史を含む』(一七六五年)。

(22) Ellis, Henry (1721-1806) アイルランド出身の水路学者で鉱物学者。『一七四六年と一七四七年におけるガレー船ドブス号とカリフォルニア号によるハドソン湾への航海』(一七四八年)。

(23) Egede, Hans (1686-1758) リンネの弟子で、ノルウェーの説教師。『グリーンランド宣教の開始と継続に関する詳細で確実な報告』(ドイツ語訳一七四〇年)、『グリーンランドに関する記述と博物誌』(ドイツ語訳一七六三年)。

(24) Curtis, Roger (1746-1816) イギリスの海軍将校。「ラブラドル沿岸に関する報告」はヨハン・ラインホルト・フォルスターとシュプレンゲル編の『民族誌および地域誌論集』(一七八一年)に翻訳・掲載された論文。

(25) カナダ北東部の半島。

(26) ヨハン・ラインホルト・フォルスターのこと。第一巻第六章の原注4への訳注(99)を参照。
(27) Sprengel, Matthias Christian（1746-1803）ドイツの歴史家。
(28) これには次のように記されている。「空腹に襲われ、それを満たすものが何一つ見出されないと、彼らは自ら鼻血を出し、食物の代わりに血をする」（ドイツ語訳、一〇九頁）。
(29) Sajnovics, János（1733-85）ハンガリーのイエズス会士、天文学者、言語学者。
(30) Högström, Pehr（1714-84）ラップランド在住のスウェーデンの宣教師。『スウェーデンのラップランドについての報告』（ドイツ語訳一七四八年）。
(31) Leem, Knud（1697-1774）デンマークの宣教師でラップ語の教授。『フィンマルクのラップ人と彼らの言語、習俗、古代の偶像崇拝についての報告』（一七四六年、ドイツ語訳一七七一年）。
(32) Klingstedt, Timotheus M. von（1710-86）ロシア駐在の行政官。『サモエード人とラップ人についての歴史的報告』（一七六二年、ドイツ語訳一七六九年）。
(33) Georgi, Johann Gottlieb（1729-1802）ロシアの自然学者で探検家。『ロシア帝国の諸民族、および彼らの生活様式、宗教、慣習、住居、衣服、他の注目すべき点についての記述。第二版、タタール民族』（一七七六年）。
(34) 『ロシア帝国諸州旅行記』（全三巻、一七七一―七六年）。
(35) Gmelin, Johann Georg（1709-55）ペテルスブルクとテューービンゲンの化学と植物学の教授。『一七三三年から一七四三年にかけてのシベリア旅行記』（全三部、一七五一―五二年）。「年長の」とあるのは第七巻第三章で言及されるヨハン・フリードリヒ・グメリンと区別するため。

(36)『一七七二年のロシア帝国旅行の所見』(全二巻、一七七五年)、『モルドゥアーナ人、カザフ人、カルムイク人、キルギス人、バシキール人などの特徴。パラスの旅行記からの抜粋』(一七七三年)、『バシキール人、メスチェレーク人、ヴォグール人、タタール人などの特徴。パラスの旅行記第二部からの抜粋』(一七七七年)、『オービッシュの東ヤーク人、サモエード人、ダウリッシュのツングース人、ウディンスキッシュの山地タタール人などの特徴』(一七七七年)。

(37)第一巻の第六章と第七章で地質学的に考察された人間の「最初の居住地」は、ここでは生理学と地理学の所見を加えながら、さらに民族誌的に考察される。

(38)南シベリアに住むモンゴル系の民族。

(39)シベリア北東部にある半島。

(40)ヒマラヤ山脈の麓の北東インドの中心地域アッサムに作られた王国と思われる。

(41)主として現ミャンマーのヤカイン州に住む民族で、現在はヤカイン人と呼ばれる。

(42)古代ビルマの都市アヴァとペグー(現在のバゴー)の住民。

(43)カムチャッカ半島に居住する先住民。

(44)カムチャッカ半島に居住する民族と思われる。

(45)シベリア北東の端のチュクチ半島の住民。

(46)列島の北部やカムチャッカ半島に住んでいたアイヌ民族のこと。

(47)原語は Jedso.「蝦夷」のこと。ここでは地域名として理解されており、十八世紀においてはカムチャッカ半島の一部と考えられていたようである。

(48) 現在の「ニューメキシコ」はアメリカ合衆国の南西部にある一つの州にすぎないが、十六世紀頃には、メキシコ中部のメキシコ湾側を流れるパヌコ河から、太平洋側のメキシコ北西部の都市クリアカンとを結ぶ線よりも北側の広い地域を指していた。一五九八年にスペイン領となった。フランスの歴史家ギョーム＝トマ・レーナル（Raynal, Guillaume Thomas François, 1713-96）はディドロ（Diderot, Denis, 1713-84）との共著『両インド史』（初版一七七〇年）第六篇第十三章「メキシコは、スペイン領となってのち、内憂外患によって揺り動かされた」において、その悲惨な状況を記述している。これについては、同書の邦訳『両インド史　西インド篇』（上）、大津真作訳、法政大学出版局、二〇一五年、六六頁以下を参照。

(49) Cook, James（1728-79）イギリスの海軍士官で海洋探検家。

(50) パラスの『動物学拾遺』（一七六七―八〇年）をふまえた表現。

(51)『モンゴル諸民族についての歴史報告集』第一部（一七七八年）。

(52)『ロシア帝国の諸民族についての記述』第四部「モンゴル諸民族、ロシア人および他の民族」（一七八〇年）。

(53) Müller, Gerhard Friedrich（1705-83）ロシア駐在のドイツの歴史家で年長の方のグメリンの旅行同伴者。『ロシア史論集』（一七三二―六四年）の編者。

(54) Schnitscher, Johann Christian（十八世紀初頭）サラトフ駐在の将校。「アユーク・カンのカルムイク人についての報告。スウェーデン語からのドイツ語訳」（『ロシア史論集』第四巻第四部、一七六〇年）。

(55) カルムイク人の首領アユーク・カンが一六六九年から一七二四年まで治めたヴォルガ河沿いの領土に居住していたカルムイク人(第四巻第二章を参照)のこと。

(56) Schlözer, August Ludwig von (1735-1809) ドイツの歴史家。『D・ゴットロープ・ショーバーによる未公刊の著作「ロシアおよびアジアの特徴。カルムイク人について」からの抜粋』(『ロシア史論集』第七巻第一部および第二部、一七六二年、四七頁以下および一五〇頁以下)。

(57) Schober, Gottlob (1672-1739) ドイツの医者。

(58) 『海陸一般旅行誌、あるいは現在まであらゆる民族の種々の言語で刊行されたすべての旅行記の叢書。学者たちによって一括して英語で蒐集されたものを英語およびフランス語からドイツ語に訳したもの』(全二十一部、一七四八―七四年)のこと。

(59) Charlevoix, Pierre François Xavier de (1682-1761) フランスのイエズス会士で宣教師。『ヌーベル・フランスの歴史と全体的な記述』(一七四四年)の中にエスキモーについての記述があるとされる。ちなみに「ヌーベル・フランス」とは、フランスが植民を行った北米大陸の地域で、最大時には、東はニューファンドランド島から西はロッキー山脈まで、北はハドソン湾から南はメキシコ湾まで広がっていた。

(60) Torén, Olof (1718-53) スウェーデンの聖職者で探検旅行家。一七五〇年から二年ほど中国に滞在していた。その『東インド方面への旅行記』(一七五七年)のドイツ語訳『東インドと中国への旅。トレーンのスーラトへの旅と、中国の農業についてのエッケベルクによる報告を付す』は一七六五年にゲオルギによって刊行された。

(61) インド北西部カンベイ湾に面した港湾都市。
(62) 具体的にはパラスが編纂した『自然地理学的地球および民族記述、博物誌ならびに経済のための新北方論集』の第四巻（一七八三年）に収められたヨハン・フリードリヒ・ハックマン（Hackman, Johann Friedrich, 1755-1807）の『チベットの地誌、歴史、自然特性に関する報告』のこと。
(63) Tavernier, Jean Baptiste（1605-89）フランスの旅行作家。『トルコ、ペルシア、インドへの六度の旅』（一六七六年）。
(64) Ovington, John（1653-1731）イギリス国王の宮廷牧師で研究旅行家。『ジョン・オヴィングトンの旅行記』（一七二五年）。
(65) Marsden, William（1754-1836）スマトラ島在留のイギリスの東洋学者。『東インドのスマトラ島の自然的市民的記述。英語からのドイツ語訳』（一七八五年）。
(66) Steller, Georg Wilhelm（1709-46）ロシア駐在の自然学者で研究旅行家。『カムチャッカ地方についての報告』（一七七四年）。
(67) Ellis, William Wade（1751-85）。訳注(22)のヘンリー・エリスとは別人。イギリスの博物学者でクックおよびクラークと航海を共にした。『一七七六年、七七年、七八年、七九年、八〇年に帝国軍艦レゾルーション号およびディスカヴァリー号でクック船長およびクラーク船長によって行われた航海の信頼できる報告』（一七八二年、ドイツ語訳一七八三年）。
(68) ヨハン・ラインホルト・フォルスター『一七七六年から一七八〇年にかけての南太平洋への

探検旅行日記』J・G・フォルスター訳(一七八一年)。

(69) 原語は schöngebildet. 動詞の「形作る」(＝bilden)は、ヘルダーにあっては第一部で見たように、生きた有機組織であるすべての被造物が自己を「形成する」という生物学的あるいは生理学的な意味で用いられている。そして特に「美しい」という形容詞と結びつくのは、第四巻第二章における「直立姿勢は地球のあらゆる生きものにとって最も美しく最も自然なものだ」という表現である。すなわち、「直立姿勢」を有する人間こそが「美しい」とされる。第二部以降の特に第六巻では、それを踏まえたうえで、形成の結果として現れる人間の外部に目が向けられる。ここで問題なのは「美しい」(schön)という形容詞である。ヘルダー自身は人間の直立姿勢を「美しい」と考えているのだろうが、この「美しい」という語を、特に人間の姿や形に対して用いる場合には自ずと価値評価的な要素が付随することは避けられない。本書においては、こうした価値評価的な要素が含まれることを前提としながら、schöngebildet を、あえて直訳の「美しく形作られた」とする。

(70) カシミールはインド北部とパキスタン北東部および中国にまたがる山岳地域で、中世にはカシミール・スルタン朝が存在した。

(71) Bernier, François (1620-88) フランスの哲学者で探検旅行家。『ムガル大帝国、ヒンドスタン、カシミール王国の政体の記述を含む(…)旅行記』(一六九九年、邦訳は『ムガル帝国誌』関美奈子・倉田信子訳、小名康之注、赤木昭三解説、岩波書店、一九九三年)。同書第二巻におけるカシミールの記述中に「乳と蜜の流れる山々」という表現が見られる(同訳書三五六頁)。

(72) 原注14で言及されたヒンドスタン人のことと思われる。なお、ここでは「ヒンドスタン」とはインドを指し、第十一巻第四章で詳述される。

(73) 原語(単数形)はHindu. インドにおける文化や慣習も含む広義の宗教であるヒンドゥー教の信者、もしくはヒンドゥー教を基盤とする人々。同じく第十一巻第四章で詳述される。

(74) ヨーロッパではイランの地に住む人々が「ペルシア人」と呼ばれてきたが、古代ギリシア人がアケメネス朝のペルシア帝国の人々をこう呼んだことに由来する。

(75) インド周辺に住む民族。ちなみにこの民族はカントの『自然地理学』第三部では「ペルシア人」の項に含まれており、「古来の民族の末裔」と記されている(『カント全集16　自然地理学』宮島光志訳、岩波書店、二〇〇一年、三五一頁)。

(76) 黒海の北東部沿岸からコーカサス山脈にかけて存在した歴史上の国。

(77) 中央アジアのテュルク系民族の一つであるウズベク人の居住する地域で、現在のウズベキスタンにあたると考えられる。

(78) 「ブハラ」はウズベキスタンのザラフシャン河下流域に栄えたオアシス都市。

(79) 古代イスラエル人の別称。主に他民族によって世俗的名称として用いられた。

(80) ギリシア北部、テッサリア地方にあるギリシア最高峰。

(81) 現在の呼称は「サブサハラアフリカ」。アフリカ大陸のうち黒人が主に居住する地域。

(82) 古典古代以来の風土的地理的区分に従った表現で、北方の寒冷な地域と、南方の暑い地域の中間にある気候の温和な地域を指す。

(83)『空気、水、場所について』第一章の冒頭でヒポクラテスはこう述べている。「医術を正しく探求しようと思う人は、以下のようなことをしなければならない。まず、一年の各季節がどのような影響をおよぼしうるかについて考えてみることである。季節というものはお互いに似たところはなく、むしろ季節相互にも、またその移り目においても、著しい相違があるからである」(訳文は『ヒポクラテス医学論集』國方栄二編訳、岩波文庫、二〇二二年、四九頁)。

(84) 中央アジアに住むテュルク系民族。

(85) この文章は、キケロの『義務について』第一巻、四(一四)における次の箇所を想起させる。「この(人間という)動物だけが、秩序とは何か、均整美とは何か、行為と言動について許される限度がどこにあるかを感得する。それゆえ、他の動物は、物自体は目で見て知覚しても、その美しさ、愛らしさ、各部分のあいだの調和を感ずることはない。対して、自然と理性は、同様の知覚の働きを目から魂へと移すことにより、さらにいっそう美しさと節操と秩序が計画と実行において保持されねばならないと考える」(訳文は高橋宏幸訳、『キケロー選集9』岩波書店、一九九九年、一三五頁)。

(86) ヘルダーにあっては人間の身体上の特性のみならず、文化上の展開も、自然のプロセスと、その根底にある単一の生命力に根ざしている。本巻第一章における「この自然という創造者の(…)有機組織化を行う手」への訳注(5)も参照。

(87) ここではアルプス以北のゲルマン諸民族が想定されている。

(88) Chardin, Jean (1643-1713) フランスの商人で探検旅行家。『ペルシアおよびオリエントの他の地域への旅行記』（一七一一年、邦訳は佐々木康之・佐々木澄子訳、『ペルシア紀行』岩波書店、一九九三年）。

(89) Le Brun, Cornelis (1652-1726)　オランダの旅行家で画家。『小アジアの主要地域への旅』（一六九八年）。『レヴァントおよび小アジアの主要部への旅行記』（一七二六年。前書のフランス語訳）。ちなみにレヴァントは地中海東部沿岸地方一帯を指し、中世東方貿易の中継地域。小アジアはアナトリア半島のこと。

(90) 第四巻第一章で見たように、「ニグロ」はアメリカやアフリカの黒人を意味するが、イエズス会巡察師アレッサンドロ・ヴァリニャーノ（Valignano, Alessandro, 1539-1606）はその著書『東インド巡察記』においてインド人を「黒色人種」とみなしている。これについては同書の邦訳（高橋裕史訳、東洋文庫七三四、平凡社、二〇〇五年）の当該箇所への訳注（5）（同訳書四三頁）を参照。

(91) インド南部のマラバール海岸付近の居住民のことと思われるが、詳細は不明。

(92) Niebuhr, Carsten (1733-1815)　ドイツの探検旅行家で地理学者。『アラビアと周辺地域への旅行記』（全三巻、一七七四—七八年）。一七六一年から六八年にかけてデンマーク王フレゼリク五世によって組織された探検隊の一員として近東とインドを訪れ、ただ一人この旅から生還した。彼の旅の最も重要な成果は、古代ペルシアの楔形文字とメソポタミアの古代遺産の資料整備である。ニーブールによるダリウス一世の「三言語の碑文」の記録は、ゲオルク・フリードリヒ・グローテフェント（Grotefend, Georg Friedrich, 1775-1853）による文字体系の解読へとつながる。

(93) Choiseul-Gouffier (1752–1817) フランスの外交官で考古学者。『ショワズール・グフィール伯爵のギリシアへの絵画的旅行記。フランス語からの翻訳。銅版画および図版付』第一巻(ドイツ語訳一七八二年)。

(94) 『旧約聖書』に登場するノアの息子の一人。大洪水の後、ノアが全裸で寝ていたのを他の兄弟に言いふらしたため、父の怒りを買い、呪いをかけられた。

(95) 先天的にメラニン色素が欠乏し、皮膚の色が白く見える人。

(96) ギリシアの本土とペロポネソス半島の間にある地峡。

(97) エジプトのナイル河から紅海にかけて広がる砂漠。

(98) Bruce, James (1730–94) スコットランドのアフリカ研究者。『アフリカ内部への旅。ナイルの源流アビシニアに向かって』全五巻(一七九〇年)。邦訳(抄訳)は『ナイル探検』長島信弘・石川由美訳、岩波書店、一九九一年。

(99) エチオピアの主要民族。

(100) 北西アフリカに広く居住する民族。「ベルベル人」という呼び名はギリシア語のバルバロイに由来する他称。

(101) 原語は Mauren. 元来はベルベル人を意味したが、十五世紀頃からは北アフリカのイスラム教徒の呼称となった。

(102) 『ヨハネス・ヒューブナーの国家、新聞、会話事典』(一七八九年)によれば、ヤローファ人は「横一一五マイル、縦六〇マイルとされるセネガル王国に住む、アフリカのニジェールの民族。

北方に住む民族は黄色の肌を、南方の民族は黒い肌をしている」とされる。ちなみに「ニジェール」は西アフリカのサハラ砂漠南端に位置する地域。

(103) アフリカ大陸の大西洋沿岸のセネガル河口から、サハラ砂漠南端を経てチャド湖、ナイル河へと至る広大な帯状の地域に居住する人々。

(104) ナイル河の西部から北方のガンビアに住む人々。

(105) 西アフリカ西岸に位置している。

(106) アフリカ中部の大西洋沿岸にある現在のコンゴ共和国に存在した王国。

(107) 前注を参照。コンゴに存在する現在の同名の二国(コンゴ共和国とコンゴ民主共和国)とアンゴラ北部は、十五世紀頃まではコンゴ王国の一体的な領域であった。

(108) アフリカの南西部にあって、西で大西洋に面している。

(109) アフリカ東部、インド洋上にあるザンジバル諸島の地域名。

(110) アフリカ南部の先住民集団。なお「ホッテントット」は蔑称であり、自称は「コイコイ」。

(111) 十八世紀にチェコ東部のモラヴィア地方から逃れてきたフス派の人々がドイツのツィンツェンドルフ伯爵の下で形成した共同体、ヘルンフートは「主の守り」の意味。

(112) ヨハン・ラインホルト・フォルスターのこと。

(113) 第一巻の訳注(76)を参照。ここでのドイツ語の原語はJaga'sであるが、第一巻第六章ではGagasと綴られている。それぞれの語が置かれた文脈や内容から判断すると、同一の民族を意味していると思われる。したがって綴りの相違は、ヘルダーが参照した典拠に由来するものであろう。この民族については、ヘルダーがケーニヒスベルク時代に大きな影響を受けたカントの自然地理学においても言及されている。ちなみに日本語の表記について見ると、『自然地理学』の既存の二種類の邦訳では「ジャッガ人ないしシャッガ人」(『カント全集15　自然地理学』三枝充悳訳、理想社、一九六六年、四〇五頁)、「ヤッガ人ないしシャッガ人」(前掲『カント全集16　自然地理学』三七三頁)となっている。十八世紀後半において、この民族が登場するもう一つの作品は、フランスの小説家マルキ・ド・サド(Marquis de Sade, 1740-1814)の書簡体小説『アリーヌとヴァルクール、あるいは哲学的物語』(一七九五年)である。その「第三十五の手紙」では「ジャガ人」と表記され、訳注の付された邦訳では「ジャガ人は残忍、食人の習慣があるとして、十八世紀にはよく知られていた」と説明されている(『サド全集8　アリーヌとヴァルクールあるいは哲学的物語』(上)、原好男訳、水声社、一九九八年、三九五頁)。ここまでは十八世紀のヨーロッパにおける「ヤッガ人」の話であるが、現在これに相応する民族は「チャガ」と呼ばれる人々ではないかと思われる。『世界民族事典』(綾部恒雄監修、弘文堂、二〇〇〇年)によれば、Chagga という綴りに加えて、Chaga, Dshagga, Jagga, Wadschagga などの綴りも併記され、「タンザニア北部キリマンジャロ山の森林帯の下方に広がる南部と東部斜面を主要な領域としているバントゥ語系の農耕民」と説明されている(同書、三九七頁)。いずれにしても「地球のこの地域からの信頼できる情報がいかに乏しいことか!」とヘルダー自身も嘆いているように、当時のアフリカについては「未開」あるいは「野蛮」というイメージだけが先行していたものと考えられる。

(114)「調理する」の原語は kochen(=熱を加える)であり、詳しい内容は次の段落「3」において記述される。「油を調理する」という表現はアリストテレスに遡ると考えられる。これについてはゲーテ『色彩論』歴史篇第一部での「テオプラストスというよりむしろアリストテレスの『色彩論』、五、有機的調理による植物の色彩変化」等における記述を参照（邦訳は『色彩論』完訳版、第二巻〔南大路振一・嶋田洋一郎・中島芳郎訳〕、工作舎、一九九九年、四六頁以下）。

(115) Lobo, Jerónimo (1595-1678) ポルトガルのイエズス会士。『アビシニアの歴史記』（一七二八年）。

(116) Ludolf, Hiob (1624-1704) ドイツのオリエント学者でエチオピア文献学の創始者。『エチオピア史』（一六八一年）など。

(117) Höst, Georg (1734-94) デンマークの旅行家。『一七六〇年から一七六八年にかけて現地で収集した、モロッコ人とフェズ人についての報告。デンマーク語からのドイツ語訳』（一七八一年）。

(118) モロッコは北アフリカの北西部にあり、西で大西洋に、北で地中海に面している。先住民はベルベル人。

(119) Schotte, J. P. (1744-85) ドイツの医師でアフリカ旅行家。『セネガルの状況についての報告』（ヨハン・ラインホルト・フォルスター編、一七八一年）。

(120) Sparrmann, Andreas (1748-1820) スウェーデンの植物学者で、リンネに学んだ。『一七七二年から一七七六年にかけての喜望峰への旅。スウェーデン語からのクリスティアン・ハインリヒ・グロスクルトによるドイツ語への自由訳』（ゲオルク・フォルスター編、一七八四年）。一七七三年に喜望峰でクックの第二次探検隊に加わり、ゲオルク・フォルスターと友人になった。フォルスターはこの出会いを『世界周航記』において描いている(邦訳は『世界周航記』(上)、三島憲一・山本尤訳、岩波書店、二〇〇二年、八一頁他)。

(121) Oldendorp, Christian Georg Andreas (1721-87) ヘルンフート派の宣教師。『カリブ海のセント・トマス島、セント・クロワ島、セント・ジャン島での福音派の同士たちによる宣教記録』(一七七七年)。

(122) Proyart, Liévin-Bonaventure (1743-1808) フランスの宣教師。『ロアンゴ、カコンゴなどの歴史』(一七七六年)。ドイツ語訳は『ロアンゴ、カコンゴおよびアフリカの他の王国の歴史。フランス人宣教師団の責任者プロヤール師によって作成された報告に基づく。フランス語からの翻訳』(一七七七年)。

(123) アフリカ中部の大西洋側地域に存在した小さな王国。現在のカビンダ。

(124) 『黒人の起源と色に関する講演。一七六四年一一月一四日にグレーニンゲンの解剖学室で行なわれたもの』(『小論文集』第一巻第一部、二四一四九頁、特に四四頁)。

(125) 『一七七八年にセネガルで猛威を振るった伝染性胆汁熱に関する論考』(一七八二年)のこと。一七八六年にはドイツ語訳も刊行された。

(126) 中央アフリカに住む低身長の人々の呼称。近年は用いられなくなりつつある。

(127) フィリピンのルソン島北部の山地に住む民族の総称。

(128) Dampier, William (1652-1715) イギリスの航海者で南洋探検家。『最新世界周航記』(一六九七年、邦訳は平野敬一訳、岩波文庫、二〇〇七年)。

(129) ボルネオ島の漁業を生業とする先住民。
(130) インドネシアの島嶼の一つ。「香料諸島（スパイス）」として有名であった。
(131) モルッカ諸島の先住民。
(132) ミンダナオ島北東部に居住する山岳民族。
(133) 南太平洋のオセアニアの海洋部ミクロネシア北西部の列島。
(134) ミクロネシア南部にある諸島。主な島にはパラオ諸島やヤップ島がある。
(135) 南太平洋のポリネシアにあるソシエテ諸島の一つ。後出の「ブーガンヴィル」への訳注(218)も参照。
(136) マレー半島、スマトラ島東海岸、ボルネオ島やジャワ島の沿岸部に住む人々。
(137) ここでは「アボリジニ」と呼ばれるオーストラリアの先住民を指す。
(138) 後出のニューヘブリディーズ諸島に属する島。
(139) 南太平洋西部にある火山性の島々。現バヌアツ。
(140) ニューカレドニアはオーストラリア東方、南太平洋西部のメラネシア地域にある島。先住民はカナクと呼ばれるメラネシア系の民族。
(141) ここでは先住民のマオリ人を指す。
(142) ホメロスの叙事詩『オデュッセイア』の主人公。長い冒険の旅路を辿る人物を象徴している。
(143) 『フィリピン諸島の歴史および記述』。
(144) ヨハン・ラインホルト・フォルスター『ブランバンガン、スルク諸島およびボルネオ北部に関する報告』(ネグリロについては二三七頁以下)。
(145) Ebeling, Christoph Daniel (1741–1817) ドイツの図書館司書で『新旅行記集』(全四部、一七八〇年)を編纂。
(146) Legentil, de la Galaisière (1725–92) フランスの天文学者で探検旅行家。『インド洋航海記』(一七七九—八一年)。ドイツ語訳は『ルジャンティーユのインド洋航海記』(『新旅行記集』第二部、一七八一年)。
(147) 『イギリス人によって行われた全世界旅行およびそこでなされた最新の発見に関する歴史的報告。乗組員たちの日記からの忠実な抜粋。英語からの翻訳』(全六巻、一七七五—八〇年)。
(148) 第一巻第六章の原注4を参照。
(149) 原語は Amerikaner. 直訳すると「アメリカ人」となるが、本書で言われる「アメリカ人」は、現在のアメリカ合衆国の居住民ではなく、南北両アメリカ大陸の先住民を指しているので、原則として「アメリカ先住民」と訳す。
(150) アメリカの地理学的な記述については第一巻の第六章と第七章を参照。
(151) 北太平洋のアリューシャン列島のうち、フォックス諸島を構成する島の一つ。
(152) 第一章におけるアメリカのエスキモーについての記述を参照。
(153) Laxmann, Erich (1737–96) ドイツの神学者で自然研究者。『ロシア帝国のいくつかの北方総督領を通っての約半年間の自然学的旅行の簡潔な報告』(一七八一年)。
(154) アメリカ北部からカナダ南部の地域に住む先住民。以下、さまざまな民族の列挙にあたっては命名法の問題が存在する。特に十八世紀においてフランスとイギリスという二つの植民国家によって行われた北米大陸の植民地化に関しては種々の情報が錯綜しており、そのため特定の地域に限定された名称と民族の区分はきわめて不確実なものであった。

(155) 原注47の典拠によれば、アシニボイン人と同様、ハドソン湾地域の先住民とされる。

(156) 北米大陸中東部に居住するアルゴンキアン語族に属する先住民。

(157) 北米大陸北部に居住する先住民。元来は先住民の間で「ナドウェ・スー」と呼ばれていたが、フランス人入植者が「スー」と縮めて呼ぶようになったとされる。

(158) カナダのアルバータ州北部に居住する先住民。

(159) 北米のスー人と同じ語族に属する先住民。

(160) Carver, Jonathan（1710–80）イギリスからアメリカに移った探検旅行家。『北アメリカ内陸旅行記』（一七七八年）。ドイツ語訳は抜粋で『ヨハン・カーヴァーの北アメリカ内陸旅行記』として『新旅行記集』（第一部、一七八〇年）に収録された。

(161) 北米大陸の東部から南東部にかけ居住する先住民。

(162) 北米大陸南部の先住民。

(163) 北米大陸南東部の先住民。

(164) Adair, James（1709頃–83）アメリカの商人で民族学者。『アメリカ・インディアンの歴史。英語からの翻訳』（一七八二年）。

(165) チェロキー人、チカソー人、チョクトー人、マスコギアン人、セミノール人のいわゆる「文明化五部族」のこと。

(166) Colden, Cadwallader (1688-1776) アイルランド系アメリカ人の自然研究者で哲学者。『五つのインディアン部族の歴史』(一七二七年)。

(167) Rogers, Woodes (1679-1732) イギリスの航海者でニュー・プロヴィデンス島の総督。『北アメリカについての報告』(一七六五年)。

(168) Timberlake, Henry (生没年未詳) 北アメリカの将校。『回想録』(一七六五年、ドイツ語訳一七六七年)。

(169) たとえば訳注(59)で言及されたシャルルヴォアの『ヌーベル・フランスの歴史と全体的な記述』などが考えられる。

(170) 「北アジア」とはユーラシア大陸のアルタイ山脈以北を指し、シベリアを中心としてモンゴルやウラルも含む。アジア大陸と北米大陸の境界の地理学的な関係をめぐっては、およそ二万年前から何千年もかけて、ネイティブ・アメリカンの祖先が氷期にベーリング陸橋を通ってアメリカ大陸に入ったという説が知られている。

(171) 第八巻第二章で言及される「シャーマニズム」のこと。

(172) 北米大陸のアパラチア山脈南部の山岳地帯に居住する先住民。

(173) 北米大陸南部に居住する先住民。

(174) 現在のルイジアナ州にあたる地域に居住する先住民と思われる。

(175) 北米大陸南西部に居住する先住民。

(176) 南米北西の先端部の古称。およそ現在のコロンビアとベネズエラにあたる地域。
(177) Wafer, Lionel（1640-1705） イギリスの旅行家。当該の記述は、ウェーファーがパナマのインディオのもとで過ごした三年に及ぶ捕虜生活に基づいている。
(178) 原語は Indianer. 中南米の先住民のこと。「アメリカ先住民」への訳注(149)も参照。
(179) 第一巻第六章で言及された「パナマ地峡」のこと。同巻の訳注(60)を参照。
(180) Fermin, Philipp（1720-90） オランダの医師で旅行家。『スリナム植民地の詳細な歴史的地理的報告。フランス語からの翻訳』(第一部、一七七五年、三九―四三頁)。
(181) 南米大陸の北東部に位置する地域。
(182) 南米大陸を原住地とするカリブ語系の先住民。
(183) 南米大陸北東部に居住する先住民のことと思われる。
(184) 前出のスリナム付近に居住する先住民のことと思われる。
(185) カリブ海のアンティール諸島(中米、カリブ海を囲む大小二つの弧状列島)に居住する先住民。
(186) Bancroft, Edward（1745-1821） イギリスの学者。『南アメリカのギニアの博物誌。四通の書簡。英語からの翻訳』(一七六九年、第三書簡)。
(187) 南米大陸の東海岸地帯に居住する先住民。
(188) パラグアイは南米大陸中南部に位置する内陸国。「宣教師たち」とは、十七世紀以降パラグアイに布教にやって来たイエズス会宣教師たちのこと。
(189) イエズス会宣教師たちによってパラグアイで行われたキリスト教化活動と関連している。そこでは「イエズス会伝道所」と呼ばれる拠点村落を中心に、独自の共同生活や音楽教育が行われた。現地のインディオたちは植民者たちの残忍さから護られてはいたが、自分たちを指導する宣教師たちにはずっと依存したままであったとされる。

(190) 前出のトゥピナンバ人や、後出のアビポン人のことが考えられる。

(191) 南米大陸のペルー、ボリビア、エクアドル、チリにわたり中央アンデスの先住民であるケチュア人が築いたインカ帝国の住民。

(192) チリの先住民。

(193) アルゼンチンのブエノスアイレス周辺に居住する先住民と思われる。

(194) 南米大陸のチリおよびアルゼンチンに居住する先住民。「アラウカーノ」という名称は現在では忌避され、アルゼンチンやチリでは「マプーチェ」が用いられる。

(195) アルゼンチンのパタゴニアからチリ中南部に居住する先住民族と思われる。

(196) 「パタゴン」とも呼ばれる伝説の巨人族のことと思われる。第七巻第一章の「ドイツの居住民はわずか数世紀前まではパタゴニア人であった」への訳注(2)を参照。

(197) Commerson, Philibert (1727-73) フランスの植物学者。『ラランド氏への手紙』(『ブーガンヴィル航海記の補遺。あるいはバンク、ソランダー、アングロワによって一七六八年、六九年、七〇年、七一年に行われた世界周航記。プレヴィーユによるアングロワの翻訳』一七七二年、二六六頁以下)。

(198) Falkner, Thomas (1707-84) イギリスのイエズス会士で宣教師。『パタゴニアおよび南アメリカの隣接する地域についての報告』（ドイツ語訳一七七五年）。

(199) Vidaurre, Felipe Gómez（1740–1818）スペイン出身でチリ在住のイエズス会士。『チリ王国の博物誌的、政治的、地理的歴史』。

(200) 第一巻第七章の訳注(114)を参照。ウリョーアにはスペインの軍人ホルヘ・フワンとの共著『国王陛下の命令で(…)行われた南アメリカ旅行の歴史的報告』（一七四八年）がある。そこでは「中央部」でこそないが、エクアドルの首都キトの先住民であるインディオ、あるいはインディオとスペイン人の混血であるメスティソなどについての描写が見られる。これについては、邦訳『南米諸王国紀行』（牛島信明訳、増田義郎注、岩波書店、一九九一年）の二一五頁等を参照。

(201) パタゴニアやフエゴ島の先住民のことと思われる。

(202) ミシシッピ河の支流アーカンソー河沿いに居住していた先住民のことと思われる。

(203) 第六巻第二章の原注20を参照。

(204) ゲオルク・フォルスターが、ドイツの科学者で諷刺家のゲオルク・クリストフ・リヒテンベルク(Lichtenberg, Georg Christoph, 1742–99)と共同で一七八〇年から一七八五年まで刊行した『ゲッティンゲン学術文学雑誌』のこと。ヘルダーの引用する文章は、その第三巻に掲載された『フォルスター教授からリヒテンベルク教授への手紙』からのものである。フォルスターは後に論考『アメリカ北西海岸とその地の毛皮交易』（一七九一年）において、アメリカ北西部および北東部の地理的発見について記述している（邦訳は『ゲオルク・フォルスター・コレクション　自然・歴史・文化』森貴史・船越克己・大久保進訳、関西大学出版部、二〇〇八年）。またフォルスターはこの論考の初稿が執筆された一七九一年に雑誌『新ドイツ博物館』に論考『地域的形成と普遍的形成について』を発表し、人類の形成史について地理学的所見を交えながら論じている(邦訳は『ゲオルク・フォルスター作品集　世界旅行からフランス革命へ』八木浩・芳原政弘他訳、三修社、一九八三年)。フォルスターによるこれら二つの論考は、本書の第七巻第一章で言及される「人種」の問題に言及した論考『人種論を再考する』(一七八六年、邦訳は前掲『ゲオルク・フォルスター作品集』に所収)とともに本書を理解するうえで重要な文献である。

(205) メキシコの歴史家でイエズス会士のクラヴィジェロ(Clavigero, Francesco Saverio, 1731-87)の著作。『ゲッティンゲン学芸時報』第三十五号(一七八一年)への付録(五四五―五五九頁)および『歴史、政治、国家学のためのキール時報』(一七八四年、第二巻第一号)に抜粋で掲載された。

(206) 『一般旅行記叢書』第十五部(一七五七年)。ヘルダーは同叢書に収められたウェーファーの『新たな航海とアメリカの地峡の記述』(一六九九年)から引用していると思われる。

(207) Acuña, Christóbal, de (1597-1670) スペインの探検旅行家。『一般旅行叢書』第十六部に収められたアマゾン地域の記述は一六四一年に刊行された。

(208) Gumilla, Joseph (1686-1750) スペインのイエズス会士で南米への宣教師。『オリノコの博物誌的、政治的、地理的歴史図解』(一七四一年)。

(209) Léry, Jean de (1536-1613) フランスの探検旅行家。『ブラジル旅行記』(一五七八年)。

(210) Marggraf, Georg (1610-44) ドイツの医師で探検旅行家。『ブラジルの博物誌』(一六四八年)。

(211) La Condamine, Charles-Marie de (1701-74) フランスの数学者で探検旅行家。『一般旅行記

叢書』第十五部および第十六部。『南アメリカ内部への旅行記』(一七四五年、抜粋『ハンブルク時報』第六巻)。

(212) Dobrizhoffer, Martin (1717-91) ボヘミア生れのイエズス会士で南米への宣教師。『アビポン人の歴史。ラテン語からのA・クライルによる訳』(一七八三―八四年)。

(213) アルゼンチンの先住民。

(214) オリノコ河のこと。ベネズエラを東に流れて、大西洋に注ぐ。

(215) Robertson, William (1721-93) スコットランドの聖職者で歴史家。『アメリカの歴史』(ドイツ語訳『アメリカの歴史。英語からのヨハン・フリードリヒ・シラーによる訳』一七七七年)。

(216) 前出の『世界周航記』の第二十三章「ニュージーランドからティエラ・デル・フエゴへの航海。クリスマス湾での滞在」における記述を参照(邦訳は『世界周航記』(下)、三島憲一・山本尤訳、岩波書店、二〇〇三年、三七八頁以下)。第四巻第四章の訳注(68)も参照。

(217) Cavendish, Thomas (1560-92) イギリスの世界周航者。

(218) Bougainville, Louis Antoine de (1729-1811) フランスの探検旅行家。『世界周航記』(一七七一年、邦訳は山本淳一訳、岩波書店、一九九〇年)。この周航記に描かれたタヒチ島の幸福なイメージは、ヨーロッパの思想家たちに大きな影響を与えた。

(219) Bry, Theodor de (1528-98) フラマンの銅板画家。彼の絵はフランスの写生画家ジャック・ル・モイーニュ(Moyne, Jacques Le, de Morgues, 1533-88)の『アメリカにおける未開人の真の写生』(一六〇三年)、あるいは『東方インド』(一六二八年)に見られる。

(220) 第四巻第一章の訳注(25)を参照。ヘルダーは、先住民に対する好奇心から描かれた図像的描写ではなく、生理学や解剖学を基盤とする観点から精確に描かれた絵図を念頭に置いている。
(221) Hodges, William (1744-97) クックのレゾルーション号に同乗した風景画家。
(222) Parkinson, Sydney (1745-71) クック最初の世界周航に同伴したスコットランドの写生画家。
(223) Marion Dufresne, Nicolas-Thomas (1729-72) フランスの航海者。『新南洋航海』(一七八三年)。

第七巻

(1) 原語は templa. 単数形は templum で、古代ローマの鳥占い師が、占いのために区切った天空または地上の一画を意味する。
(2) ここでの「パタゴニア人」とは、「パタゴン」とも呼ばれる伝説の巨人族を指す。第六巻第六章の訳注(196)を参照。現在の南米のパタゴニアという地名は「パタゴンの住む土地」という意味から来ている。したがってこの文章の意味するところは、パタゴニア人が自分たちの風土の影響下にあって、当時の旅行家が描くような巨人へと成長したのと同じように、ドイツの居住民であるドイツ人も食物、風土、生活様式の影響下にあってこのように大きく成長した、ということであろう。
(3) 北米大陸の中東部を流れる川で、ミシシッピ河の支流。
(4) ゲーテの『イタリア紀行』冒頭のモットーとして有名なこの詩句は、十八世紀後半のドイツの詩人たちによってたびたび言及されてきた。アルカディアは、ギリシアのペロポネソス半島中央部にある古代からの地域名で、後に理想郷の代名詞ともなった。元来は墓碑銘でもあったこの詩句の「私」は死と関連づけられていたが、次第に墓との結びつきから離れて、理想郷アルカディアでの過ぎ去った幸福を感傷的に回想する主体として現れてくる。ただ興味深いことに、ここでのヘルダーは、元来の墓碑銘に言及することによって、死との関連をあくまでも保持しようとしている。

（5）原語は Menschengeschlecht で、続く「一つの同じ類」の原語は Ein' und dieselbe Gattung である。ちなみに本章の標題冒頭の「人類」の原語も Menschengeschlecht であり、「一つの同じ人類」の原語は Ein' und dieselbe Menschengattung である。本来ならば Menschen の後に置かれている Geschlecht と Gattung をそれぞれ「種属」と「類」というふうに訳し分けるべきであろう。ただ、Menschengeschlecht を「人間種属」と訳すと、本章の最後で言及される「人種」(Racen)と混同されやすくなるため、Menschengattung の「人類」と表現上は同語反復となるが、Menschengeschlecht と Menschengattung を、ともに「人類」と訳すことにする。

（6）インド洋のベンガル湾に浮かぶ諸島。

（7）黒人から生れたアルビノのこと。

（8）カムチャッカ半島の先住民族。第六巻第二章の訳注(44)で言及される「カムチャッカ人」と関係があると思われる。

（9）ローマ神話に登場する森の神。ここでは「森人」の意味。

(10) オランウータンの属する「ヒト科オランウータン属」のこと。
(11) 第六巻の訳注(138)で言及されたマレクラ島の住民。
(12) アマゾン河流域に住む先住民。
(13) 南米大陸北東部の現在のガイアナに居住していた先住民。
(14) 前出の「これら一見したところサルに似た者たち」は、ヘルダーにあっては生理学上の構造によって人間から区別されるさまざまなサルとは異なるものである。
(15) ヘルダーが問題視するのは、第四巻でも言及されたバッテルやラブロッスなどによる十七世紀の報告である。それらにあっては、オランウータンが人間の女性を誘拐して何年も共同生活を送ったとされる。
(16) ヘルダーによる原語は Racen. この単語については第一部第四巻第五章で言及される「人種」への訳注(75)を参照。同じ文章中の「或る人々」とは同訳注で言及したリンネと、以下で述べるカントのことが念頭にあると思われる。ちなみにここでの「人種」の原語が第四巻における Menschenracen という複合名詞ではなく、ただ Racen となっているのは、同じくこの Racen が使われているカントの論文『さまざまな人種について』(*Von den verschiedenen Racen der Menschen.* 一七七五年)を意識していると考えられる。一方でカントは自らの論文が惹き起こした議論をふまえて、ヘルダーの『人類歴史哲学考』第二部が刊行された一七八五年に論文『人種の概念の規定』を発表し、「さまざまな人種について、じつに多くのことが語られている。ある人たちにいわせれば、人種とは人間のさまざまな種にほかならない」(訳文は望月俊孝訳、『カント全集14』岩波書店、二〇〇〇年、六九頁)と述べている。この「人種」という概念について同訳書の訳注では次のように説明されている。「人類(Menschengattung)とその下位分類である人種(Menschenrasse)に、類(Gattung/genus)と種(Art/species)の概念対をそのまま当てはめ、人種を種と考える俗説。これにたいしてカントは、種と種族(Rasse)を概念的に明確に区別することをめざす。その意図をくみ、「人種」という訳語は「人間種族」の縮約形として理解されたい」(同訳書三二九―三三〇頁)。たしかにヘルダーにあってはカントのように明確な概念規定が存在しないため、ヘルダーによる批判も議論の対象にならないまま、一方的に終わってしまうことも否定できない。しかしそれでもヘルダーが問題としたのは、次の訳注で言及するように、カントが先の論文『さまざまな人種について』において「根幹種族」として「ブルネット色をした白人」を仮定したうえで、さらに四つの種族を具体的に挙げたことであろう(福田喜一郎訳、『カント全集3』岩波書店、二〇〇一年、四一二頁)。

(17)　カントの言述を意識しながらヘルダーは人類を「四つか五つの人種」に分類することを批判するとともに、「根幹種族」というものが仮定されることで、ヨーロッパの理性文化がいわば「白色人種」の特権と見なされることを危惧している。

(18)　この前にある「体系的な自然史」の原語は die systematische Naturgeschichte. カントは先の論文『さまざまな人種について』の改訂版(一七七七年)において「自然記述」と「自然史」という名称について付した注釈において、次のように述べている。「われわれがまだまったく所有していない自然史がもしあったなら、それは、地球の姿の変化、またさらに地球上の生物(植物と動物)が自然な移動を通してこうむったその変化、そしてそれから生じた根幹種族の原型からの変種をわれわれに教えるだろう。おそらくそれは、外見上異なっている多くの種を、まったく同じ類の種族に還元し、自然記述の現在これほど冗長な学校体系を学問的理解のための自然的体系に変えてしまうであろう」(訳文は、前掲『カント全集3』四〇四頁)。もしヘルダーがこの箇所を読み、何か納得できないものを感じたとしたら、それは「自然的体系」(ein physisches System)という表現ではないかと想像される。ちなみにカントがここで言う「自然史」の原語は Naturgeschichte である。もちろんヘルダーも「自然史」そのものについては否定しないが、問題となるのはそれを「体系的な」ものとして、すなわち分類という作業に基づいて構築しようとする姿勢であろう。これに対してヘルダーの求める「人類の自然的 - 地理学的歴史」(die physisch-geographische Geschichte der Menschheit)は、多種多様な「風土」に視線を向けることで「地球のあらゆる場所と時代を通じて広がる」人類の歴史を連続的に記述することを目ざしている。

(19) ハラーによるビュフォン『博物誌』のドイツ語訳の第三部への序言。

(20) Bernoulli, Johann (1667–1748) スイスの学者。『養育について』(一七六六年)。

(21) ハラーの『人体生理学要綱』第八部(一七六六年)第三十巻「人間の生と死」ではベルヌーイによる個別研究に言及されている。

(22) Sonnerat, Pierre (1748–1814) フランスの探検旅行家。『東インドと中国への旅』(一七八二年)。

(23) Flacourt, Étienne de (1607–60) フランスの行政官で旅行家。『大マダガスカル島の歴史』(一六五八年)。

(24) Heyne, Christian Gottlob (1729–1812) ドイツの古典文献学者。ヘルダーと親交があり、ヘルダーの没後に刊行された最初の著作全集の編纂にも加わった。

(25) 『アジアへの新たな旅行者の日記』(ハインリヒ・アウグスト・ライヒャルト編、ライプツィヒ、一七八四年)。

(26) 中東の砂漠地帯で遊牧生活を送るアラブ系住民のこと。

(27) 第六巻の訳注(109)を参照。

(28) 第六巻第二章の「ニューメキシコ」への訳注(48)で言及されたレーナルの『両インド史』第六篇第二十三章「カリフォルニアの昔と今の状態」においては次のように述べられている。「カリフォルニア人の住んでいる場所に他人が入りこむまでは、彼らは、いっさい宗教的勤行を持ってはいなかった。彼らの統治体は、彼らの無知ぶりから期待される程度のものであった。それぞれの国は小屋の集積体で、小屋の戸数に多少の違いがあるものの、すべての小屋がお互いに同盟を結んでいた。だが、そこには首長がいなかった。社会状態よりも自然状態において、子の親に対する服従感情は、より激しいというほどのことではないにしても、少なくともより純粋であったが、しかし、そこでは、子の親に対する服従ということ自体が知られてさえいなかった」(訳文は前掲書一一一頁)。

(29) 『創世記』(二、七)は次のように語っている。「主なる神は、土(アダマ)の塵で人(アダム)を形づくり、その鼻に命の息を吹き入れられた。人はこうして生きる者となった。」なお「四大陸」とはアジア大陸、ヨーロッパ大陸、アメリカ大陸、アフリカ大陸のこと。

(30) スウェーデンの南部にある地方。

(31) 現在のドイツ北部ニーダーザクセン州の地域。かつてデンマークやスウェーデンの領地であった。

(32) Rømer, Ludewig Ferdinand (1714-76) デンマークの商人でアフリカ旅行家。『ギニア沿岸についての報告。D・エリック・ポントピダンの序言付。デンマーク語からの訳』(一七六九年)。

(33) ここでヘルダーは「食虫植物」という表現によって、ホメロスの『オデュッセイア』第九歌に登場する一つ目の巨人キュクロプスを想起させようとしているように思われる。すなわち「招かれざる客とか無礼な客を喰いつくす」未開人の権利は、まさにゼウスをも恐れない尊大な巨人キュクロプスがオデュッセウスの部下たちを喰いつくす権利と同じものであり、それは「ヨーロッパにおいても何らかの形で見られる原始的な絶対的権力」と何ら変わるものではない。

(34) ヤイク河は、現在のロシア連邦とカザフスタン共和国を流れるウラル河の別名。ちなみにカルムイク人やモンゴル人を「バッタ」(Heuschrecken)になぞらえることは、たしかに草原で軽々と飛び跳ねる様子を表すものと考えられるが、なぞらえられる側がこの表現をどのように受け取るかはまったく別の問題であろう。

(35) Opitz, Gottfried(十八世紀頃) ドイツのプロテスタントの牧師。『注目すべき報告。著者の生涯と、彼が今世紀にポーランドの大騒乱、ロシアでの隷属、大アジアのタタールにおいてカルムイク人のもとで耐えた二〇年に及ぶ捕虜状態について。著者の或る友人によって収集され、注釈を付して刊行されたもの』(一七四八―五二年)。

(36)『アメリカの半島カリフォルニアについての報告。同地でここ数年を過ごしたイエズス会の神父によって書かれたもの』(一七七三年)。この神父とはドイツ人のイエズス会士で旅行家のベゲルト(Begert, Jakob, 1717-72)のこと。

(37)『喜望峰への旅』一九五頁(南アフリカの先住民ブッシュマンの奴隷化)、六一二―六一七頁(奴隷所有と野蛮な刑罰への批判)。

(38) 第六巻の最後で言及されたマリオンは一七七二年六月一二日にニュージーランドの先住民によって殺害された(『新南洋航海』九八―一〇一頁および序言)。

(39) ヨーロッパに連れてこられた未開人についての原注(p)のこと。ルソー『人間不平等起原論』本田喜代治・平岡昇訳、岩波文庫、一九七二年、一八二―一八六頁を参照。

(40) 第一巻第三章で言及された「織り糸」のことと思われる。同項への訳注(25)を参照。

(41) 第一巻第四章で言及されたプトレマイオスや、地球を三つの風土地帯、すなわち野蛮人の住む北方、無気力なアジア人の住む南方、そして自由で情熱的なギリシア人の住む温和な中間地帯に分けたアリストテレス(『政治学』第七巻)などが考えられる。アリストテレスについては訳注(92)を参照。

(42) ここでは被造物が発する熱やエネルギーに言及されているが、これは第一巻第五章における大気に関する記述とも関連している。

(43) 特にツィンマーマンの『人間および広く棲息する四足動物の地理学的歴史』における種々の具体的で詳細な記述が念頭にある。

(44) 原語は animalische Wärme. 第三巻第一章で言及される「生命賦与熱」と同じようなものと考えられる。

(45) 第四巻第一章における人間の有機組織に関する記述を参照。

(46) 『法の精神』(一七四八年、第十四編第二章)における「ヒツジの舌」を用いた実験の箇所を参照。これによってモンテスキュー(Montesquieu, Charles-Louis de Secondat, 1689-1755)は、暑さと寒さが及ぼす影響の相違という観点から、自分の風土理論を実証しようとした。ちなみにヘルダーの言う「非難」が誰によるものかは不明。

(47) 大気圏を電気的な物体として解釈することについては、第一巻第五章および第二巻第三章における「電気」に関する記述を参照。

(48) 大気中にある伝染病毒。ミアスマとも呼ばれる。

(49) ギニアなどに見られる、塵を巻き起こす乾いた風。

(50) 北アフリカやアラビアの砂漠に吹く熱風による砂嵐。

(51) 地中海地方に起こる熱い南風。

(52) このような「自然の弟子」に教えを乞うことが『人類歴史哲学考』全体の基本姿勢である。

(53) 前後の文脈からヒポクラテスのことと思われるが、引用文の典拠は未詳。

(54) アジア大陸、ヨーロッパ大陸、アフリカ大陸に続くアメリカ大陸のことと思われる。

(55) 北極地方のバレンツ海とカラ海の間にある二つの島からなるロシアの列島。

(56) 「風土」(Klima)という言葉は、「傾く」を意味するギリシア語の動詞 κλινειν (klinein)に由来する。ここでもヘルダーはツィンマーマンの前掲書をふまえているが、特に重要なのは「風土は強制するものではなく」という表現に見られるように、風土には被造物の種や類までも変える力はなく、種の不変性は保たれるということである。ダーウィンの進化論までには至っていないヘルダーにとって、風土は次章で言及される「発生をもたらす力」と共同で働く「第二原因」である。

(57) Brugmans, Anton (1732–89) オランダの自然科学者。『磁気物質、および鉄と磁石におけるその作用に関する哲学的試論。ラテン語からのドイツ語訳。著者による注釈と補遺を付す。クリスティアン・ゴットホルト・エッシェンバッハ編』(一七八四年)。

(58) Halley, Edmond (1656–1742) イギリスの天文学者で物理学者。

(59) 『熱が太陽の作用としてのみ見られるかぎりにおける、熱を算出するハレーの方法の説明』(『ハンブルク時報、あるいは自然研究と愛すべき諸学問に基づく教示と楽しみのための全著作』第二巻、一七四七年)。

(60) Crell, Lorenz (1744–1816) ドイツの哲学者で自然科学者。『植物と動物の熱気産出能力および破壊能力に関する実験。英語からのドイツ語訳。原著者による同じ主題に関する論文を付す』(一七七八年)。

(61) 『特定の環境に置かれた動物の、冷気産出能力に関する実験』(一七八一年)。第一巻第五章の

「クロフォード」への訳注(48)も参照。

(62) Gaubius, Hieronymus David (1705–80) ライデンの医学教授。『病理学入門』(一七五八年)。この著作では力学的教説と唯心論的教説の結びつきが見られるとされる。

(63) 『法の精神』第十四編から第十八編。

(64) Castillion, Jean-Louis (1720–93) フランスの生理学者。『諸国民の習俗と統治形態の精神における差異の自然的および道徳的原因に関する考察』(ドイツ語訳一七七〇年)。

(65) Falconer, William (1744–1824) スコットランドの詩人で船乗り。『人間の気質、道徳、知力、法、統治様式、宗教に及ぼす風土の影響に関する所見。英語からのドイツ語訳。注釈と補遺を付す』(一七八二年)。

(66) フランスの聖職者エスピアール(Espiard, François Ignace d', 1707–77)の著作(一七五三年)。

(67) フランスの神学者ピション(Pichon, Thomas Jean, 1731–1812)の著作(一七六五年、ドイツ語訳『人類の自然史』一七六八年)。

(68) Gmelin, Johann Friedrich (1748–1804) ドイツの化学および医学の教授。『大気論における新発見、および医学へのそれらの応用』(一七八四年)。第六巻の原注10で言及されるヨハン・ゲオルク・グメリンとは別人。

(69) 『空気、水、場所について』の第十二—二十四章で風土が人間の生活に及ぼす影響を考察している。

(70) Bacon, Francis (1561–1626) ヘルダーが原注で言及しているのは、『著作集』第一巻に収められた『学問の尊厳と進歩』（一六二三年）の第三編。ドイツ語訳は『学問の尊厳と進歩について。原著者の伝記といくつかの歴史上の注釈を付したドイツ語訳。ヨハン・ヘルマン・プフィングステン編』（一七八三年）。ここでヘルダーが考えているのは、本書の第一巻第五章で占星術との関連で言及されたイタリアの天文学者トアルドとベーコンの関係であろう。トアルドはその著書『気象学試論』の序文において次のように述べている。「ベーコンはあらゆる学問を厳格かつ明瞭に批判するに際して、占星術が迷信や、その実践にさまざまに寄与せざるをえなかったことを認識していたが、それでも彼は占星術を諸学問の体系から遠ざけることを決めたわけではなかった。むしろ占星術はその体系によって純粋化されるべきであった。そして彼はそのための種々の道や境界を明示し、占星術を真の自然学の領域へと定めた。」ここでのヘルダーは、天文学の基盤となった占星術と同じように「風土学」を「真の自然学の領域」へ組み込むことを意図していると考えられる。

(71) 原語は genetische Kraft.　第三巻第二章で言及されたヴォルフの『発生の理論』(ラテン語版)の§168以下で言及される「本質的な力」(= vis essentialis)のことと思われる。これについては訳注(72)も参照。この力と風土の関係の議論の前提となっているのは、第三巻第二章における「動物の中で活動する種々の有機的諸力」についてと第五巻第二章における「力と器官」についての議論である。なお、以下の本文においては genetisch の部分を前後の文脈に応じて「発生に関わる」「発生時に即した」「発生時に遡る」などのように訳し分けている。

(72) ここでの「精神」(Geist)とは、ヴォルフに即して言えば「本質的な力」であり、ヘルダーの言う「発生をもたらす力」のことである。しかもこの力は物質に「包まれている。」そしてこのかぎりにおいて「発生をもたらす力」も物質も、完成された有機的身体に先行している。

(73)「生きた有機的な力」は、物質に不可分に内在し、熱によって活動状態に置かれ、生きものの単一的な類型としての「原型」を産み出す。

(74) 第五巻第三章で言及された「素材」(hyle)への訳注(16)を参照。すなわちジェームズ・ハリスによれば「素材」と「形相」はデカルト的な二元論的な世界像ではなく、物質の原素材から、物質に内在する形式原理が差異化されながら自己を展開させるような統一的な世界像を提示している。また「思惟する自然」という表現はスピノザ的思考を想起させる。

(75) ここでは、二つの生きものの統一に基づく動物的生命の生成に際して、偶発事としての熱の必然性が問題となっている。

(76) ヴォルフによれば、生命力は人間の全生涯を通じてその種々の機能を果たし、身体のどの完全に形成された部分においてもさらに活動している。なお「生命力」という言葉の歴史については第二巻第二章の「生命力」への訳注(12)を参照。

(77) 第五巻第二章の「理性的魂」への訳注(8)などを参照。

(78) 第五巻第二章の「後成説」への訳注(6)を参照。

(79) 前出の「生命力」に関連している。具体的には次の原注において言及されるヒポクラテス、アリストテレス、ガレノスの諸著作が念頭にある。

(80) 原語は animalische Pflanze. ヘルダー自身の表現であるのか、どこに典拠があるのかは未詳。

第三巻ではポリプが「植物動物」と呼ばれている。

(81) 原語は Verartung des menschlichen Geschlechts. ここでは進化論的な意味はないと考えられる。

(82) Dürer, Albrecht (1471-1528) ドイツの画家で版画家。その前の「ポリュクレイトス」については第二巻第四章で言及される「ポリュクレイトスの規則」への訳注(45)を参照。ここでデューラーに言及するのは後出の「観相学」との関連からである。

(83) 原語は Pathognomik. 表出心理学においては、顔の表情や身体の動きから感情を解釈するための概念であるが、ここでの用法は、ヘルダーと同じくラーヴァターの観相学に批判的であったリヒテンベルクの『観相学について　観相学者たちに抗して』(一七七七年)に由来するものと思われる。これについては『リヒテンベルクの雑記帳』(宮田眞治訳、作品社、二〇一八年)第三章「人間とは」における「顔について・観相学批判」(同訳書三二八―三五〇頁)を参照。「動態観情学」という訳語も同訳書から借用させていただいた。

(84) 原語は Semiotik. 身体の外的特徴から身体の内部で起こっていることを認識するための学問。第五巻第四章では「魂の徴候学」に言及している。

(85) physis. ギリシア語。

(86) 「ヨーロッパ的な理想」あるいは「ヨーロッパを基準とした理想」という意味であろうが、具体的には前述の「ポリュクレイトスの規則」や、同じ段落で言及される「肌や目や髪の色」や「気質」と関連すると思われる。前者については先に「人種」についての訳注(16)でふれたように、たとえばカントが論文『さまざまな人種について』において「根幹種族」として「ブルネット色をした白人」を仮定することなどが挙げられよう。また後者については、人間の気質を「血液、粘液、黄胆汁、黒胆汁」の四つの体液に従って考える「四体液説」が想定される。いずれにしてもヘルダーが問題とするのは、これらの「理想」が人間をいくつかの特定の種類に分類することである。第一章の末尾でも言われているように、ヘルダーにとって「すべてのものは、地球のあらゆる場所と時代を通じて広がる同じ一つの大絵画の色合いの差にすぎない」。

(87) 第三章の「風土は強制するものではなく、傾けるものなのだ」への訳注(56)を参照。

(88) いずれもギリシア神話に登場する異形な怪物。ケンタウロスは人間の上半身とウマの下半身を持つ怪物。サテュロスはヤギの足を持つ森の精。スキュラは六つの頭を持つ、イヌに似た女の怪物。メドゥーサはその目で人を石に変える女の怪物。ここでの文章はルクレティウスの『事物の本性について——宇宙論』第五巻(八七八行以下)の次の記述をふまえていると思われる。「ケンタウロスなるものは存在しなかった／どんな時にも、ちがう種類の手足からできて、二重の／性質と二つの体をもち、かれの能力とこれの能力とが／相並ぶようなものは、かつて存在しえなかった」(訳文は、藤沢令夫・岩田義一訳、『世界古典文学全集21　ウェルギリウス　ルクレティウス』筑摩書房、一九六五年、三九六頁)。

(89) Harvey, William (1578–1657) イギリスの解剖学者で医師。イタリアのパドヴァで解剖学者ファブリキウス(Fabricius, Hieronymus, 1537–1619)に学んだ。血液循環の発見で知られる。動物的身体の構造の中に力学的諸力が活動しているのを見る「医療自然学」(Iatrophysik)の代表者。

『生物の発生について』（一六五一年）。

(90) 前出の『発生の理論』（一七五九年）およびそのドイツ語版（一七六四年）。

(91) 『食養生について』（Peri trophes）第一巻における哲学関連の諸章を参照。

(92) ヨーロッパの民族とアジアの民族を比較する点においてアリストテレスの『政治学』にはヒポクラテスの『空気、水、場所について』の第十六章との親近性が見られる。まずヒポクラテスは当該箇所で次のように述べている。「住民たちの無気力や勇気のなさについて、アジア人がヨーロッパ人に比べて好戦的でなく、性格が穏やかであるのは、季節が最大の原因となっている。すなわち、季節の大きな変化がなく、暑すぎもせず寒すぎもせず、ほとんどよく似ているためである。彼らの間では精神が受ける衝撃や身体の激しい変化は生じないのであるが、こうしたものがあるからこそ、いつも同じ状態にあるよりも、気性が荒々しくなったり、無鉄砲や勇敢になったりしやすくなる。つまり、あらゆるものの変化が人間の精神を喚起して、穏やかなままでいることを許さないのである。／以上のことが原因で、アジアの種族は軟弱であると私は考えているが、それに加えてその慣習も関係している。すなわち、アジアはたいてい王たちの支配下にある」（訳文は前掲『ヒポクラテス医学論集』七六―七七頁）。そしてアリストテレスの『政治学』第七巻第七章ではこう述べられている。「寒い地方にいる民族、特にヨーロッパの民族は気概には富んでいるが、思慮と技術とにやや欠けるところがある、それゆえ比較的に自由を保ちつづけているが、国的組織をもたず、隣人たちを支配することが出来ない。しかるにアジアの民族はその魂が思慮的でまた技術的ではあるが、気概がない、それゆえ絶えず支配され、隷属している」

(訳文は『政治学』山本光雄訳、岩波文庫、一九六一年、三二四―三二五頁)。ちなみに訳注(41)で言及された「自由で情熱的なギリシア人」についての記述は、この後すぐ次のように続く。「しかしギリシア人の民族はその住む場所が中間を占めているように、その両者に与かっている、というのは実際気概があり思慮があるからである。それゆえ自由を保ちつづけ、非常に優れた国的組織をもちつづけている」(同訳書三二五頁)。

(93) ガレノスは伝ヒポクラテスの著書への注釈を書いた。なかでも『症状について』(Peri apodeixeos)における生命力についての記述が重要であるとされる。第四巻第二章における「第二のガレノス」への訳注(36)も参照。

(94) ボイルはルクレティウスとガッサンディによる原子に関する教説を近代の自然研究に統合した。また「地球大気学」(第一巻第五章)の研究によってヘルダーにとって重要な役割を果たしている。

(95) Stahl, Georg Ernst (1660-1734) ドイツの化学者で医師。医学ではブールハーフェらの唯物論的立場に対して、すべての存在物には霊(魂)が宿っているとする生気論的(アニミズム的)立場を主張した。第一巻の訳注(38)も参照。

(96) Glisson, Francis (1599-1677) イギリスの解剖学者で生理学者。肝臓の解剖学的研究に重要な貢献をした。著書『活力要素の本性について』(一六七二年)において、生きた繊維の刺激反応性を説き、生命力の理論にも寄与した。

(97) Albinus, Bernhard Siegfried (1697-1770) オランダの医師で解剖学と外科の教授。ハーヴィ

と同じく「医療自然学」の代表者である。ここで言及されるのは前出のファブリキウスの『作品全集』（一七三八年以降）とハーヴィの『作品集』（一七三八年）の刊行者としてである。

(98) 第六巻第四章「5」を参照。

(99) 『ムーア人とヨーロッパ人の身体上の差異について』という表題は改訂第二版（一七八五年）では『黒人とヨーロッパ人の身体上の差異について』に変更されている。

(100) Metzger, Johann Daniel（1739-1805）ドイツの解剖学者で婦人科医。『医学著作集』（全三巻、改訂第二版一七八四年）。なお「気質」についての論文は原注にある第一巻ではなく第三巻に見られる。

(101) Platner, Ernst（1744-1818）ドイツの医者。『医者と学者のための人間学』（一七七二年）によって医学と人間学が接近するように尽力した。ここでの言及は『哲学的箴言集』第二集（一七八二年）における「気質」に関する記述をふまえている。

(102) Kalm, Pehr（1716-79）スウェーデンの自然研究者。『海陸への新たな注目に値する旅行記集。第十部。ペーター・カルム氏の行った北アメリカ旅行報告。第二部。ドイツ語訳』（一七五七年）。『海陸への新たな注目に値する旅行記集。第十一部。ペーター・カルム氏の旅行報告。第三部。ドイツ語訳』（一七六四年）。次節の引用は第十部の二五二頁以下。

(103) 第六巻第六章の記述を参照。ドブリッツホッファーと並んで、特に第六巻の訳注(200)で言及されたウリョーアの『南米諸王国紀行』が重要である。

(104) ギリシア神話に登場する工匠。クレタに有名な迷宮を造り、ここに捕えられると、息子のイカロスとともに人工の翼を作って脱出した。
(105) Williamson, Hugh (1735-1819) アメリカの自然研究者。『北アメリカ内部に見られる風土変化の原因を明らかにする試み』(『医学、自然史、財政学、官房学、および関連する文献の促進のためのベルリン論集』第七巻第一部、第一号、一七七五年)。

第八巻

(1) 海上で揺れ動く船のイメージは、ヘルダーが一七六九年にバルト海からフランスのナントへ向かう船旅で実際に体験したように、時間と空間の固定された枠組みからの解放を表すものである。ヘルダーはこう書いている。「空と海のあいだを漂う船は、何と広範な思索の領域を提供してくれることか。ここではすべてが思索に翼と躍動と広大な空間を与えてくれる。翻る帆、たえず揺れる船、ざわめく波のうねり、飛びゆく雲、広く限りない大気のすべてが」(『ヘルダー旅日記』嶋田洋一郎訳、九州大学出版会、二〇〇二年、七頁)。
(2) ここでのヘルダーは自然と精神を二項対立的にとらえるのではなく、これまで見てきた自然的なものから精神的なものの諸領域を導き出すことを目ざしている。そしてそれは第一巻第二章で次のように、すなわち「自然に関して統一されたものが、いったいどうして精神や道徳に関しても統一されないことがあろうか? 精神も道徳も自然学であり、最終的にはみな太陽系に依存する同一の法則に、より高次の秩序の中でのみ仕えているのだから」と言われていたように、自然と精神の諸領域を「同一の法則」に従って把握しようとする点に最大の特徴がある。

（3）ヘルダーの念頭にあるのは、スイス出身の哲学者で第九巻第二章において言及されるヨハン・ゲオルク・ズルツァーの論文『魂がその主要能力、すなわち何かを表象する能力と感受する能力を行使する際に置かれる種々異なる状態に関する所見』（一七六三年）などにおける「魂の概念を確固と定め」ようとする試みであると考えられる。ヘルダーも論考『人間の魂の認識と感受について』の中で魂に関する諸問題と取り組んでいたが、それは生理学や心理学といった人間の自然あるいは本性といった具体的な観点からの考察であった。

（4）原語は Mutmaßungen.　第十巻第二章などでも使用される。『人類歴史哲学考』第二部刊行の翌一七八六年にカントの論考『人類史の臆測的始元』が発表される。ちなみに「臆測」もしくは「推測」(Konjektur, Vermutung)は、種々の版やテクストを比較しながら最も信用できる読み方を推測する古文書の判読方法に由来するものであるが、啓蒙主義の歴史思考を支える重要な概念でもある。

（5）第三巻第六章の訳注(56)を参照。

（6）ヘルダーにおける触覚の重要性については『彫塑』(一七七八年)および初期の未完の草稿「触覚という感覚について」(一七六九年)を参照(いずれも邦訳あり。登張正実訳『彫塑』、『世界の名著　続7　ヘルダー　ゲーテ』二〇三—二九四頁。嶋田洋一郎訳「触覚という感覚について」、『思想』第一一〇五号(二〇一六年五月)、一七一—一八七頁)。

（7）古代インドの民族宗教で、司祭階級であるバラモンを最高位の階級とする。

（8）アンティール諸島の先住民。

(9) 南米インディオのトゥピ＝グアラニ語族に属する先住民。パラグアイ北部に住む。
(10) 民族音楽的な発想であり、第四章における民謡についての言述とも呼応している。
(11) 『動物に対する人類の身体上の長所について。アカデミーでの講演』(『医学著作集』第三巻、一七八四年、二九五—三二七頁)。
(12) ロバートソンは当該箇所でウリョーアに依拠していると考えられる。第六巻第六章の「ロバートソン」への訳注(215)を参照。
(13) 『人体生理学要綱』第五部第十二巻「触覚」、第一節「触覚器官」、§10「硬い表皮」。
(14) 「想像力」の原語は Einbildungskraft.「触覚」をはじめとする種々の感覚に続くのが「想像力」であるが、ヘルダーにあってそれは人間の抽象的な能力ではなく、種々の感覚に基づいて身体と魂のあいだに関連を産み出す媒介的な能力である。しかし同時にこの想像力は一個の人間によって産み出されるものではなく、そこにはその人間の生れ育った風土や教育などの環境が存在する。そのさい大きな役割を果たすのが「伝承」である。その原語は Tradition であり、これは「伝統」と訳される場合が多いが、本訳書では原則として、「伝統」よりも範囲が広いと思われる「伝承」という訳語を、「古くからの制度・風習・信仰・言い伝え(などを、受け継ぎ伝えていくこと)」(『新明解国語辞典』第八版)という意味において使用することにしたい。
(15) この話はロックの『人間知性論』(第四巻第十五章)などに見られる。
(16) グリーンランドの占い師、魔術師、医師。
(17) グリーンランド人の宗教における最も力のある善い霊。

(18) 月にまつわるこの伝承は、第十一巻第五章で言及される「月蝕」に関する伝承を想起させる。

(19) 地獄と天国の中間の場所で「古聖所」ともいう。洗礼を受けなかった幼児やキリスト以前の正しい人たちなどの霊魂が住むとされる。

(20) 「神話」の原語はMythologie. 比較神話学的な発想。ただヘルダーにとって重要なのは、比較を通じてそれぞれの神話の特性を見出すことであって、個々の神話のあいだに序列や優劣をつけることではない。

(21) 古代北欧の神々の歌。ヘルダーは自らの『民謡集』第二部(一七七九年)でこの長大な歌をドイツ語に翻訳している(邦訳は『ヘルダー民謡集』嶋田洋一郎訳、九州大学出版会、二〇一八年、五二九―五四四頁)。

(22) 古代インド人の宗教・哲学・文学の根源をなす宗教文献。

(23) 原語はMohammed. イスラム教の創始者。「マホメット」とも表記される。

(24) 原始宗教にあって神がかりの状態で神霊と意思疎通する宗教的指導者。

(25) 北ヨーロッパに居住する民族の一つで、フィンランド国民を構成する主要民族。以下、本書では「フィンランド人」と記述されている場合もある。

(26) 第十六巻第四章で「スラヴ諸民族」として詳述される。

(27) 神霊界との交流を、もっぱらシャーマン(前出)を通じて可能とする原始宗教。

(28) 自然現象を神などになぞらえる「比喩」という表現方法。ヘルダーにあっては「類比」による認識方法とも密接な関係がある。

(29) ヘルダーはこうした試みをすでに『旅日記』で行っている。前掲『ヘルダー旅日記』(一四―二一頁)を参照。またヘルダーにとって「神話」あるいは「想像力」は、抽象的な理性や合理的な思考と対立するものではない。一人の人間の中には種々の能力が共存しており、こうした観点からヘルダーは『旅日記』の当該箇所で「このような夢物語や本当と信じられた茶番をその人間の地位、教育、教養、思考様式から取り除くならば、その人間は非常に分別があり、活動的で、有能で、賢明な人間かもしれないのだ」(同訳書一九頁)と述べている。

(30) 宗教も神話と同じように、すなわち人間が自己の世界像を自然な方法で特定の環境へ投映したものと解釈される。

(31) 原語は angeborne Ideen. 第四巻第四章の「理論上も実践上も理性とは何か知覚されたもの」への訳注(60)を参照。

(32) 原語は Porcupine-man. ここで念頭に置かれているのは、十八世紀においてランベルトという名のアイルランド人男性の発した症状が、深刻な鱗(うろこ)病による奇形としてとらえられた有名な事例である。

(33) 第一巻第五章冒頭の文章、すなわち「人間はきわめて複雑な有機体であるため、純粋な大気を呼吸して生きることはできない」をふまえている。

(34) Krascheninnikow, Stephan (1711–55) ロシアの植物学者でシベリア旅行家。『カムチャッカ地方の報告』(英語訳一七六三年)。ドイツ語訳は『カムチャッカ地方の報告。英語からのヨハン・トビアス・ケーラーによるドイツ語訳』。

（35）第七巻第二章の「レーマー」への訳注（32）を参照。『ギニア沿岸についての報告』。

（36）Bosman, Willem（1672-1703）オランダの東インド会社勤務の商人で旅行家。『ギニア旅行記』（一七〇四年）。

（37）Müller, Wilhelm Johann（1633-73）ガーナ在住のデンマーク植民領の牧師。『ギニアの黄金海岸とアフリカの土地』（一六八六年）。

（38）Lafitau, Joseph François（1681-1746）フランスのイエズス会士で宣教旅行家。『アメリカの未開人の習俗と古代の習俗の比較』（一七二四年）。

（39）Le Beau, Claude（1704-79）フランスのイエズス会士で旅行家。『アメリカ北部の未開人への旅』（一七三八年）。

（40）Baldaeus, Philippus（1632-72）オランダの宣教師。『有名な東インド沿岸のマラバール、コロマンデルおよびセイロン島に関する真実の詳細な報告。オランダ語からの標準ドイツ語への忠実な訳』（一六七二年）。

（41）Dow, Alexander（1735-79）イギリスの歴史家で航海者。『ヒンドスタンの歴史』（一七六八年）。『アレクサンダー・ダウによるペルシア語からのヒンドスタンの歴史。英語改訂第二版による訳』（ドイツ語訳、全三部、一七七二―七四年）。

（42）Holwell, John Zephaniah（1711-98）イギリスのインド研究者。『ベンガル地方とヒンドスタン帝国に関する興味深い歴史的出来事』（一七六五年）。『ホルウェルによるヒンドスタンとベンガルに関する興味深い歴史的報告。（…）』（ドイツ語訳一七七八年）。

(43) 「知性」の原語は Verstand. 前出の「想像力」と同じく、文化の始まりに関するヘルダーの解釈は、自然的環境と人間の身体的な諸欲求の相互作用から生れる。感覚から始まり、想像力を経て、理性(Vernunft)とともに人間の自己形成の頂点に位置する。

(44) ヘルダーにとっては「区分」あるいは「序列」という考え方は、同じ人間の中に差別的な視線を産み出すものであり、受け入れられない。

(45) 西アフリカのベニン付近に存在したと考えられる王国。

(46) 原語は Cultur. ヘルダーはここでキケロのいう「魂の耕作」cultura animi(『トゥスクルム荘対談集』第二巻(一三))としての「哲学」さらには「文化」を意識している。

(47) ヘルダーはこの段落でゲオルク・フォルスターの論考『パンの木』(一七八四年、邦訳は前掲『ゲオルク・フォルスター・コレクション』一二三―一六二頁)に依拠している。その中でフォルスターは、自然と文化の複雑な相互作用を明らかにしている。

(48) ホラティウスの『歌集』一・一六(一三―一六)における次の詩句をふまえている。「プロメテウスは、世の始めに／泥に、四方(よも)から集めて来た／粒子を加えよと命ぜられ、／狂った獅子の暴力を／われらの胸に入れたという」(訳文は『ホラティウス全集』鈴木一郎訳、玉川大学出版部、二〇〇一年、三一八頁)。

(49) 第二巻第三章「人間史との関係における動物界」を参照。

(50) 主としてニューギニア島に住む先住民。

(51) スペイン人による大征服の時代の中央アメリカにはウマもイヌも存在しなかったが、スペイン人は「馬に跨った残忍な敵」(ラス・カサス『インディアスの破壊についての簡潔な報告』染田秀藤訳、岩波文庫、二〇一三年、一〇七頁)として恐怖をまき散らした。「凶暴なイヌ」についても同書には複数の記述が見られる。

(52) 野生のラマで、アルパカやラマと近縁関係にある。ラクダ科の最小種で、アルゼンチン北西部、チリ北部、ペルー南部、ボリビア西部に棲息する。

(53) 北米大陸のハドソン湾周辺に棲息するクズリ(別名クロアナグマ)のこと。

(54) ギアナやブラジルに棲息し、さまざまな果実を食べて生き、その美味ゆえに人気のあった小型のブタ。

(55) 原語(一格)は der sogenannt-Wilde. 近代ヨーロッパ文明を批判するための概念として「高貴な野蛮人」という訳語で知られる。本訳書においては「文明」との対比において「未開(人)」という訳語を原則として用いる。

(56) ヨーロッパ諸国による植民地化が進む以前に存在したアフリカの諸王国のことと思われる。

(57) 原語は Selbsterhaltung. これについては第四巻第四章の「この弱い子は、いわば上級の諸力が使えない病弱者である」への訳注(57)を参照。以下、本巻の第四章でヘルダーは「自己保存」を基盤とする人間の三つの特性、すなわち性欲、生殖、社会的共感について詳述するが、その背景には前出のキケロの『義務について』第一巻、四(一一—一二)の次の箇所があると考えられる。「そもそも自然があらゆる生物に授けた性質として、生けるものはみな自己の生命と身体を守り、害になると思われるものは避け、生きるために必要であるものすべて、たとえば、食物、住処といった類のものを探して用意する。同様にすべての生き物に共通するのが生殖を目的とした交接への欲求であり、生まれてきたものに対してもつ愛着である。しかし、人間と獣では次の点がもっとも違っている。獣は、感覚が利く範囲にかぎって、ただその場所その時間にあるものだけに働きかけ、過去あるいは未来をほとんど感得しえない。ところが人間は、理性を持ち合わせているので、理性の目で予想される結果を捉え、物事の原因を見きわめる。諸事の先駆け、いわば前触れを理解し、類似物を比較、現在の事柄を未来の事柄とつなぎ合わせ、結び合わせる。人生全体の行程を容易に見通して、一生を送るに必要なものを準備する。自然はまた、理性の力によって、人と人を結び合わせて言葉と人生をともにする関係を作り出す。わけても、生まれてきた子供たちへのある特別な愛を生じさせる。さらに自然は人を促して、人々が集まり、賑わう場をなし、これに参加したい気持ちを起こさせる」(訳文は前掲『キケロー選集9』一三四頁)。ヘルダーにあって動物と人間は、後者が理性を有する点で前者とは異なるものの、「自己保存」という共通点によって自然を基盤とした連続性のうちに理解されている。

(58) ホッブズ(Hobbes, Thomas, 1588-1679)に対する批判。ホッブズにとって人間はその本性からして他の人間にとってオオカミであり、それゆえ自然状態においては万人の戦争は万人に対して存在するとされる。

(59) 原語は ein ungeselliges Wesen. 前出のキケロに加えて、ヘルダーが念頭に置いているのは、スコットランドの歴史家ファーガスン(Ferguson, Adam, 1723-1816)が『市民社会史論』の第一部第八章(前章「幸福について」に続く)において「社会」について述べた次の箇所であると思われる。「人間の性向、そしてその結果として人間が従事している活動は、通常、主に二種類、すなわち利己的なものと社会的なものとに分けられる。前者はもっぱら一人で行うもので、もし人類と関係してくるとすれば、それは、対抗、競争、憎悪の関係である。後者は、われわれを同胞と共に生きたい、そして同胞に善いことをしたいという気持ちにさせる。また、社会の構成員を結びつける傾向にある。そして最終的には、苦労と楽しみを分かち合い、人びとの同席を喜びの機会とするのである。この種類の下に挙げられるのは、男女の情欲、親子の愛情、普遍的な人類愛（ヒューマニティ）、または個別的な愛着、そしてとりわけ、あの魂（ソウル）の習慣であろう。すなわち、われわれが自分自身を自分が愛するコミュニティーの一部にすぎない、そして、その全体的繁栄を熱意を注ぐ至高の目的、行動の最高の原則としている社会の、個々の構成員でしかないとみなす魂の習慣である。この愛着は、不公平な区別をいっさいしない公正の原則であり、際限のないものである」（訳文は『市民社会史論』天羽康夫・青木裕子訳、京都大学学術出版会、二〇一八年、七七頁）。

(60) ただしヘルダーは最初から素朴な平和主義者ではない。本書のみならず『民謡集』にもさまざまな動機や原因から人間同士が戦い、血を流す状況が数多く描かれている。

(61) ここで考察される「両性の関係」あるいは「性欲」の問題は、前出のキケロやファーガスンのみならず、ルソーの『人間不平等起原論』の原注(1)におけるロックによる議論とも関わっているように見える。

(62) 南太平洋の島群。主島はタヒチ島のほか、モーレア島、テティアロア島などで構成される。

(63) 元来ギリシアの島で、愛の女神アフロディテの誕生神話の舞台。とりわけタヒチ島はヨーロッパの旅行家たちには新キュテレとしての価値を持っていたとされる。

(64) たとえばモンテスキューの『ペルシア人の手紙』(一七二一年)などが考えられる。

(65) ライン河東部およびドナウ河北部の地域を指す古代ローマ時代の名称。ここでの「ゲルマーニア」の女性についての記述の背後には、タキトゥスの『ゲルマーニア』における記述、たとえば第一部の八「女性の地位」や一九「女性の生活」もあると推測される。

(66) この章句は、ヘルダーが『民謡集』に込めた思いを端的に表している。その意味でも『民謡集』は、本書『人類歴史哲学考』の全体を、いわば内面から理解するための注釈書となっている。

(67) 人間の無意識的で感情的情緒的な活動としての「夢」、そして目的から自由な活動としての「遊び」の重要性についての表現。夢については第五巻第四章における記述を参照。「遊び」についてはライプニッツの『人間知性新論』第四巻「認識について」第十六章の§9において「人間精神というものは最も真面目な題材においてよりも遊びにおいての方がより広く現れる」と述べられている(訳文は『人間知性新論』米山優訳、みすず書房、一九八七年、四八一頁)。また後にドイツの文学者フリードリヒ・シラー(Schiller, Johann Christoph Friedrich von, 1759–1805)は『人類の美的教育』(一七九五年)の第十五書簡において、人間は「遊ぶときにのみ全き人間」であると記している(訳文は『美学芸術論集』石原達二訳、冨山房、一九七七年、一五三頁)。

(68) 原語は Vorurteile. ヘルダーにあって「先入見」は、「偏見」といった否定的な意味だけでなく、祖先から伝わる世界観という肯定的な意味をも有している。

(69)『オシアン』の「タイモーラ　第二の歌」に見られる。『民謡集』に所収の「昔の歌の思い出（オシアンより）」（第二部第二巻16）も「タイモーラ」からの翻訳である。「オシアン」はスコットランドの伝説上の英雄詩人。

(70) 黒海北部を中心に活動していたイラン系の遊牧騎馬民族。ちなみに「スキタイ」は古代ギリシア人によって、この地域の諸民族をまとめて指すときに使われた呼称でもあり、「スキタイ」が滅んだ後も遊牧騎馬民族の代名詞として使われた。

(71) これについては第九巻第四章で詳述される。

(72) 前出の『民謡集』に所収の次の歌のこと。「少女の別れ歌（リトアニア語）」（第一部第一巻4）、「いくつかの婚礼歌（エストニア語）」（第二部第二巻1）、「花嫁の歌（リトアニア語）」（第二部第二巻4）。いずれも前掲『ヘルダー民謡集』に所収。

(73) 前出の『北アメリカ内陸旅行記』のこと。

(74)『民謡集』に所収の次の歌のこと。「ハーコン王の死の歌（スカルドによる）」（第一部第二巻16）、「戦いにおける朝の歌（スカルドによる）」（第一部第二巻17）、「戦いの歌（ドイツ語）」（第一部第二巻18）、「捕えられたアスビオルン・プルーデの歌（スカルドによる）」（第一部第三巻6）、「雹まじりの嵐（スカルドによる）」（第一部第三巻7）、「死の女神たち（北方の歌）」（第二部第三巻6）、「相手にされなかった若者（北方の歌）」（第二部第三巻12）。

(75)『民謡集』に所収の「死者の歌（グリーンランド語）」（第二部第二巻13）のこと。同じく『民謡集』第二部第二巻の冒頭に置かれた（4）「グリーンランドの死者の歌について」は前出のクランツの『グリーンランド誌』に依拠している(前掲『ヘルダー民謡集』四二三頁)。

(76) 「幸福」の原語はGlückseligkeitであり、次の文章に出てくる「運」の原語Glückとの言葉合せになっている。そもそも「幸福」(Glückseligkeit)という言葉は言語史的には初期新高ドイツ語の時代に消滅した「幸運」(glücksal)という言葉の派生語であり、「至福」(Seligkeit)という言葉とまったく関係がない。したがってGlück-seligkeitという、ここで「幸福」を意味する複合名詞は、最初は「幸運」を意味したにすぎない。しかし十八世紀になると、このGlückseligkeitという言葉は、言語学者で本書の「序言」との関係で登場したアーデルングによれば、人が特定の状況のもとで持ちうる「最高の幸せ」すなわち「至福」として定義され、「より狭い意味ではこの状態の知覚と享受」(『標準ドイツ語の文法的批判的辞書からの抜粋』第二部、一七九六年)と理解されるようになっていた。

(77) 古代ギリシアの劇作家で哲学者のエピカルモスによる以下の格言をふまえている。「神々はわれわれにありとあらゆる善きものを労苦と引き換えに売る」(訳文は国方栄二訳、『ソクラテス以前哲学者断片集』第Ⅱ分冊、内山勝利他訳、岩波書店、一九九七年、二二二頁)。

(78) フィリピンのヴィサヤ諸島の住民。

(79) 本書における最も重要な表現の一つ。本書で多く用いられる「享受する」(原語はgenießen)という動詞、あるいは「享受」(原語はGenuß)という名詞も、たんに「享楽」や「快楽」を示すのではなく、被造物が自分の有するすべての能力を十分に展開させて、充実した固有の生を送る、という積極的な意味合いを持つ。

(80)　前注を参照。一七五五年のリスボン大地震をめぐる議論においてルソーは一七五六年八月一八日付のヴォルテール宛の書簡（一七六四年刊行）で次のように書いている。「私たちにとっては、存在しないよりも存在するほうがよいのだとすれば、それだけでも私たちの存在を正当化するには十分でしょう。たとえ私たちが苦しみを味わうはずの不幸を待ち受けることになんの埋め合わせになるものも持たず、その不幸があなたのお書きになったのと同じように大きいものであろうとも。しかしながら、この主題について人々のなかに誠実さを、哲学者には正確な予測を見出すのは困難なことです。なぜならば、哲学者は、幸福と不幸とを比較しながら、他のあらゆる感覚とは関係なく、存在の甘美な感情をつねに忘れ去っているし、また死を侮る虚栄心は他人に生命を中傷するように促すものだからです」（訳文は浜名優美訳、『ルソー全集5』白水社、一九七九年、一五―一六頁）。

(81)　本書の「序言」における「個々の成員すべてがその中で苦しんでいるのに、国家全体という抽象的存在が幸福でありえるというのは矛盾である」という表現を参照。同時にこの箇所は、本書『人類歴史哲学考』第一部が刊行された一七八四年に発表されたカントの論考『世界市民的見地における普遍史の理念』に対する批判も含んでいる。

(82)　原語は Kosmopolit.「コスモポリタン」と直訳すべきであろうが、前出のカントの論考との関連を考慮して「世界市民」（ドイツ語では Weltbürger）とした。ここでは前出の「他所者」（der Fremde）を受け入れる「未開人」と対比されて否定的な意味で使われているが、古代ギリシアの哲学者ディオゲネスにあっては文字どおり「コスモス」すなわち「世界あるいは宇宙」の「市民」として一定の住所に束縛されない存在であったとされる。したがって「一所不住」という点では「他所者」とも変わらない存在であった。これについては、菅利恵編『ドイツ語圏のコスモポリタニズム 「よそもの」たちの系譜』(共和国、二〇二三年)を参照。なお、この箇所や前述の箇所も含め、第五章にはカントを想定したと思われる表現が多く見られる。

(83) ギリシア神話に登場する神々の一人。神罰を受け、地獄ですぐ手の届くところにある水が飲めず、また果実も食べられずに苦しんだ。

(84) ギリシア神話に登場する娘たち。結婚初夜にそれぞれの夫たちを殺したために死後、地獄で穴のあいている桶を使って永久に水を汲まされた。

(85) ヘルダーが後出の「国家学者」としてこの文脈で想定しているのは、イタリアの法学者ベッカリーア(Beccaria, Cesare Bonesana, Marchese di, 1738-94)と前出のファーガスンであろう。ベッカリーアはその著書『犯罪と刑罰』(一七六四年)の第二十六章「家族の精神について」の中でこう述べている。「社会が拡大していけば、それだけ一人ひとりのメンバーは全体のなかのほんの小さな一部分でしかなくなっていく。そして、共和制的な〔公の道徳に通ずる〕感情も、それを強めようとする法律の配慮がとくになければ、しだいしだいに減衰していく。人体同様に、社会にも規模の限界がある。その限界を越えて社会が拡大していけば、それによって秩序(エコノミア)は必然的に崩れていく。ひとつの国家を構成する人たちの感度〔=共和制的な感情〕の高さと、その国家の大きさは、反比例の関係になければならないように思われる」(訳文は『犯罪と刑罰』小谷眞男訳、東京大学出版会、二〇一一年、八四頁)。他方ファーガスンも前出の『市民社会史論』第一部第九章「国民の幸福について」の中で次のように語っている。「強い大国は、弱い国家を圧倒し征服することができる。洗練された商業国民は、未開国民よりも多くの富をもち、より多様な技術(アート)を用いる。しかし人間の幸福は、全ての場合において同じように、公平で活動的、かつ精力的な精神の賜物である。そしてもしわれわれが、社会の状態を、単に人類がその性向によって導かれて行く状態とみなすならば、また人類を存続させる効果と、人類の才能を成熟させ、さらに人類の徳性をかきたてる効果とによって評価されるべき状態とみなすならば、これらの諸利点を享受するために、われわれの共同社会を拡大する必要はない。われわれは、しばしば、このような諸利点を、独立を維持している小さな国々で、最も顕著に獲得しているのである。／人口を増大させることは、偉大かつ重要な目的として認められるだろう。しかし、どのような国家であれ、その領土を拡大することは、恐らく、この目的を達成する方法ではない。われわれが、同胞が増えることを望むとしても、だからといって全体が、もし可能だとしても、一人の長の下で統合されるべきだということにはならない」（訳文は前掲『市民社会史論』八八頁）。

(86) イクシオンはギリシア神話に登場する王だが、神々の母ヘラに言い寄った罰として永遠に回転する車輪に縛りつけられた。

(87) ウェルギリウス『アエネーイス』第二巻における「トロイアの木馬」を参照。

(88)『創世記』（一〇、九）に登場する「主の御前(みまえ)に勇敢な狩人」。

(89)『歴史哲学異説』における「どの球体にも重心があるように、どの国民も幸福の中心を自分のなかにもっている」（訳文は小栗浩・七字慶紀訳、前掲『世界の名著　続7　ヘルダー　ゲーテ』

一〇五頁)という文章を想起させる。ただし、たしかにこの部分だけを強調すると、これまで言われてきたように、個別性の重視こそがヘルダーの歴史哲学の中心思想のように見えるが、この段落の最後の文章は、ヘルダー自身がこうした一面的な見方に疑義を呈しているようにも思われる。すなわち「普遍精神」(第十三巻第一章)あるいは「ヨーロッパの普遍精神」(第十六巻第六章)という表現にも示されるように、ヘルダーの関心は「個別性」だけにあるのではなく、「個別と普遍」という問題にも向けられていると言えよう。

第九巻

(1) 第五巻第四章の「4」における脳の記述を参照。「線条体」については第四巻第一章の訳注(28)を参照。
(2) 第三巻第二章の「機械」への訳注(17)を参照。
(3) 第四巻第四章における記述を参照。
(4) 第三巻第六章の「完全性へ向かう素質、もしくは堕落へ向かう素質」への訳注(49)を参照。
(5) 原語は Geselligkeit. この言葉は、カントの『世界市民的見地における普遍史の理念』の第四命題における ungesellige Geselligkeit が「非社交的社交性」と訳されることによって有名であるが、ここでは「群居して人間社会あるいは市民社会を作る人間の特性」という意味で「社会性」と訳する。第八巻第四章の「非社会的な存在」への訳注(59)も参照。
(6) 原語は Erziehung des Menschengeschlechts. レッシングの同名の著作を想起させるが、この段落で重要なのは「人類全体」と「個々の人間」との関連である。この段落の背後にも当然ながらカントの右注前掲書の第二命題の存在がある。そこでは次のように言われている。「地上における唯一の理性的な被造物である人間において、理性の利用という自然の配置が完全に発展するのは、個人ではなく人類の次元においてである」(訳文は『永遠平和のために／啓蒙とは何か他三編』中山元訳、光文社古典新訳文庫、二〇〇六年、三六頁)。

(7)「属」の原語はGeschlechtで「類」の原語はGattungである。前出の「人類の教育」の「人類」の部分をこれに従って直訳すると「人間種属」となる。この「人間種属」(Menschengeschlecht)と「人類」(Menschengattung)との関連については、第七巻の訳注(5)を参照。

(8)「動物性」「石性」「金属性」の原語はTierheit, Steinheit, Metallheitである。こうした抽象的な言葉が突然に現れる背景には、ロックの『人間知性論』の影響が推測される。ロックは同書の第三巻第八章「抽象名辞と具体名辞について」の中で次のように述べている。「全人類は、〔たとえば〕金を石から、金属を木材から、じゅうぶん区別する観念をもったが、それにもかかわらず、金性と石性とか金属性と木材性とか〔これらと〕似よった名まえの、自分たちには観念がないと知る実体の実在的本質を意味表示すると称するような名辞には、おずおずとしか乗りださなかったのである。また、実際、動物性や人間性や似たようなのを造りだして、それから〔人々の間へ〕もちこんだのは、ひとえに実体的形相の学説であり、自分たちのもたない知識〔ないし真知〕のまちがった僭称者たちの自信だけであった」(訳文は、『人間知性論』(三)、大槻春彦訳、岩波文庫、一九七六年、二〇八頁)。

(9) この文章冒頭のアヴェロエス(イスラム名はイブン・ルシド)は十二世紀スペインのコルドバ生れのイスラムの哲学者で、膨大なアリストテレス注釈を書いたことで知られる。彼の著作は中世ヨーロッパのスコラ哲学者たちによってラテン語に翻訳され、アヴェロエス派を形成した。個別的で移ろいやすい人間の理性と、普遍的で永遠に活動する神の霊を区別したとされるが、その教説がキリスト教会の教理と矛盾していることが問題となった。ここでのアヴェロエスは、その前の「互いに矛盾する属性でこれらを飾り立てる」という表現との関連において言及されているものと推測される。この箇所では「人類全体」に重きを置く(とヘルダーが考える)カントの前出の論考『世界市民的見地における普遍史の理念』における歴史観に対して、ヘルダーは「個々の人間と人類全体との関係」を重視する。しかし、この箇所における「アヴェロエス風の哲学」という言葉をカントは『人類歴史哲学考』第二部への書評でヘルダーにそのまま返すことによって、かつての弟子の歴史哲学構想に決定的ともいえる否定的評価を下す。

(10) 原語は Typus. 第二巻第四章における「原型」への訳注(35)を参照。

(11) 第一部で考察された動物をはじめとする他の被造物。

(12) ヘルダーは自らの歴史哲学を、啓蒙主義的な進歩思想に見られるような人間の道徳的な「改善」や「完成」、あるいは抽象的な「人類の教育」といった特定の意味や目的と直接結び付けるのではなく、歴史のプロセスの完全な「自然化」という地平で構想している。なお、以下の記述においては「伝承」とともに「伝達」(Mitteilung)という表現も使われる。

(13) 「発生時に遡る」と「有機組織に即した」という語の原語は genetisch と organisch である。

これについては第四巻第四章における「力」と「器官」に関する記述、および第七巻第四章を参照。ここでは「発生時に遡る」が「手本」にあたり、「有機組織に即した」が、その「手本」を「模写」する個々の人間、あるいは民族にあたる。

(14)「農地の耕作に比して文化と呼ぼうが」については第八巻第三章の「耕作」への訳注(46)を参照。「啓蒙」が「光のイメージ」と結びつけられるのは、「啓蒙」の原語 Aufklärung の中に「明るい」という意味の形容詞 klar(＝clear)が含まれているためである。また「文化」と「啓蒙」については第四巻第四章の「この弱い子は、上級の諸力がいわば使えない病弱者である」への訳注(57)を参照。ヘルダーにおいては、自然の存在物が、自己保存という問題を解決しなければならないのと同じように、人間の文化や技術もこの問題を克服する試みである。そのさいヘルダーにとって重要なのは、自然的状態を作っている諸原理が、「自然な」諸欲求から文化的な共同体の行動の「人為的な」諸欲求への移行を経て、文化の洗練された諸形式の内部にあっても作用を及ぼさざるをえないということである。そしてヘルダーが続けて「いずれにしても文化と啓蒙の連鎖は地球の果てにまで達しており、カリフォルニア人もフエゴ島の住民も弓矢を作り、それを使用することを学んだ」と述べるように、「文化」も「啓蒙」もヨーロッパにだけ存在するのではない。

(15) 第三巻第六章で言及されたソンギの野生の少女などが念頭にある。

(16)『歴史哲学異説』第三章にも次のような表現が見られる。「何が手段で、何が目的だろう。すべては幾百万の目的のための手段ではないか。すべては幾百万の手段の目的ではないか。全知全能の神の鎖は幾重にも縺れ合っているが、どの環もそれぞれ鎖につながり、それなりにその一部をなしている」(訳文は、前掲『世界の名著 続7 ヘルダー ゲーテ』一五〇頁)。

(17) 第四巻第四章における次の文章、すなわち「神に満たされた賢者たちが、より高貴な欲求から人類の真理、自由、幸福のために屈辱や迫害、貧困や窮乏を進んで受け入れてきた(…)」を参照。ヘルダーの念頭には、たとえば神とユダヤ人の仲介者としてのモーゼがある。

(18) ヘルダーは古典古代の高度な諸文化の伝承のみならず、世界各地の太古の伝承、説話、神話の残滓からも人間の歴史を再構成することを目ざす。

(19) 「われわれの地球は現在あるものになるまでに多種多様な変革を経てきた」と題された第一巻第三章を参照。

(20) 第四巻第三章と第四章、および第五巻第四章における議論を参照。

(21) 原語は Gottheit. これについては第四巻第三章の「言語能力という神々しい贈り物」への訳注(44)を参照。

(22) 原語は Merkmale(= Merkmal の複数形)。「徴表」は言語による対象の認識を可能にする概念としてヘルダーの『言語起源論』において重要な役割を担っている。なお従来「標識」「しるし」「目印」と訳されてきたこの語の訳語の選択にあたっては、大宮勘一郎・田中愼編『シリーズ ドイツ語が拓く地平 3 ノモスとしての言語』(ひつじ書房、二〇二二年)第三章、宮田眞治「〈自然〉の諸相 近世・近代ドイツ言語論における〈自然〉〈起源〉〈超越者〉の関係をめぐって」(同書、六七―九四頁)における訳語である「徴表」を借用させていただいた。

(23) ギリシア神話に登場するアンフィオンはゼウスとアンティオペーの息子。ヘルメスから得た竪琴を演奏すると、テーベの壁を造る際に使われた石がこれに共鳴したとされる。

(24) ギリシア語の λογος (logos) には「言葉、理性」という基本的意味のほかに「計算」「算定」という意味がある。ラテン語の ratio についても同様である。

(25) 原語は Symbol. 元来は同じ仲間であることを確認するために木の札などに文字や印を書いて二つに割ったものを別々に持ち、後で互いに持ち寄って証拠とするもの。日本語の「割符」にあたる。ここでは任意の「符号」もしくは「記号」の意味。

(26) 原語は reine Anschauung. これは『純粋理性批判』におけるカントの用語であるが、以下で展開される批判もカントの逆鱗に触れたことは容易に想像される。

(27) 典拠は未詳であるが、旧約聖書的な神あるいは天使の言語といったようなものが考えられる。

(28) 原語は die Geschichte und mannigfaltige Charakteristik des menschlichen Verstandes und Herzens. ヘルダーは、十七世紀以降のフランシス・ベーコンやジョン・ロックらによる「人間知性」に関する議論に連なろうとしている。その具体的な試みの一つが後述の「諸言語の哲学的比較」である。これは比較言語学的な発想であるが、「哲学的」という表現には言語世界像的な要素も含まれよう。

(29) これには日本語も含まれるかもしれないが、ヘルダーが日本語を知っていたかどうかは不明。

(30) フランシス・ベーコンの『学問の尊厳と進歩』（一六二三年）第二巻第四章における人間の文化史に関する記述のことが念頭にあると思われる。

(31) ライプニッツは『結合術』(一六六六年)において人間思想のアルファベットという構想を「普遍的学問」の基礎として考えていた。さらに言語一般については『人間知性新論』(一七六五年公刊)第三巻「言葉について」に詳細な記述がある。

(32) Sulzer, Johann Georg (1720-79) スイスの哲学者で美学者。ここでは一七六六年の講演『理性から言語へ、言語から理性への相互影響に関する所見』のことが念頭にあると思われる。

(33) 原語は Architektonik. 学問の体系を形成する方法のことであるが、カントの『純粋理性批判』においては、種々の理性的認識の中に体系的統一を樹立する方法として「純粋理性の建築術」の名で知られる。また第一巻や第十五巻で言及されるランベルトにも哲学と数学における認識の問題を扱った『建築術の構想』(一七七一年)という著作がある。

(34) 訳注(31)を参照。ライプニッツは『語源集』(一七一七年)に見られるように、語源学に関する広範な研究を行った。彼は普遍言語と普遍文字の構想を企図していた。

(35) ドイツの修道僧オトフリート(Otfried von Weißenburg)は八七〇年頃に古高ドイツ語の韻文による『オトフリートの福音書』を著した。

(36) ヘルダーはここで、古代から現在への「学問の伝達」(translatio studii)という中世のトポスを自身の哲学に組み込んでいる。

(37)『新約聖書』の「コリントの信徒への手紙　二」(三、六)におけるパウロの言葉、すなわち「神はわたしたちに、新しい契約に仕える資格、文字ではなく霊に仕える資格を与えてくださいました。文字は殺しますが、霊は生かします」をふまえていると思われる。またこれに続く記述は、第十巻第五章「人類史の起源に関する最古の文字伝承」を示唆している。

(38) 青年期に『近代ドイツ文学についての断想集』(一七六六—六七年)や『言語起源論』(一七七二年)において言語の問題と集中的に取り組んでいたヘルダーであるが、その後は体系的な言語論は著していない。『人類歴史哲学考』以降では『フマニテート促進のための書簡集』第九集(一七九七年)においてフランス語とドイツ語の問題を扱っており、またカント批判の書『メタクリティーク』(一七九九年)の第二部における理性批判も、ハーマンから大きな影響を受けたヘルダーの言語観と不可分の関係にある。

(39) 第十巻第五章では種々の文字に関する記述が見られる。

(40) 第四巻第三章「人間はより精緻な感覚に向けて、すなわち技術と言語に向けて有機組織化されている」における記述も参照。

(41) 『ノヴム・オルガヌム』のアフォリズム第一巻一〇八—一一〇を参照。

(42) ドイツの経済学者ヨハン・ベックマン(Beckmann, Johann, 1739-1811)による『案出の歴史についての論文集』(一七八〇—一八〇五年、邦訳は『西洋事物起原』全四冊、特許庁内技術史研究会訳、岩波文庫、一九九九—二〇〇〇年)を参照。ヘルダーがこの作品を知っていたかどうかは不明。

(43) jener Wahnsinnige というヘルダーによるドイツ語の表記だけではこの「狂人」が誰であるかを特定できないが、「凡例」に挙げた英訳と仏訳では、いずれも「ピレウスの狂人」と訳されている。「ピレウス」とはギリシアのアッティカ地方にある港湾都市で、サラミスの海戦(紀元前四八〇年)やペロポネソス戦争(紀元前四三〇年)では大きな役割を果たしたとされる。想定される人物としては、スパルタの将軍で、ピレウス港を閉鎖したとされるリュサンドロスなどが考えられる(第十三巻を参照)が詳細は不明。

(44) 訳注(14)を参照。ヘルダーにとっては「技術」のみならず「文化」も「啓蒙」も人類全体に関わるものである。

(45) スコットランド西岸にある島嶼部の総称。

(46) ルソーの『学問芸術論』および『人間不平等起原論』との関連から、人間が幸福になるための議論も重要であると同時に、人間が不幸に陥らないためには何が必要なのかということも見落とされてはならない。

(47) ゲーテが『イタリア紀行』(ナポリ、一七八七年五月二七日)の中で『人類歴史哲学考』第三部(一七八七年)に言及する際に念頭に置いているのは、おそらくすでに読んでいた第二部のこの箇所と思われる。ゲーテはこう述べている。「ヘルダーの第三部をぼくはひじょうに楽しみにしている。(…)彼はきっと、人類はいつか将来にはいまよりはよくなるという美しい夢想的願望を、立派に論述していることであろう。それにまた、ぼく自身としても言っておかねばならぬが、フマニテートが最後に勝利をおさめるというのは真実だと思う。ただ、同時に世界は一個の大きな病院となり、各人は互いに他人の人道上(フマーン)の看護人となるのではないかと恐れる」(訳文は一語を除いて『ゲーテ全集11』高木久雄訳、潮出版社、一九七九年、二七一頁)。

(48) ラ・フォンテーヌの寓話『オンドリと真珠』をふまえている。邦訳は『ラ・フォンテーヌ寓プの寓話はカントの『美と崇高の感情についての考察』第三章において引用されている。

(49) 以下に登場する「硝子」などの案出も含めて、前出のベックマン『西洋事物起原』を参照。

(50) 「社会」の原語は Gesellschaft. この文章の背後には、ヘルダーが大きな影響を受けたイギリスの哲学者で政治家のシャフツベリー（Shaftesbury, Anthony Ashley Cooper, 3rd Earl of, 1671–1713）の『モラリストたち』（一七〇九年）第四章における次の文章、すなわち「社会は人間にとって自然なものであり、人間は社会や共同体の外部では決して存在しなかったし、存在もしえない」という文章があると推測される。これに続く「人間は社会の中で生れ」という文章は、プーフェンドルフの『自然法と万民法』（一六七二年）の第二巻第二章における次の文章によるものと思われる。「人間の自然状態とは、自然がいわば最も完全で、人間にとって最も高い程度において適したものとして獲得しようとする状態ではなく、人間がその誕生によって置かれた出発状態である。」「社会」については訳注（5）も参照。なお、当時のヘルダーはザクセン＝ヴァイマール＝アイゼナッハ大公国の首都ヴァイマールでプロテスタントの要職を務めていたが、この大公国などでも見られた「世襲統治」への批判を含む第四章は決して扱いやすい問題ではなかった。実際「私はすでに書いたものを再び投げ捨てました。とにかくそうせざるをえないのです。それでも私にはこれ以上よいものは書けません。煩わしい統治形態が、信じられないほど私を酷使しているのです。私は嘘をつくつもりはありません。そのために私はあちこち、のたうち回っているのです。これらの統治形態の導きの糸は歴史全体を通じてまったく変わっていません。その糸とは人類の恥辱です。最高神祇官(Pontifex Maximus)であるゲーテに決着をつけてもらいたいと思っています」(一七八五年三月一〇日付クネーベル宛書簡)という文章が示すように、ヘルダーはゲーテに「大臣検閲」(同年四月二三日付ハーマン宛書簡)を依頼したほか、この章に何度も推敲の手を加えている。この第四章の三種類の草稿は『ズプハン版全集』第十三巻、四四八―四五七頁に収められている。

(51) 原語は Naturrecht.「自然法」とは、事物の自然本性から導き出される法の総称で、根拠、すなわち「法源」に何を置くかによってその実体は異なるが、ヨーロッパ全土を巻き込んだ三十年戦争(一六一八―四八年)後に結ばれたウェストファリア条約以降、それまでの普遍的な「書かれた理性」であるローマ法の権威は次第に失墜し、前出の「人間の自然状態」に基盤を置く見方が大きな潮流となった。近代のヨーロッパ大陸における「自然法」の議論にあっては、グロティウス、ホッブズ、プーフェンドルフなどが重要な役割を果たしており、ヘルダーにも大きな影響を与えている。

(52) 紀元前十九世紀に生きたエジプト第一二王朝の王。モーゼの敵対者でユダヤ人を抑圧した。

(53) アッシリアの伝説上の女王。

(54) ホッブズの『リヴァイアサン』(一六五一年)第二部第二十章やプーフェンドルフの『自然法と万民法』第七巻第七章のことが念頭にあると思われる。続く「暗黙の契約」(原語の一格は der schweigende Contract)は、後者における tacitum pactum の訳語と推測される。この段落でヘルダーは、君主制的な支配に関する自己の解釈を、自然法的な契約の理論と結びつけようとしている。

(55) 原語はGrenzpfahl. 土地などにおいて、何らかの境界を示すために設置される標のこと。

(56) ここでのヘルダーはイタリアの政治家で歴史家マキァヴェッリ(Machiavelli, Niccolò, 1469–1527)の『君主論』(一五三二年)の第一章「君主政体にはどれほどの種類があるか、またどのようにして獲得されるか」および第二章「世襲の君主政体について」に依拠していると思われる。

(57) 第八巻第三章の最後の二つの段落を参照。

(58) 同じく『君主論』の第十八章「どのようにして君主は信義を守るべきか」をふまえていると思われる。

(59) ルーベンスによる同名の絵画でも有名なこの表現は、ドルバックの『社会の体系』(一七七三年)で君主政体を論じる第二部第二章にも見られる。「サトゥルヌス」はローマ神話に登場する農耕の神で、土星の守護神ともされる。

(60) リヒテンベルクは『雑記帳』第六章「政治について」の中で、この文章、すなわち「どの民族も自ら抑圧されようと望まなければ、つまり奴隷たるに値しなければ、決して抑圧されない」を引用し、「歴史の根本原則として仮定しうる」と述べている(訳文は、前掲『リヒテンベルクの雑記帳』五一九頁)。

(61) イスラム王朝の君主の称号。

(62) カント『世界市民的見地における普遍史の理念』の第六命題。カントの文言でヘルダーにとって重要なのは「人間は同類の他者のなかで生きてゆく場合に一人の支配者を必要とする動物だということ」(訳文は福田喜一郎訳、前掲『カント全集14』一一頁)の部分である。しかしプロスによれば、ヘルダーの省察の理論的出発点と考えられるのは『百科全書』第一巻に発表されたディドロの論文『政治的権威』(一七五一年)であり、その冒頭では次のように言われている。「いかなる人間でも、他人に対する支配権を自然から受けたわけではない。自由は天の贈りもので、人類の各個人が理性をもつようになると、ただちに自由を享受する権利をもつことになる。もしも自然がなんらかの権威を設定したとすれば、それは父権である。しかし父権には限界があり、自然状態にあっては、子供たちが自分で身を処することができるようになると、それはたちまち消滅してしまうだろう」(訳文は井上幸治訳、『ディドロ著作集3　政治・経済』小場瀬卓三・平岡昇監修、法政大学出版局、一九八九年、一一頁)。このように、支配の唯一の形式は父親による権威であるが、それは子どもの成人化とともに消失する。支配の他の形式はどれも不自然なものであり、強者の「権利」の行使あるいは力の行使から生れる。しかもこれは被支配者が覆すまで存続する。それゆえ、ヘルダーの文章「自然は家族を育て上げる。それゆえまた最も自然な国家とは、一つの国民としての性格を持った一つの民族でもある」という文章も、こうした「自由」との関連から理解されるべきであろう。「支配者を必要とする人間は動物である」というヘルダーの応答の激しさは、さらにスピノザの『神学・政治論』第二十章(六)における「国というものの究極の目的は、ひとを支配することでもなければ、ひとびとを恐れによって縛りつけ、他人の権利の下におくことでもない」(訳文は『神学・政治論』(下)、吉田量彦訳、光文社古典新訳文庫、二〇一四年、三〇四頁)という簡潔な要請によって補完される。ただヘルダーは、「支配者を必要とする」という部分と「動物である」という部分の間に「この支配者からか、もしくはこの支配者との結びつきから、自己を最終決定するという幸福を期待する」という文言を入れており、この「幸福」という言葉をめぐってカントがさらに本書への第二番目の書評において辛辣な批評を加えることになる。

(63) この命題は十九世紀以降ヘルダーを保守的あるいは民族主義的な国家主義者として特徴づける際の典拠となったものの一つであるが、その原因は、ここで「民族」と訳したドイツ語 Volk にあると考えられる。特にヘルダーにおいて Volk というドイツ語は非常に多義的であり、これを一つの訳語もしくは意味に限定することはほとんど不可能である。それでも最大公約数的にまとめるとすれば次の三つになろう。一つは旧約聖書的な意味での「神の民」、すなわち「神の眼差しの下に置かれる人間全体としての人類」であり、これは天上と地上という垂直構造を背景としている。二つ目は、ヨーロッパの歴史における身分制社会における用法であり、王権神授説的な意味での王とそれを支える貴族に対する「一般庶民あるいは市民や民衆」という意味である。これも垂直構造を背景としている。そして三つ目は、近代以降のヨーロッパにおける国民国家の主体である「国民」であるが、これは「国家」を持たない場合は特に共通の言語などを母体とする共同体としての「民族」という意味になる。この三つ目の用法における Volk は、垂直構造にではなく、水平な空間において併存するものである。それゆえヘルダーが「最も自然な国家」とは Volk であるという場合は、この三番目の用法に最も近いと思われる。しかしここで重要なのは、この用法の中に狭い意味でのナショナリズム的な要素を読み込みすぎないようにすることであろう。ちなみにグロティウス以来、ヨーロッパの諸国家のあいだで議論されてきた「国際法」のドイツ語での表現は、この Volk の複数形である Völker を含む Völkerrecht（= International Law）である。ここでもまた、先に挙げた思想家たちの議論を参照しながら、種々の統治形態における人間のあり方を考察する必要がある。なお、家族を人類最初の社会形式と見なす言述は第四巻の訳注(47)で言及されたモンボド卿の『言語の起源と進歩について』第一部第二巻の第四章における「人類における最初の社会は明らかに家族社会であった」という表現や、レーナルの『両インド史』（第三版一七八〇年）第十篇第十九章における「家族は最初の社会形式であり、そこから愛、従順、敬意に基づく家父長制の形が生まれた」といった表現にも見られる。なおヘルダーにおける Volk および Nation の語義については、嶋田洋一郎『ヘルダー論集』（花書院、二〇〇七年）第三章「ヘルダーとナショナリズム再考」を参照。

(64) 『旧約聖書』の「ダニエル書」（二、三二―四五）を参照。そこではネブカドネザル王の夢の中に現れた「頭が純金、胸と腕が銀、腹と腿が青銅、すねが鉄、足は一部が鉄、一部が陶土で」できている「継ぎ接ぎ細工」のような巨大な像のことが語られる。

(65) 以下の議論も前出のプーフェンドルフの『自然法にもとづく人間と市民の義務』（前田俊文訳、京都大学学術出版会、二〇一六年）における議論をふまえているように見える。特にその第二巻第八章「国家の諸形態について」を参照。

(66) 『旧約聖書』の「歴代誌　上」（二一、一三）を参照。そこではこう言われている。「ダビデはガドに言った。「大変な苦しみだ。主の御手にかかって倒れよう。主の慈悲は大きい。人間の手にはかかりたくない。」」

(67)『旧約聖書』(「ヨブ記」三、八など)に登場する竜に似た巨大な海の怪獣。ホッブズの『リヴァイアサン』の題名ともなっている。君主政、貴族政、民主政の三つの統治形態を論じているこの箇所は当然またホッブズを意識していると思われる。そこで「レヴィアタン」を統治形態の象徴と見なすならば、ここでのヘルダーは「命令する人民」による民主政を「真のレヴィアタン」(ein wahrer Leviathan)と考えていることになろう。なお、国家の統治形態を君主政、貴族政、民主政の三つに区分する例としては、前出のプーフェンドルフにも見られる。訳注(65)で言及した箇所の(三)では、主権の統一性に規則性が見られる国家について次のように述べられている。「規則的な国家には三つの形態がある。第一に、主権が一人の人間の掌中にある場合には、君主政と呼ばれる。第二に、主権が選ばれた市民だけから成る合議体の掌中にある場合には、貴族政と呼ばれる。第三に、主権がすべての家父長たちから成る合議体の掌中にある場合には、民主政と呼ばれる。第一の場合には、権力を掌握する者は君主と呼ばれ、第二の場合には貴族と呼ばれ、第三の場合には人民と呼ばれる」(訳文は、前掲『自然法にもとづく人間と市民の義務』二一〇頁)。ただし、ここでのヘルダーは、これら三つの統治形態を「ヘブライの王ダビデ」の例になぞらえて「三つの災い」と呼んでおり、そうなると「真のレヴィアタン」とは、文字どおり巨大な海の怪獣、すなわち恐怖の対象ということになろう。

(68) モンテスキューは『法の精神』において国家の統治形態を専制政体、共和政体、君主政体の三つに区別した。なおモンテスキューについてヘルダーは『旅日記』を書いた一七六九年に「モンテスキューを読んで考えたこと」という未完の断想を残している(邦訳は前掲『ヘルダー旅日記』二二八―二三二頁)。

(69) 第四巻第六章に見られたように、ヘルダーは宗教を、伝統的な意味での神の人間に対する啓示というよりも、むしろ人間にとってどの啓示宗教にも左右されず効力を有する本質的な伝承として理解している。すなわち、宗教は「人間の知性と心情の歴史」(本巻第二章)の内部において、文化の根底にある種々の技術と並行して、人間が自己形成を行うための一つの形式として現れる。

(70) 本巻第二章における「象徴」への訳注(25)を参照。

(71) この問題は本書第四部(一七九一年)において、教皇の位階制度と皇帝の支配権との争いという形で、ヨーロッパの歴史を動かす大きな原動力として考察される。

(72) 第六巻第六章で言及されたパラグアイにおけるイエズス会士たちの活動がその一例ともいえよう。同章の「パラグアイの宣教師たち」への訳注(188)を参照。

(73) イタリア半島中部に住んだ民族。第十四巻第一章で詳述される。

(74) 原語は Vorstellung. 動詞は vorstellen という他動詞で、ここでは「或る事柄を自分の意識の中で思い浮かべる、思い描く」という意味。

(75) 第四巻の訳注(102)を参照。

(76) この箇所の内容を正しく理解するのが容易ではないように思われるが、以下の部分も含めて、ここでのヘルダーは、後出の「カドモス」への言及も考え合わせると、前出のプーフェンドルフの『自然法にもとづく人間と市民の義務』第二巻第一章「人間の自然状態について」(六)をふまえていると推測される。そこでは次のように書かれている。「さらに、この自然状態の本質は、それが虚構によって描かれるように、あるいは実際に存在するように、考察することができる。次のような場合には前者となろう。すなわち、カドモス兄弟に関する神話のように、始めから、多数の人々が他者に従属することなく、同時に現れたとわれわれが想像する場合か、あるいは、全人類がすでに散在していたために、誰であれ別々に自ら統治し、本性の類似性以外の絆では他者と結びついていなかったとわれわれが思い浮かべる場合である。ところが、実際に存在する自然状態は次のような状態であろう。すなわち、誰でも特別な協同関係によってある人々と結合するが、他のすべての人々とは人間であるという外見以外には何も共有するものを持たず、それ以外の理由で彼らに対して何らかの義務を負うこともない、ということである。こうした状態は、現在では異なる諸国家の間と異なる共和国の市民の間に存在し、かつては分散した家父長の間に広がっていた」（訳文は、前掲書一七〇―一七一頁）。すなわち、ヘルダーにとっての「フマニテート」は、地球上に「散在」する人類が、個別の種族ごとに「自ら最初から案出する」ものではなく、昔も今も人間に共通する「本性」として人間に備わったものである。

(77) 第三巻第六章における「かのディオドロスのいう感じとることのできない人間」への訳注(56)を参照。プリニウスは『博物誌』の第三巻から第六巻において諸民族の自然的特徴を列記している。

(78) 歌い手オルフェウスは妻のエウリディケを死者の国から救い出そうとして失敗する。カドモスはギリシアの都市国家テーバイの伝説上の創設者。ゼウスにさらわれた妹エウローパを探す旅に出て、テーバイの祖となる。

(79) 原語は der Syllogismus der Vernunft. カントの『純粋理性批判』第一部「超越論的な原理論」、第二部門「超越論的な論理学」、第二部門の第二部「超越論的な弁証論」、第一篇「純粋な理性の概念について」、第二章「超越論的な理念について」において詳述される「理性推論」をふまえた表現であると思われる。

(80) この箇所における「大理石」の比喩は、前出のライプニッツの『人間知性新論』第一巻「本有的概念について」第一章の §25 におけるテオフィルの次の言葉をふまえていると思われる。「それら知識〔＝最も難しくて最も深遠な思想。訳者注〕の現実的認識が本有的なのではなく、潜在的認識と呼ばれ得るものがそうなのですよ。加工する際に発見するより前に、大理石の石理によって描かれた形が大理石の内にあるのと同じです」(訳文は、前掲書四八頁)。

(81) 『新約聖書』の「マタイによる福音書」(五、一—一二)における「山上の垂訓」を想起させる文体。

解説

嶋田洋一郎

1　『人類歴史哲学考』第二部の内容と特性

『人類歴史哲学考』の第二部は、第一部の出版(一七八四年四月)から一年と四カ月後の一七八五年八月に刊行される。ヘルダーはこの第二部を第一部と同じく「自然」という大きな枠組みの中で構想しており、したがって第一部の刊行から間を置かずに第二部の出版を考え、原稿も一七八四年のうちには完成していたと思われる。しかし翌一七八五年二月一四日付のハーマン宛書簡では、「『人類歴史哲学考』の第二部は印刷が遅れています。用紙が足りないのです」と述べられており、そこからは実際の出版が当初の予定よりも遅れたことが見てとれる。しかもこの時期にはカントが自らの歴史哲学観を表明した論考『世界市民的見地における普遍史の理念』(一七八四年一一月)とヘルダーの『人類歴史哲学考』第一部の書評(一七八五年一月)を発表しており、「歴史の哲学」をめぐる両者の関係はいっそう複雑さを増していた。それゆえ、このような状況のもとで執筆・刊行された『人類歴史哲学考』第二部は、カントの歴史哲学、あるいは『純粋理性批判』(一七八一年)以降の批判哲学との関連からも理解されるべきものである。以下ではまず本・第二分冊に収録した第二部第六巻から第九巻までの内容を概観し、次にそこに含まれる問題点を指摘したうえで、あらためてカントとの関係について論及したい。

(1)人類の民族誌的記述と風土(第六巻と第七巻)

第六巻では地球のあらゆる気候地帯に広がる人間の地理的歴史が、北極周辺、アジア、アフリカ、熱帯、そしてアメリカの諸民族について考察される。ヘルダーが「北極周辺」といういわば生物の極限から記述を始めるのは、「自然という創造者の公平な手」(第六巻第一章)が地球のどのような地域における人間にも、その地域の特性に応じた文化を与えていることを示すためである。先の第一部における自然被造物の記述の後に来る第六巻は地球全体における諸民族の民族誌的記述となっており、これはヘルダーの歴史哲学の第二の出発点とも言うべきものである。すなわちそれは、当時のヨーロッパからは「未開」な状態にあるように見える他地域の諸民族の状態から、人類史初期の社会生活が推測可能となる視点が生れることを意味している。しかしヘルダーにとって重要なのは、文明化されたヨーロッパの視点から未開の地域を一方的に批判することではなく、地球全体における人類の多様性を明らかにすることである。

人類の多様性という点でヘルダーが着目するのは人間の肌の色である(特に第六巻の第四章と第六章)。これは現代においてもきわめて扱いの難しい問題であるが、ヘルダーは人種の場合と同様に、肌の色をも人類のあいだでいくつかの特定のものに分類することを拒否する。その背景にあるのは、人間の肌の色のみならず世界全体が多様な色彩に満ちているというヘルダーの強い確信である。「この丸い地球上ですべてが雪のように白かったり、褐色であったりすれば、むしろそのことを奇異に思うだろう」(六九頁)と述べるヘルダーは、色彩の多様性について広範で深い思索を『色彩論』(一八一〇年)で繰り広げたゲーテと同じ地平に立っている。ゲーテはまた『ファウスト　第二部』(一八三一年)第一幕冒頭の「癒しの地」(Anmutige Gegend)の最終行において主人公のファウストに、「色とりどりの煌めきにこそ、われらの生がある」(Am farbigen Abglanz haben wir das Leben.)と語らせている(邦訳は、ゲーテ『ファウスト』粂川麻里生訳、作品社、二〇二二年、二〇四頁)。

このような多様性は、さまざまな気候地帯への人間の適応を前提としているが、これは「人類」の内部に「人種」という原理的な相違を構成するものではない。一つの人類とその多様性をヘルダーは第七巻第一章の標題で次のように表現している。「人類はかくも多種多様な形で地球上にその姿を現しているが、どこにおいても一つの同じ人類である」。そしてここでヘルダーはゲオルク・フォルスターとともにカントの人種観に対して批判的な立場を鮮明にすることによって「人種」という概念そのものを否定する。カントが、環境の影響によって類の型の持続的な変化が惹き起こされ、それによって「人種を基礎づけうる」と仮定したのに対し、ヘルダーは「風土」に象徴される環境の影響は、人間の有機組織に一時的にしか影響を与えることができないと考える。「風土」は「強制するものではなく、傾けるもの」(第七巻第三章)であって、被造物界のすべてを変えるものではない。これによってヘルダーは環境決定論的な風土観を否定する。そのさい重要な役割を果たすのが、第七巻で「風土」とともに言及される「発生をもたらす力」(同第四章)と「有機的な力」である。しかし風土あるいは生活様式を変形させる外部からの強制的な力が無くなるやいなや、「その土地の風土に根ざした生活様式」(同第五章)は復元される。

(2)実践的知性と人間の文化(第八巻と第九巻)

人間の社会的生のあらゆる形において「実践的知性」(第八巻第三章)は、教育、文化あるいは啓蒙という形で人間の「第二の発生」(第九巻第一章)を促す。「人間の感覚は形態や風土とともに変化する」という標題で始まる第八巻と、続く第九巻でヘルダーは、人間の自然的素質と、教育や文化的実践との対立などの問題を扱う。自然的素質の基準は類存在としての人間にとっては普遍的なものであるが、人間が自己保存の欲求の束縛のもとで手を加える文化的実践は、個々の歴史環境のもとではそれぞれ異質なものである。すなわち、感覚的経験のみならず人間の心的能力、記憶や想像力、集合的心性の形成、伝承可能な社会的宗教的儀礼、そして何よりも生存に必要な自己保存技術、これらはすべてが、種々異なる風土的地理的環境といった「現実的な世界」(第九巻第一章)の影響下にある。

なかでも第八巻は人間の感覚や心的能力を「音楽」(第一章)、「夢」と「神話」(第二章)、動物から学ぶ人間の「実践的知性」(第三章)、「遊び」(第四章)など、さまざまな角度から考察しており、そこにはヘルダー独自の人間観、すなわち人間を「知性と心情」の一体となった一つの全体的存在としてとらえる人間観が生き生きと描かれている。また第二章で「教理問答書」の形をとって分かりやすく語られるグリーンランド人の「神学的自然説」は第二部全体における読みどころにもなっており、それはこの『人類歴史哲学考』という書物が広範な読者を対象にして構想されていることを明らかにしているとも言える。しかし第八巻における何よりの特徴は、特に第四章において「女性」と「子ども」の記述に多くの紙幅があてられていることであろう。もちろんそこには男女の自然上の性差を前提としているという時代的な制約はあるものの、もっぱら男性を中心とする歴史記述とは大きく異なるものである。

この世界はまた「生活方法が必要とするもの」(第八巻第三章)のもとで生れるが、ヘルダーはこれについて人間における言語の生成という観点から第九巻で考察を加える。これによって「実践的知性」に関する章の標題にある「伝承と慣習」の問題があらためて浮かび上がる。人間は「精巧な機械」(第九巻第一章)でもあり、「これにはなるほど発生時に遡る素質と充溢した生が賦与されているが、この機械は自分自身の力で動くわけではない。すなわちどれほど有能な人間でも、この機械をどのようにして動かすかを学ばねばならない。」したがって人間の理性も、このようにして獲得されるべきものとして存在する。すなわち「理性とは、われわれの魂による観察と訓練の集合体であり、人類の教育の総体である。しかもこの教育は、教育を受ける者が、与えられた未知の手本に従って、最終的には未知の技術者として自ら完成させるもの」となる。こうした理性や言語という観点からすると、第九巻は第一部の第四巻に接続しており、これら二つの巻は『人類歴史哲学考』においても、特に言語的存在あるいは社会的存在としての人間の本質を理解するうえで最も重要な巻となっている。

（3）国家と宗教の起源

第六巻から第八巻までが地理的条件を背景とした人類の民族誌的な記述となっていたのに対して、第九巻と第十巻では、言語の案出によって社会的存在となった人間の活動基盤となる国家と宗教の問題が考察される。特に第九巻第四章における統治形態についての記述は、人間社会の基礎的な関係を構築する「人類の第一にして必然的で普遍的な自然法則」（第八巻第四章）を詳述したものである。こうした基礎的関係は、婚姻制度の確立とともに社会性の基盤となる家族、既存の家族結合の内部における権威の構造、そして他氏族との関係を中心に構成される。特に強調されるべきは、これらの構造が人間の、平和を好む態度、それもすでに人間の身体構造の内に基礎づけられている態度によって担われるという根本的な仮定である（第四巻第三章および第八巻第四章）。また注目すべきは、ヘルダーが人間関係を示す名称として「父と子、兄弟、姉妹、恋人、友人、扶養者」（第九巻第四章）を挙げ、たんに生物学上の性による関係にとどまらない幅広い人間関係を念頭に置いていることであろう。

こうした中で統治形態の問題は、ザクセン＝ヴァイマール＝アイゼナッハ大公国でプロテスタントの聖職者として公職に就いているヘルダーにとって決して扱いやすいものではなかった。しかもヘルダーが統治の形式として何よりも問題とするのは、「自然に基づく統治の第三段階」とされる「世襲統治」(第九巻第四章)である。これは当時の大公国の統治形式そのものであったため、ヘルダーは文章表現に苦慮しながらも、その問題点や原因について主として「戦争」という観点から批判的な考察を行う。

ヘルダーが「国家」について言及するとき、そこには常に「家族」や「民族」という表現が付随している。たとえばヘルダーが「自然に基づく統治の第一段階」(第九巻第四章)が「家族の秩序」の上に構築されると表現するとき、それによって彼はモンボド卿の『言語の起源と進歩について』第一部の「人類における最初の社会は明らかに家族社会であった」という基本的な省察を繰り返しているにすぎない。しかしそれでもヘルダーが次のように、すなわち「自然は家族を育て上げる。それゆえまた最も自然な国家とは、一つの国民としての性格を持った**一つの**民族でもある」と述べるときには、国家が家族と同一視されてよいのかという疑問も生れるであろうし、国家と民族があまりにも単純に結びつけられると、そこには当然ながら民族主義的な国家解釈が入り込んでくる余地があることも否定できない。そして実際にこのことは、ヘルダーが思想史において

「反啓蒙主義」の先駆的思想家として非難されることにもつながった。

第九巻の最後で考察されるのは「宗教」の問題である。これは第一部の第五巻では「宗教」という表現は見られないものの、被造物界を貫く「諸力の上昇する系列」(第五巻第一章)における「目に見えない領域」として、現世を超えたところでの「魂の不死」という問題と関連づけられていた。これに対してこの第九巻で「宗教」は、前述の統治の問題も含めて地球の諸民族の文化全体をその根底で支えるものとして理解されている。しかもそれは「その外皮がどれほど異なっていても、地球の片隅のどんなに貧しく粗暴な民族のもとでも、その痕跡が見出される」(第九巻第五章)とともに、「諸民族に最初の文化と学問をもたらした」ものでもある。なかでもヘルダーは、「彼らの宗教で用いられる言語」に関心を示すが、その理由は、「その大部分が太古の世界の伝承に由来するもの」であり、「彼らが自分の民族の古い報告、有史以前の世界の記憶、あるいは黎明期の学問について保持している唯一のもの」である点に見出される。こうしてヘルダーは人類史の起源に関する複数の文字伝承に目を向けるが、これについては第二部の最後に置かれた第十巻において考察される。

第十巻(第三分冊に収録)でのヘルダーは、第一部第一巻における地球の生成史に再び戻るとともに、そこでの自然科学的な記述を『旧約聖書』冒頭の「天地創造」についての記述とどのように結びつけるべきかという難題に直面する。その第七章「人類史の始まりに関する最古の文字伝承の結び」には異稿が存在し、そこからはヘルダーがこの問題といかに格闘したかが読み取れる。なお前述の第九巻第四章および第十巻第七章の異稿については『ズプハン版全集』第十三巻と第十四巻に詳しい記述と、一部ではあるが、翻刻がある。さらに第九巻については、最終章の第五章に続いて、「人間形成のすべての手段は地球上では不完全なものであり、その特性上、決して完全なものにはなりえない」と題する第六章が構想されていたが、この草稿も『ズプハン版全集』第十三巻において翻刻されている。

2　人類の最初の居住地と最初の居住民

本・第二分冊におけるそれぞれの民族の記述には、今日の視点からすれば人種差別的と思われる箇所や表現も少なくない。そしてさらに問題なのは、ヘルダーが、諸民族のこうした外見上の特徴を内面の特性とそのまま結びつけるような観相学的な記述を行っていることであろう。これはヘルダー自身が「たんに推測するだけの観相学」(第四巻第一章)として批判していた疑似科学的な姿勢と何ら変わるものではないことを指摘しておかねばならない。その意味でもこの第六巻は非常に問題の多いものとなっている。それらはたしかに十八世紀のヨーロッパで流布していた種々の旅行記や報告集における記述を利用したものであるとはいえ、決して少なくない量のこうした記述を実際に目にすると、これらがヘルダーの唱える「フマニテート」と、どのように結びつくのかを問わずにはいられない。ただ、ヘルダーは決して差別する意図を持っていたわけではなく、それらの記述は、あくまでもフマニテートの単一性をそのすべての現象形態のうちに認識し、記述するという目標設定によって特徴づけられている。その根拠となっているのは、本書第一部の第四巻第六章冒頭の次の文章である。

私はフマニテートという言葉の中に、これまで私が述べてきたこと、すなわち理性と自由、精緻な感覚と本能、きわめて繊細にして力強い健康、地球上の充溢と支配に向けられた人間の高貴な形成についてのすべてを包括できればよいと思う。事実また人間は自分の使命のために人間という言葉ほど高貴な言葉を持っていない。なぜなら、人間の中には地球の創造主の形姿が、この地上で目に見えるものとなりえた形で刻印されて生きているからである。だから人間の最も高貴な本分を詳述するためには、その形態を描きさえすればよいのだ。（第一分冊・二六九頁）

ここで注意しなければならないのは、ここで言われる人間の「形態」についての考察が、第四巻ではもっぱら頭部を中心として、カンパーによる所見を参照しながらサルとの比較解剖学的な視点から行われていることであろう。しかし、こうした考察の結果として導き出されるものが人間の「美しい形態」(第四巻第六章)という人間中心主義的な視点であることも見逃すことはできない。しかもヘルダーは続けてその具体例として「ギリシア人」に言及しており、これはたとえその背景にヴィンケルマン以降の理想的なギリシア観があったとはいえ、かなり問題を含むものである。というのも、人間の頭部あるいは頭蓋に関する考察が、ギリシア人に象徴される人間の「美しい形態」と結びつけられるとき、ギリシア人とそれ以外の諸民族のあいだに自ずと優劣がつけられ、ひいてはそれが人種差別につながりかねないからである。

そこであらためて第六巻における諸民族の描写に目を向けると、北極周辺の諸民族を描く第一章、アジア周辺の諸民族を描く第二章、アフリカの諸民族を描く第四章、熱帯諸島の諸民族を描く第五章、そして南北アメリカ大陸の先住民を描く第六章においては、ヘルダーからすると人間の「美しい形態」とは異なるような形態の民族に関する記述が少なからず見出される。これに対して「美しく形作られた諸民族」を描く第三章では、

「最も良く形作られた諸民族の住む地域は地球の中位地域であり、これが美それ自体のように両極端のあいだに位置している」と述べられ、読者も美の理想郷があたかもそこに存在するかのような錯覚にとらわれると同時に、それまでの非ヨーロッパ系の諸民族についての記述とのあまりにも際立つ差異に大きな違和感をいだかざるをえない。

ここで重要なのは、「地球の中位地域」における「中位の」(mittel)という表現であり、これはすでに第一部の第一巻第二章の標題「われわれの地球は中位の惑星の一つである」や、第二巻第四章の標題「人間は地球の動物の中で中位の被造物である」に見られるように、ヘルダーにとっては両極端の間にあって、均整のとれた状態を象徴するものである。そして注目すべきは、この「地球の中位地域」が、人類の「最初の居住地」(第六巻第二章)と結びつけられることであろう。その伏線となるのは、第一部の第一巻第六章における次の文章、すなわち「十中八九ここアジアの山脈の麓、あるいは中腹のどこか幸福な谷にこそ人間の最初の選び抜かれた居住地があった」という文章である。その居住地が実際どこにあったのか、この段階ではまだ特定されていない。しかし第六巻第一章では次のように表現される。「黒海やカスピ海の沿岸、コーカサス地方やウラル山脈といった部分的には世界の最も温和な地域においてタタール人の形姿は、より美しいものへと移行する。」特に「コーカサス地方」へのこうした肯定的な言及は、ヘルダーと同時代のドイツの哲学者クリストフ・マイナースや、第一部第四巻で言及されるドイツの比較解剖学者ヨハン・フリードリヒ・ブルーメンバッハによる「コーカサス人」の称揚の寸前まで来ているように思われる。ただし前述のように、ヘルダーは「人種」という概念そのものを否定している。

ヘルダーにあっては人間の「美しい形態」が「コーカサス地方」だけに見られるものではなく、むしろ次の文章が示すように、結局はギリシアに集約される。「最終的に人間の快い形姿は地中海沿岸という場所において精神と結びつき、地上および天上の美のあらゆる魅力となって、目のみならず魂にとっても見ることができるようになった。それは三つの部分からなるギリシアである。」(第六巻第三章) これについて注目すべきは、「美しい」(schön)という形容詞の、濫用と思われるほどの頻出であろう。たしかに当時においては「美学」という新しい学問の興隆に加えて、ヴィンケルマンの『絵画と彫刻におけるギリシア芸術模倣論』(一七五五年、邦訳は『ギリシア芸術模倣論』田邊玲子訳、岩波文庫、二〇二二年)の影響もあって、この語は芸術を中心とする分野で多く使用されていた。実際また「美しい」という語は、「美的な」とも訳される ästhetisch(感性的な)という語とともに、当時のドイツの美学における基本概念であった。本書『人類歴史哲学考』においても、この「美しい」という語が第一分冊と第二分冊で使用された例として、たとえば次のようなものがある（個々の単語の後に巻数を示す）。

美しい形(6)、美しい気候(8)、美しい丘陵(6)、美しい均整(8)、美しい形態(4)(6)、美しい子ども(6)、美しい身体(4)、美しい世界(5)、美しい青春期(9)、美しい楕円形(4)(6)、美しい土地(6)、美しい人間(2)(4)、美しい歯(6)、美しい風土(6)(7)(8)、美しいフマニテート(9)、美しい牧草地帯(8)、美しい本能(3)

実際はこれ以外にもまだ多く見られるが、この語の多用は、あたかもヘルダーがあらゆる存在物の間を歩き回って、快さを感じたものすべてに、「美しい」と呼びかけているかのようである。たしかにヘルダーによる「美」のこうした理想主義的な姿勢は、本書第二部の五年後の一七九〇年に刊行される、カントの『判断力批判』における「美」についての厳密な定義づけから見れば、あまりにも不明瞭なものであろう。しかしそれでも「美しい」という語がヘルダーの思想全体において「中位」という概念と結びついて重要な役割を有していることも否定できないと思われる。

こうして見てくると、やはりヘルダーの視点には、なかば無意識のうちにギリシアを理想とするヨーロッパ中心主義的な見方が内在しているとも考えられよう。ただしそれは、当時のヨーロッパにおける啓蒙主義的な進歩史観とは異なるものである。第六巻における記述に見られるように、外見の点から必ずしも「美しい」ものとされない民族が、そのまま「文化」や「文明」を持たない「未開」で「野蛮」な民族のままであるかといえば、決してそのようなことはない。なぜなら、次の文章にも見られるように、ヘルダーにあっては「未開（野蛮）と文明（文化）」や「啓蒙と非啓蒙（＝蒙昧）」といった本質的な二項対立は存在しないからである。「啓蒙された民族と啓蒙されていない民族との相違、あるいは文化を持つ民族と文化を持たない民族との相違は、人間の種類に固有のものではなく程度の差にすぎない。この点で諸民族の絵図は無限の差異を示しており、それらは場所や時代とともに変化する。」（第九巻第一章）

3　カントとヘルダー

『人類歴史哲学考』第二部においては「人種」をめぐる議論も含め、カントの批判哲学との相違が鮮明に現れている。ただ、ヘルダーからすれば、カントの『天界の一般自然史と理論』（一七五五年）を第一部第一巻における地球論の出発点としていたように、第二部の第六巻における諸民族の民族誌的な記述も、学生時代に聴講したカントの「自然地理学」の講義の影響を受けているように見える。こうした背景からよく言われるのは、ヘルダーの思想が前批判期の、すなわち『純粋理性批判』以前のカントの段階にとどまっていたということである。こうした点もふまえて以下においてはヘルダーとカントの関係について、少し詳しく述べながら解説を終えることにしたい。

ヘルダーとカントの関係は約四〇年に及ぶ。二人が直接の師弟関係にあったのは一七六二年から六四年にかけてのケーニヒスベルクにおける二年ほどにすぎないが、カントが二〇歳前の若きヘルダーに与えた学問的な影響は、その後のヘルダーの歩みに大きな痕跡を残している。しかし特に本書『人類歴史哲学考』の第一部と第二部がカントによる厳しい批評にさらされてからは、両者の対立は鮮明なものとなる。そしてカントを中心に展開されるドイツ観念論の流れは、ヘルダーの姿をドイツ哲学史の舞台からほとんど消してしまう。そのような中で、ただ一つ明るく輝いて見えるのが『人類歴史哲学考』全四部の刊行された後の一七九五年にヘルダー自身が綴ったカントとの思い出である。これは『フマニテート促進のための書簡集』第六集第七十九書簡の冒頭部分(『ズプハン版全集』第十七巻、四〇四頁)に収められたものであり、ここに紹介しておきたい。

私は、私の師でもある一人の哲学者を識るという幸運に恵まれました。彼は生涯の最も輝かしい時代において、若々しく、はつらつとした生気に満ちていましたが、それは、私のみるところでは、老年になるまで衰えることがありませんでした。彼の広く考え深げな額は、尽きることのない快活さと歓びをたたえており、口からは、含蓄に富んだ言葉があふれ出し、諧謔(かいぎゃく)や機知やユーモアはたちどころに口をついて出ました。彼の講義は、最も楽しい談話の時でもあったのです。ライプニッツ、ヴォルフ、バウムガルテン、クルジウス、ヒュームの思想を吟味し、ケプラー、ニュートンをはじめとする物理学者たちの自然法則につき従う、それと同じ精神をもって、彼は当時世に出たばかりのルソーの著作、つまり『エミール』と『新エロイーズ』を、また彼の知るところとなったすべての自然科学上の発見を受容し、その価値を認め、そして、つねに、自然についてのとらわれのない知識と、また人間の道徳的価値とにたち帰ってきました。人間、民族、自然の歴史、自然科学、数学、そして彼自身の経験が、彼の講義と談話に活気を与える素材であり、およそ知るに価するもので彼の関心を逃れるものはなく、どんなたくらみも、どんな党派も、どんな利益も、どんな名誉欲も、真理の拡大と解明にくらべれば、彼には無に等しかったのです。彼は学生たちに、みずから考えることをうながし、勧めました。独裁主義は、およそ彼の気質とうらはらでした。この人物は、私はその人を最大の感謝と尊敬をもって名指すのですが、イマヌエル・カントにほかなりません。彼の姿を、私はよろこびをもって思い浮べるのです。（訳文は、坂部恵『人類の知的遺産43　カント』講談社、一九七九年、一〇二―一〇三頁）

この文章は、ヘルダーがケーニヒスベルク時代にカントからいかに多くの学恩を受け、またそれに三〇年以上たった今もいかに感謝しているかを示している。しかしそれだけに『人類歴史哲学考』第一部と第二部に対する恩師からの思いもかけない酷評は、自信をもって同書を世に送り出した直後のヘルダーにとって、まったく予想外のものであった。さらに言うならば、全体で二十数頁ほどのカントの論評によって、その後の第三部と第四部も含めると八〇〇頁を超えるヘルダーの力作が一瞬にして吹き飛ばされたのであり、その衝撃力には本当に驚嘆を禁じえない。カントによるこうした論評の背後には、自らの「批判哲学」の根幹をなす認識の形式や枠組みにほとんど理解を示さず、自然をもっぱら書物として読み、解釈し、叙述するヘルダーの「歴史哲学」に対するカントの怒りにも似た批判が存在している。

本来であれば、『人類歴史哲学考』の第一部と第二部に対するカントの論評（邦訳はいずれも理想社版および岩波書店版の『カント全集』に所収）を、ヘルダーの文章と突き合わせて、それもドイツ語の原文によって詳細に分析しなければならないが、ここではそれ以前の両者の思想上の交流にも目を向けておきたい。ヘルダーがケーニヒスベルクを去ってからカントの論評に至るまでには二〇年あまりの年月がある。その間にヘルダーは文芸批評的な諸作品や『言語起源論』および『人類最古の文書』を発表しており、これらに対するカントの姿勢も本書への論評を理解するうえでは見逃せない。そしてさらに重要なのは、カントと同じくケーニヒスベルクに住み、カントとヘルダー両者の思想や人柄を熟知しているハーマンの存在である。ハーマンは一七八八年に亡くなるまで『人類歴史哲学考』の完成をずっと望んでいた。それゆえハーマンが、カントの最初の論評が発表された直後の一七八五年二月三日付のヘルダー宛書簡で両者のことを同時に語った次の言葉は、当時の状況を知るうえでも貴重な証言である。「私は今日カントに今年初めて通りすがりに無沙汰を詫びました。(…)とにかく神が貴兄に『人類歴史哲学考』の完成のために健康と活力と強さを与えられんことを。カントは自分の体系のことであまりにも頭がいっぱいで、貴兄を公平に評価できないのです。――それに誰もまだ貴兄の構想全体を見通すことができません。私には未完の作品を自分が裁くことなど決してできないと思います。『人類歴史哲学考』はただでさえ別の尺度を必要としているのですから。」

カントとヘルダー両者による批判の応酬に関わることにもまして有益に思えるのは、ヘルダーの『人類歴史哲学考』第一部が刊行された一七八四年の四月以降にカントが発表したいくつかの歴史哲学関連の論考、たとえば『世界市民的見地における普遍史の理念』や『人類史の臆測的始元』などを、ヘルダーの『人類歴史哲学考』の特に第一部および第二部と比較しながら考察することであろう。そしてこれらに同じくカントによる論考『人種の概念の規定』や『哲学における目的論的原理の使用について』などを加えると、『純粋理性批判』から『実践理性批判』を経て『判断力批判』に至る一七八〇年代のカントの思想の歩みが、より重層的に把握されると思われる。実際また一七八〇年代は、カントとヘルダーに関する次の年表に見られるように「カントの八〇年代」であったとも言える。

カント『純粋理性批判』(一七八一年五月)
カント『プロレゴメナ』(一七八三年春)
ヘルダー『人類歴史哲学考』第一部(一七八四年四月)
カント『世界市民的見地における普遍史の理念』(一七八四年一一月)
カント『啓蒙とは何か』(一七八四年一二月)

カント『ヘルダー『人類歴史哲学考』第一部論評』(一七八五年一月)
カント『月の火山』(一七八五年三月)
カント『道徳形而上学の基礎づけ』(一七八五年復活祭)
　ヘルダー『人類歴史哲学考』第二部(一七八五年八月)
カント『人種の概念の規定』(一七八五年一一月)
カント『ヘルダー『人類歴史哲学考』第二部論評』(一七八五年一一月)
カント『人類史の臆測的始元』(一七八六年一月)
カント『自然科学の形而上学的原理』(一七八六年復活祭)
カント『思考の方向を定めるとは何か』(一七八六年一〇月)
　ヘルダー『神、いくつかの対話』(一七八七年四月)
カント『純粋理性批判』第二版(一七八七年五月)
　ヘルダー『人類歴史哲学考』第三部(一七八七年八月)
カント『哲学における目的論的原理の使用について』(一七八八年一・二月)
カント『実践理性批判』(一七八八年)
カント『判断力批判』(一七九〇年復活祭)
　ヘルダー『人類歴史哲学考』第四部(一七九一年一〇月)

この一七八〇年代にはまたレッシング、モーゼス・メンデルスゾーン、ヤコービ、そしてゲーテやヘルダーを巻き込んだ「スピノザ論争」もあり、錯綜こそしているものの、わずか一〇年ほどのこの時期は、次の時代の新しい思想を準備したという点でも実に豊饒な時代であった。こうした潮流にヘルダーの『人類歴史哲学考』も関与している、と言えば言いすぎであろうか。ちなみに「スピノザ論争」が注目されるようになったのは、ようやく近年のことである。これについては加藤泰史編『スピノザと近代ドイツ　思想史の虚軸』(岩波書店、二〇二二年)が大変参考になる。

さて、両者の関係はさらにヘルダー最晩年のカント批判書である二つの著作、すなわち『判断力批判』を対象とした『カリゴネー』と、『純粋理性批判』を対象とした『メタクリティーク』まで続く。したがって「カントとヘルダー」という問題は、その時代思潮も含めると実に大きな広がりを持っている。しかしその後のドイツ哲学史、とりわけその記述の最大の問題点は、カントの『純粋理性批判』による「コペルニクス的転回」を通じて、ドイツあるいはヨーロッパにおける哲学という舞台が、カントという主役の登場によって一変し、ヘルダーを含めて、それ以前の登場人物が全員揃って舞台の袖に引っ込んでしまったかのように見えることであろう。たとえば今からおよそ五〇年前に刊行された日本語による或る研究書では、ヘルダーについて『人類歴史哲学考』を念頭に次のように書かれている。「認識論は、けっして、より全体的なものに、組み入れられてはならないのである。かつて、ヘルダーの新しい構想が失敗したのも、そこに原因があったのである。しかし、カントを通ることによって、ドイツ哲学者のあみだす論理的方式は、全くその面目を一新する。」たしかに面目は一新されたのであろう。そして、もし『人類歴史哲学考』が「失敗」であったとすれば、それは壮大なる失敗であろう。しかし近年においては、比喩や類比に基づくヘルダーの思考を「感性論的認識論」として新たに評価する動きも見られる。これについては、濱田真訳および解説のヘルダー「イメージについて」(『思想』第一一〇五号(二〇一六年五月)、岩波書店、一五八—一七〇頁)を参照されたい。

人類歴史哲学考（二）〔全5冊〕　ヘルダー著

2023年12月15日　第1刷発行

訳　者　嶋田洋一郎

発行者　坂本政謙

発行所　株式会社 岩波書店
〒101-8002 東京都千代田区一ツ橋 2-5-5
案内 03-5210-4000　営業部 03-5210-4111
文庫編集部 03-5210-4051
https://www.iwanami.co.jp/

印刷・三秀舎　カバー・精興社　製本・中永製本

ISBN 978-4-00-386033-5　　Printed in Japan

読書子に寄す

――岩波文庫発刊に際して――

岩波茂雄

真理は万人によって求められることを自ら欲し、芸術は万人によって愛されることを自ら望む。かつては民を愚昧ならしめるために学芸が最も狭き堂宇に閉鎖されたことがあった。今や知識と美とを特権階級の独占より奪い返すことはつねに進取的なる民衆の切実なる要求である。岩波文庫はこの要求に応じそれに励まされて生まれた。それは生命ある不朽の書を少数者の書斎と研究室とより解放して街頭にくまなく立たしめ民衆に伍せしめるであろう。近時大量生産予約出版の流行を見る。その広告宣伝の狂態はしばらくおくも、後代にのこすと誇称する全集がその編集に万全の用意をなしたるか。千古の典籍の翻訳企図に敬虔の態度を欠かざりしか。さらに分売を許さず読者を繫縛して数十冊を強うるがごとき、はたしてその揚言する学芸解放のゆえんなりや。吾人は天下の名士の声に和してこれを推挙するに躊躇するものである。このときにあたって、岩波書店は自己の責務のいよいよ重大なるを思い、従来の方針の徹底を期するため、すでに十数年以前より志して来た計画を慎重審議この際断然実行することにした。吾人は範をかのレクラム文庫にとり、古今東西にわたって文芸・哲学・社会科学・自然科学等種類のいかんを問わず、いやしくも万人の必読すべき真に古典的価値ある書をきわめて簡易なる形式において逐次刊行し、あらゆる人間に須要なる生活向上の資料、生活批判の原理を提供せんと欲する。この文庫は予約出版の方法を排したるがゆえに、読者は自己の欲する時に自己の欲する書物を各個に自由に選択することができる。携帯に便にして価格の低きを最主とするがゆえに、外観を顧みざるも内容に至っては厳選最も力を尽くし、従来の岩波出版物の特色をますます発揮せしめようとする。この計画たるや世間の一時の投機的なるものと異なり、永遠の事業として吾人は微力を傾倒し、あらゆる犠牲を忍んで今後永久に継続発展せしめ、もって文庫の使命を遺憾なく果たさしめることを期する。芸術を愛し知識を求むる士の自ら進んでこの挙に参加し、希望と忠言とを寄せられることは吾人の熱望するところである。その性質上経済的には最も困難多きこの事業にあえて当たらんとする吾人の志を諒として、その達成のため世の読書子とのうるわしき共同を期待する。

昭和二年七月